Second
Marriage

2婚

林小染／著

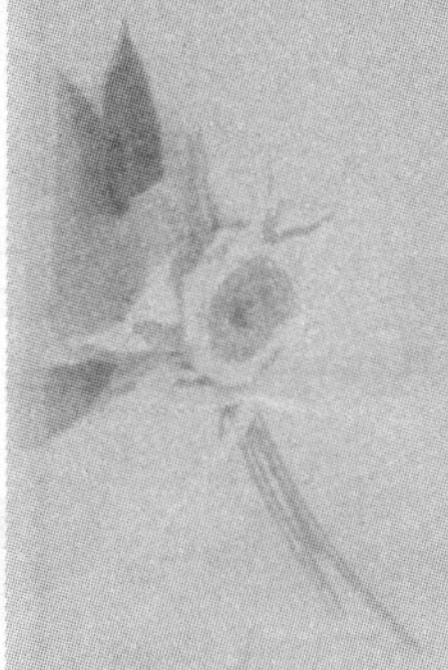

花山文艺出版社

图书在版编目（CIP）数据

二婚 / 林小染著.—石家庄：花山文艺出版社，2009. 9
ISBN 978-7-80755-682-4

I. 二… II. 林… III. 长篇小说—中国—当代 IV.
I247. 5

中国版本图书馆CIP数据核字（2009）第129350号

二婚

作　　者：林小染　　策划编辑：顾行军
责任编辑：尹志秀　　装帧设计：阿　左
特约监制：陈　江　辛海峰
出版发行：花山文艺出版社
地　　址：石家庄市友谊北大街330号
邮政编码：050061
网上书店：http://www.hspul.com/ecity
邮购热线：0311—88643242
销售热线：0311—88643227/3228/3229
传　　真：0311—88643225
E—mail：hspul@163.com
印　　刷：廊坊市兰新雅彩印有限公司
经　　销：全国新华书店
开　　本：700毫米×990毫米　1/16
字　　数：290千字
印　　张：18
版　　次：2009年11月第一版
　　　　　2009年11月第一次印刷
书　　号：ISBN　978-7-80755-682-4
定　　价：26.80元

Two Marriage

2婚

目录

Second Marriage

2婚

第一章

用绝望的姿势寻找爱情

相亲，是以绝望的姿势寻找爱情。

无数次失败的相亲之后，沈小荻对男人经济基础的要求，已经从“成功男士”降低到“只要不要我养就行了”；对男人外表的要求，从“起码要看着顺眼”降到了“只要不被大象踩过”；对男人人品的要求，从“诚实善良”降到了“没有犯罪记录就行”。

一次次在期望、失望和绝望之间徘徊，她的心底却对爱情还抱着最后一丝幻想。

1

家是一把椅子背，让你往后一靠不会落空。

再嫁后，沈小荻晃荡了两年多的心终于踏实下来了。虽然有人说沈小荻这是典型的从米箩跳到了糠箩，不，简直就是在跳火坑，还自带燃烧装备。为什么不利用青春的尾巴改善一下困境，一雪前次婚姻的耻辱和晦气，却要去捡一块被别人炸过两次的油渣？男人可是越离越穷，离一次婚的男人是杨过，离两次婚的是南海鳄神，如果第三次婚姻还有问题，那他无疑是东方不败。

的确，37 岁的隋杰只差一脚就东方不败了。他自营公司做药品代理，当然，他这个老板刚起步，也就是一片叶子掉下来砸着三个老板的那种。没车，没房，上有七十爹娘，下有儿女一双，为创业还背负了不少债务。当然，他也有别人没有的东西，两座永远烙在他历史上的尊神——前妻和前前妻。连隋杰都常常自责，我能让你图个啥呢？

图啥？就图你这个人啊！就图你让我信任，让我踏实。就图个你挑水来我浇园，夫妻恩爱不夜天的好日子。反正大家都离过婚，也算是鞋拔子配臭脚，谁也别嫌弃谁……沈小荻总是乐呵呵地回答。

眼巴巴地瞅着手机上的时间变成了 6 点，早早收拾好的沈小荻抓起手袋冲刺似的跑向公司门口。这还是她和隋杰的蜜月呢，可隋杰结婚第二天就出差，半个月了才回来，她迫不及待地要回家看到他。她和 8 岁的儿子海海刚搬到隋杰的出租屋里，和公婆、隋杰4岁的儿子果果还在彼此适应中，身体和心理都非常需要隋杰的陪伴。

起早摸黑，没完没了地出差和应酬是隋杰工作的全部。隋杰跟别的男人不一样，尽管他很忙，事情却总是做得特别让沈小荻放心，他干活的目的、会见的客户和要去的地方总是第一时间给沈小荻打招呼，让沈小荻觉得自己被尊重和信任着。所以他的人虽在外面，沈小荻的心始终是着陆的。大家都是过来人，再也输不起了，都铆足了劲要好好经营老天赐给的这个婚姻。

32岁的沈小荻有个听起来很不错的职业——媒体从业人员，平时出入各种新闻发布会、研讨会，俨然一副日理万机的记者模样，其实都是为了拉广告作铺垫。说穿了她就是个能干点、多面点的广告业务员，正为一份没有刊号的黑杂志拉广告。赠阅发行，非法刊物，不定哪天就被新闻出版局查封了，这就是隐藏在光鲜媒体后面的秘密。如果不是冲着诱人的提成，如果不是她和隋杰还需要一段艰苦的原始积累，沈小荻打心眼里不想再做这份多少有点“话术”倾向的工作了。

“小荻姐，会议室有人找！”前台的小姑娘追着她喊。

是谁挑这么个下班时间来办事呢？沈小荻极不情愿地往会议室走，脸上却换上了职业式的热情笑容。谁让客户就是上帝，就是衣食爹妈呢，上帝要打左脸，顺便还得送上右脸，爹妈不让吃饭，咱就从此减肥。

会议室的杂志架前，有一个红衣女郎的背影。听到沈小荻的脚步，女郎转过身来。

沈小荻眼皮一颤，好一个美女！迎面而来的是一双大得惊人的眼睛，像嵌在那张削瘦瓜子脸上的两颗黑曜石，眼波流转之间彩虹熠熠闪动，你想看清那七彩光芒时它却一下又变回了清冷的黑色。一件大红裙式风衣包裹着她玲珑有致的身体，那V领中的深沟简直是世上最深的峡谷，红发如波浪如云卷般堆砌在乳沟旁，越发衬得发如火，肤如雪，好不美艳妖娆。沈小荻的视线像挂了铅球，抛物线般掉进了美女的深沟里出不来。口水ing。C罩杯？不，D？她没出息地含胸藏起了自己的B。

“你就是沈小荻？”美女上上下下打量着沈小荻，却无视她伸出的右手。

沈小荻尴尬地把握手的姿势变成给美女端水，“请坐，请问您是——？”

美女啪地把几张照片扔在了桌面上。

全是隋杰搂着美女抱着一个小婴孩的照片，照片上三个人笑得都很开心。沈小荻有几分明白了，这位大概是隋杰的前妻吧，真没想到隋杰的前妻居然这么漂亮！不过这是第一任还是第二任前妻呢？“嗯，你好，不晓得你是第几，几……”

美女激怒地大声回答：“我是果果的妈妈！莫莉！”

原来这就是隋杰的第二次婚姻留下的孩子——果果的妈妈，莫莉。笑容凝结在沈小荻脸上，她暗暗吁了一口长气，虽然莫莉的来访很突然，但她会来找麻烦沈小荻是早有心理准备了，谁让她要嫁给有过两次婚姻的隋杰呢？谁让她要当别人孩子的晚娘呢？尴尬又棘手的组合家庭问题在蜜月里就找上了门，这是对她的第一个考验，她得答个漂亮卷。

“你是想去看果果吧？怎么不跟隋杰联系呢？”

“联系？我怎么跟隋杰联系？!他换了工作换了电话搬了家，不就是想我找不着他吗？不就是想我再也看不到果果吗？你知不知道我费了多大力气才找到这里！”莫莉愤怒地大嚷着。

“你先别着急，这些日子隋杰很忙，他是想等稳定下来再通知你……”

“哼！是为了跟你结婚吧？你这么猴急地嫁给他，到底了不了解他是个什么人？你知不知道在我之前他还离过一次？还有一个女儿跟着他第一任老婆？他这种男人，只要自己快活，连亲生孩子的死活都不管，你觉得他会对你好吗?！”

“你、婉玲和隋杰的事情，我全都知道的，我也能接受，否则不会嫁给他……”

“他一定在你面前扮悲情英雄吧？当年我嫁给他的时候他就骗了我，根本没提他在我之前结过婚的事！后来他不要我了，又千方百计要阴谋逼我离了婚。你这么快肯嫁给他，一定也上了他的当！”

“你不要乱说！我记得隋杰说过一句话，只要你能说得出三件他对不起你和三件你对得起他的事情，他就无条件答应你的一切要求。”

“我发誓我说过的每一句话都有证有据！沈小荻，你醒醒吧！宁愿相信世上有鬼，也不要相信男人那张嘴！”

“……你们以前的事我不管，如果你今天来找我是为了要看孩子，我现在可以帮你联系。”

莫莉冷冷地说：“我来是让你转告隋杰，我已经上诉了，我一定会要回我的果果。他不让我看果果，我就要他永远失去他儿子！”

回家的公车特别拥挤，沈小荻被卡在门口，手不挂杆脚不着地的，跟几个满身臭汗的小伙子贴照片般挤在一起，厚着脸皮装听不见乘务员呵斥“门口的坐下一班车去”。下一班？再晚不知得等多久了，打的她又舍不得，家离得太远，路上也太堵了，打一次的她一天的底薪可就没了。和莫莉短暂的见面，让沈小荻心里火烧火燎的，更着急要见隋杰了。

到家时天已黑了，婆婆已经做好了香喷喷的饭菜，隋杰兴冲冲地在家里直转悠。他出差的日子，这个临时租住的房子已经变了样，漂亮的墙纸、洁净的地砖、雅致的窗帘，连沙发都盖上了新布套，孩子们涂鸦的蜡笔画装裱在墙上，孩子房换上了上下铺给小兄弟俩，灯光下热热闹闹的一桌菜，相亲相爱相依为命的一家人，这不是隋杰最大的梦想吗？为了得到今天的幸福生活，费那么大劲折腾离婚是值得的……看，果果和海海俨然结成游戏二人组了，老人们对沈小荻这个新媳妇更是暗暗跷起大拇指，隋家什么时候像现在这样快乐过？这一家子都是吃过苦的人，给点阳光就很灿烂啊！

这一次终于选对了老婆。隋杰跑去厨房凑到沈小荻的后颈亲了一口，他知道这是沈小荻的敏感部位，“一会儿让我好好亲亲你……今晚我要给你整套节目……”

他们都不小了，新婚的热情却一点也不输给年轻人。隋杰心里有些说不出来的愧疚，按沈小荻的条件完全可以找到更好的对象，可她却把这份沉甸甸的信任给了他。身体上的愉悦是他现在唯一能满足沈小荻的东西了，他是在用这种方式表达着对沈小荻的感激。在碰到沈小荻之前，隋杰一度怀疑自己已经丧失了性功能，其实不然，爱情原来是最好的春药……对于沈小荻来说，房事格外合拍也是她决定嫁给隋杰最隐秘的理由。

“有了你我就没了后顾之忧了，我得赚多点钱，快点让一家人的生活富裕起来，这样才对得起你……你要相信我，这样的苦日子不会太久的。”

沈小荻心里有事，却不想扫隋杰的兴，只得扮出一脸笑容，“是的，咱们家的日子会越过越好的，算命的说我旺夫呢！”

夜晚终于在各怀心事的夫妻俩的期盼中来临了。隋杰一关上卧室门就把沈小荻扑在了床上，若是平时，沈小荻一定已经心旌神迷了，但今天的兴致完全让莫莉搅黄了，她有些莫名的心烦。

“别闹，咱们好好聊聊……你觉得夫妻俩离了婚还能做朋友吗？”

“干吗说这么扫兴的话题啊！能做朋友也不至于离婚了。来，别管这个……”

“是的，离了婚还能做朋友的不是有暧昧就是在装B，不过我觉得离了婚的夫妻还有几种可能，第一种，反目成仇，穷追死打；第二种，相逢陌路，老死不相往来；第三种，因为孩子的关系成为有点来往的亲戚。就拿我和海海他爸来说吧，我没精力跟他较真记仇来折磨自己，所以我们成了亲戚……其实离婚夫妻这么相处对孩子是最好的，你说呢？”

沈小荻的一番说辞让兴头上的隋杰冷了下来，“你今天这是怎么了，是不是有事要说？”

“知道今天谁来公司找过我吗？——莫莉。”

隋杰在她身上游走的手僵住了，“她怎么会找到你公司去的？”

“早跟你说过不能躲她的，她都找了你半年了，憋了一肚子怨气这下还不得发个痛快……”

“怎么？她骂你了吗？她有没有胡说什么？可恶，这个女人简直就是个不可理喻的疯子！”

“没有没有，真的没有。她只是让我转告你，她已经上诉请求要回果果的抚养权了，看来咱们只怕有场恶仗要打。”

“她休想！打死我也不会把孩子给她！”

“其实你们俩也没什么深仇大恨，能不能为了孩子心平气和地沟通一下呢？”

“我要是能和她沟通得了，还至于离婚吗?!”

隋杰的嗓门越来越大，这句话几乎是吼出来的，说完两个人都怔住了。平时脾气不错的隋杰总是一提到莫莉就像被马蜂蜇了。隋杰发现了自己语气不好，立马软了下来，“你知道我不能没有果果……”

沈小荻叹了口气，“其实你说得也对，如果你和莫莉能沟通，也轮不到我来为果果的事烦恼了。”

沉默。同床共枕的两个人都没了做节目的兴致。

痛苦和焦虑压得隋杰喘不过气来，他没想到莫莉居然直接找到了沈小荻，事情仿佛又在向他不能控制的方向发展。沈小荻还会像结婚前她承诺的那样帮他吗？会不会鸡飞蛋打，既失去儿子，又失去老婆？他可再也输不起了。

良久，他终于鼓起了勇气，“老婆，你换个工作吧，我不会让她再打扰我们的生活。”

“老婆”这个称呼在此时听来格外刺耳，不知道他心里要叫的是哪一任老婆呢？沈小荻沉默不答。刚才她一直在想，隋杰离离合合的婚姻故事真的像他讲述的那样吗？会不会还有她不了解的真相？了解一个人真难啊……共同承担爱人的过去，这个承诺说起来只是一句话，做起来还真是要承受千刀万剐的考验。他们这个新家所碰到的问题，开始超出了沈小荻的想象。

再嫁，宽容或许不是真宽容，智慧却需要大智慧。

沈小荻突然为自己这么满怀热情地投入新婚姻感到害怕了。

2

沈小荻的头婚是起手听牌结果臭庄。

当年沈小荻和夏明皓还真是郎貌女才、门当户对。和内地许多早婚的女孩子一样，沈小荻大学毕业没多久，就在老妈一手操办下嫁给了她老同事的儿子夏明皓。老妈看中了这个长得像影星吴彦祖、工作单位却很不起眼的男人。沈小荻忸怩着不愿意，老妈却下了断言：“这孩子将来肯定有出息，男人要发达起来很快的，只怕以后你还配不上他呢。”

在谈了半年恋爱之后，沈夏两家没有悬念地联姻了。他们的初夜是正儿八经在新婚之夜完成的。在送走了闹新房的人们之后，两个人都疲惫地把自己扔在了婚床上。“你——”沈小荻正要开口找句话说，婚前一直很守礼的夏明皓突然翻身上来，三下两下扒掉了她的裤子。沈小荻又害羞又慌乱地低语：“关灯，先关灯。”

夏明皓顺从地关了灯。他的呼吸平稳地喷在沈小荻脸上，她不知如何配合，只有一动不动。一阵撕心裂肺的刺痛，也许有几分钟，也许只有几秒。当透过窗外的微光，看到他脸上略微扭曲的表情时，沈小荻心一沉，她知道自己从此就是女人了。可这个莫名其妙的初夜，没有亲吻，没有拥抱，没有抚摩，他甚至没有脱掉沈小荻的上衣，自己居然还打着一条领带，就这样把沈小荻幻想了很多年的男女之事完成了。

老妈果然没看错这支潜力股。婚后第二年夏明皓辞职了，带着沈小荻来深圳闯天下。两人打工创业，他有了自己的公司，有了自己的房子和车子，把沈小荻的父母也接过来带孩子了。虽然不是大富大贵，却也是生活小康，他们得到了“来深建设者”最想要的一切。看看周围的同学朋友还为生活奔波，而她却早早地过上了衣食无忧的安逸日子，谁不说她命好有福气。

有这么一个既长得帅又能赚钱的老公，朋友们常为沈小荻捏一把汗。还好夏明皓这个人平时严肃古板，从没有过任何绯闻，只是床上也是无趣得很，常常是一二三四二二三四就结束了，而且这乏味的夫妻之事渐渐在近两年彻底没了。沈小荻私下不免埋怨他的无趣和差劲，常常被闺密宣萱骂：“知足吧你！你还能找到比他更好的老公不？不就是少点床第之欢吗？大不了你去找个情人或者性伙伴好了，好多人不都这样吗？”

沈小荻当然不会是“好多人”。她把精力都扑到了工作上，憋足的欲火还真是最佳动力，她在公司的业绩长期数一数二，常为抢客户明争暗斗的同事们暗暗骂她可恶，明明老公会赚钱还不享福，跟一班年轻人抢什么饭碗。

生活波澜不惊，本来可以一直这样平静地过下去，可因为沈小荻心血来潮去给夏明皓送了一次汤，引发了这个家的海啸。

说来还得怪宣萱，老担心沈小荻大大咧咧地不看着夏明皓，说不定哪天就会被漂亮的狐狸精抢走。沈小荻给她唠叨烦了，便在一个夏明皓加班的夜晚，学着广东女人煲了一盅靓汤送到公司去。

可公司已经没人了。从公司大厦出来，沈小荻回头向空中看去，一、二、三、四……二十楼的东南向的那个窗户没有亮灯，夏明皓真的没有在办公室，刚才电话里不是说要加班吗？也许临时有事出去了。夜色真美，家家户户的夜灯与夜空中斑斓的星星连成一片，忽闪忽闪地演绎着人世间的悲欢离合。不知道那每一个橘色的灯光里会藏着什么样的故事，但沈小荻相信，像她这样幸运的女人是不多的，虽然生活并非十全十美，她应该惜福。

“宝贝儿，你今天好香哦！”

“讨厌！”

一对男女走了过来，嬉戏打闹好不开心，好甜蜜好幸福的情侣。沈小荻微笑地看着。咦，不对，这男人怎么这么眼熟呢？天哪，是夏明皓！他穿着一套从来没在沈小荻面前穿过的，廉价的大花衬衫和沙滩裤，亲密地搂着一个姑娘。不，不能说是姑娘了，这女人又矮又胖，烫着一个体积庞大的鸡窝头，俨然一副中年妇女的模样，看他俩亲密的样子只怕是老相好了。瞧夏明皓那一身俗得掉渣的打扮，那一脸放松和油滑的表情，活脱脱一个平时他最鄙夷的痞子男人形象，这还是和沈小荻同床共枕了七年的丈夫吗？

夏明皓隐藏的秘密突然浮出水面了。宣萱猜中了故事的开头，可猜来猜去她也没想到故事的结局会是这样。她觉得第三者一定是年轻貌美的，事实却是卡米拉打败了戴安娜，鸡窝头打败了沈小荻。原来夏明皓并不是一个无趣的古板的男人，他把他的热烈和情趣全给了这个鸡窝头。

沈小荻知道自己应该躲开或者冲上去给那女人几个耳光，否则就是自取其辱和自甘示弱，可她像被钉在了原地，怎么也挪不动半步。他们终于迎面碰上了，在夏明皓一声试探地轻唤“老婆？”后，沈小荻再也拿不住手里的保温瓶，它哐当一声掉在了地上，精心煲制了四个小时的汤，本来是想做增进夫妻感情工具的汤水全浇到了她的脚背。

夏明皓和那女人大呼小叫地拉着沈小荻去冲凉水，又背着她去医院上药打针。沈小荻吊盐水的时候，那女人识趣地先走了，沈小荻一直压着的怒火终于歇斯底里地爆发了出来：“夏明皓！你要找女人也找个像样点的美女，为什么要这样羞辱我！”

“对不起……不过请别攻击她，甲之砒霜乙之蜜糖……她是我大学同学，那时我就一直暗恋她，不过我一无所有不敢追她。前几年我找到了她，她离婚了，而且身体不好没法工作，我……”

“你总算说真话了！现在你有钱了就可以为所欲为了吗？你摸摸良心你是怎么有钱起来的？不是我辛辛苦苦地替你守着这个家，你有精力去赚钱玩女人吗？”

“我不是玩，我对她是认真的，她一直让我很有感觉。”

“感觉？夏明皓你多大了，你醒醒好不好？你是有老婆有孩子的人，还在玩初恋玩感觉吗？！”

“小荻，你说得没错，我们初恋时把感觉看得特别重要，后来长大了懂事了，知道光靠爱情不能过日子，选结婚对象的时候，就把条件合不合适放在了第一位。可是这一路婚姻走过来，你不觉得感觉还是很重要吗？没有感觉日子就过得特别没滋味，再相配的人也会出轨会离婚。像我们这样的婚姻，说实话你开心吗？”

“我开心！”沈小荻泪流满面地辩驳着，“过日子当然不像你玩外遇有滋味了！你过去……也说过爱我的……你变心了……”

夏明皓叹了口气，“爱情到底是什么？其实我们都不懂！我跟她就是脾性相投，就是处着舒服。”

“明皓，难道我们一起生活了七年你都不舒服吗？……别闹了，我可以原谅你，我有什么不好的地方可以改……你要不喜欢我上班我就不上了，只要你和她分手。”

“你没有什么不好，可我不能离开她，否则她会死的……”

“我也不能没有你，我也会——”

“别骗自己了，沈小荻，你不会的，你会活得很好的。”

沈小荻语结。的确，她不会为了任何人去死。

“我可以骗你和她分手了，就像前面我一直瞒着你一样，你也可以装着没这回事，就当你从来不知道一样。我们还可以维持这个家，我并没有想要和她结婚。”

“无耻！”沈小荻愤怒地把一个枕头扔在了夏明皓那张俊秀的脸上。

沈小荻坚决要离婚！

她接受不了夏明皓那个明修栈道，暗度陈仓的提议，她尤其想不通怎么败给了那样一个女人。她愤怒，可又能怎么样呢？到公司闹、搬公婆压、求妇联出手这样的事情沈小荻是做不来的，作为一个有素质又独立的现代女性，她虎死不倒威，虽败犹荣，她要让那对狗男女翻然悔悟，让夏明皓求她回家……幸好夏明皓不是陈世美，他没有理会沈小荻激愤时说要带着孩子净身出户的话，把郊区的一套大房留给了沈小荻，儿子的抚养费也拟定了个不错的数目。

去办证那天，天空阴霾，欲雨不雨的天气就像沈小荻迷茫的心。出门时，夏明皓非要带上海海跟着去。海海完全不知道爸爸妈妈是来分手的，他在民政局大厅里玩汽车玩得十分开心。看着海海天真无邪的笑容，沈小荻心乱如麻，这会儿她特别恨夏明皓，他是要她永远记得这一幕，是她选择毁掉海海的家，不关他的事。

他们前面有一对八零后的小夫妻在办离婚。这对刚领证没一个月的小两口闪婚又闪离，到了民政局还在不停地吵，男的说女的八婆死相，女的说男的变态白痴。安排填表格，盖章签字，按手印，表情肃穆的办证员一直言语轻柔动作缓慢，仿佛还在给别人考虑的时间。可离婚证终于办好了，推过去时，他没有说领结婚证时那句例行的“恭喜”。小女生哇的一声哭了，与刚才还在生死搏斗的前夫抱头痛哭。两人在号啕大哭了二十分钟后，同时回头问：“我们的离婚可以不作数不？”

“不行，你们得办复婚手续。”办证员脸上终于有了一丝微笑，显然这一幕他不是第一次见了。

见此情景，夏明皓提醒她，“现在后悔还来得及，咱们马上回家。”

离？还是不离？

“不。”沈小荻机械地交着各种证件。

办完证出来，夏明皓说了一句：“恭喜你，你现在是一只快乐的自由鸟了。”他语气调侃，如释重负。

“真正应该恭喜的人是你！从此往后，你可以随心所欲做任何事情，连面子上的交代也不需要给我了。真正快乐的人是你！”

夏明皓不接招地笑笑。

沈小荻把牙都快咬碎了，“算你狠！”

不管怎样，夏明皓和沈小荻都自由了，但是古往今来追求自由都是要付出代价的。

家还是那个家，只不过家长被炒了。沈小荻心里堵得慌。她总是莫名其妙地伤心，欲哭却无泪。她对自己坚决离弃的生活开始留恋，回想起夏明皓种种的好。但是她硬着心肠认为自己不后悔。她想，大概是对不可预知的未来感到害怕和迷茫。

沈小荻要独自面对的事情很多。

她开始切实体会到，离婚带来最直接的后果是经济成本高昂。沈小荻收入并不稳定，因为离婚情绪不好又严重影响了工作，独自撑起这个家并不容易，但她一直咬牙坚持着。虽然夏明皓愿意在抚养费之外随时伸出援手，但这算什么呢？他们已经离婚了，夏明皓当时提那个一家两制的建议，就因为看准沈小荻只能当他的寄生虫。

另一个难题是如何面对亲戚朋友的追问。这个家可是人见人羡的啊！免不了猜测是她有了情人，更多人猜测夏明皓喜新厌旧。当人们问她为什么，她没有办法回答，她不想痛诉革命史般说夏明皓的种种不是，她要扛住最后的面子，她不愿成为别人的话柄。

最大的难题是如何跟海海解释。爸爸不再回家睡觉了，海海却从来不追问为什么。也许儿子以为爸爸到外地工作了，也许在等她的解释，又或者孩子心里什么都明白只是不说。可是，除非她准备给海海再找一个爸爸，否则她打算无限期隐瞒下去。其实这也是夏明皓对她唯一的要求，"你有困难随时可以找我，不管我们怎么样我都会帮你的。但我希望在儿子长大成人前不要知道我们离婚了，什么时候你打算再嫁了，就把海海还给我，我不想我的儿子变成别人的儿子。"

再嫁？沈小荻没想过。离婚是为了摆脱那种让她崩溃的局面，她要破釜沉舟。

可是时间一天天过去，狗男女没有悔悟，陈世美也没有回头。沈小荻彻底被心理专家和小说家给坑了。说什么女人只有自立才会幸福，说什么女人不纠缠男人就留恋，说什么放爱一条生路，全是狗屁！全是狗屁！！她扮演了一个大义凛然的大蠢蛋，成全了一对卑鄙下流的狗男女。早知道还不如一哭二闹三上吊，把夏明皓的财产剥个精光再踢出门。

仇恨像断在身体里的针头，怎么也清除不了。有近一年的时间她非常消瘦和沉默，业绩直线下滑。唯一支撑她的理由是每天要回家扮笑脸让父母和海海别担心。她的心像黑夜里煮沸的开水，从扑腾扑腾乱跳不止到渐渐乏力地微弱下去，从愤怒的沸点到渐渐冷却的余温。她终于平静了。她想明白了，夏明皓不值得等待，他们没有藕断丝连也许是好事，起码她断了退路，就只有一心往前走了。

为了打发日子，沈小荻去报了几个夜校班来读，她隐秘地期待着能碰上一个心仪的男人。不过她很快发现这个想法很幼稚，在职夜读的大都是和她一样有同样隐秘想法的单身女子，偶尔有那么几个男生也是毛小孩，沈小荻还没那么时髦要来个姐弟恋，于是心思便真的放在了读书上。读书不见得真能明事理，但内心的不平衡的确有了短暂的支点。毕竟，她还得活下去，要比夏明皓过得更好。夏明皓不是对她没感觉吗？她要找一个对她特别有感觉、彼此相爱的男人。

老妈开始到处托人给沈小荻物色相亲对象，不幸的是可与沈小荻相配的人大都婉言谢绝，条件好点的离异男和大龄单身男都把目标锁定更年轻的姑娘，愿意要离异女的也要求孩子不在身边，为数不多愿意和沈小荻相亲的却是老妈瞧不上眼的。带着拖油瓶的沈小荻似乎很难找到如意郎君了，周围嫁不出去的老姑娘还一大把呢！老妈天天抱怨这世道，沈小荻心里渐渐也焦虑起来，她相信世上会有合适她的人，只是她的生活圈子太小了，得想想办法。

宣萱热心地帮她在一个婚恋交友网站注了册，沈小荻又偷偷在一个婚介所报了名。

意外地，日子翻开了新的一页。

3

相亲，是以绝望的姿势寻找爱情。

沈小荻并不太在意贫富，不过在没有感情基础的条件上，对方还是应该有一些经济基础吧，至少要能养家才行。所以在众多的相亲对象中，沈小荻不由自主地把天平倾向了成功男士。

第一个相亲对象是婚介所安排的，眼下最吃香的公务员。沈小荻后来把他编号为A。

A大她5岁，市区有一三居室房，离异，6岁女儿跟着他，各方面条件都与沈小荻非常匹配。相亲时约好A开车过来接她去喝茶。沈小荻穿了条素净的蓝裙，薄施粉黛，直发柔顺地倾泻了一肩。到了约定的时间，她站到路边东张西望。她看到一辆车远远地放缓了速度，慢慢地向她逼近，最后轻轻地停在了她身旁。车窗摇下来，露出驾驶座上一个眼镜男子友好的笑容。

沈小荻不知道那天她很险。A是相亲老手了，提早减速就是为了看清沈小荻的长相，如果不中意A就会一脚油门踩过，从此关机消失。沈小荻不知就里，还一眼就觉得这个斯斯文文的男人挺不错的，A对沈小荻显然也十分中意。两人愉快地喝了这次茶，A不停地赞美沈小荻的肤色和身材，提了很多要和沈小荻一起共享的计划，比如去巴厘岛晒太阳啊，去西藏喝酥油茶啊，去哈尔滨看雪啊。应该说这些美丽的憧憬让沈小荻非常兴奋。那晚她激动得整晚睡不着觉。她觉得自己好幸运啊，怎么第一次相亲就碰到这么合适的对象呢？

还好宣萱比她冷静，热心地帮忙找人调查了A。A在某职能部门上班，内部网上一搜名字，他的工作岗位、级别、工龄全找了出来，这起码证明A的生活状况是真实的，不是婚托或骗子。

沈小荻想着A有一女我有一儿，两好并一好，儿女双了全。像那个《家有儿女》的电视剧一样，多好。因为想要个女儿，所以把相亲对象的条件也限制在有女儿的离异男士了。她幻想着有一个乖巧的女儿可以让她疼，她会给女儿买许多漂亮的衣服，跟女儿做最贴心的朋友。说到底，女儿还是跟娘最亲的，就像她现在是老妈的依靠一样，儿媳再好也隔了层心啊。等她老了之后，就可以跟女儿住在一起，带可爱的小外孙……这幻想真迷人。

沈小荻开始与A吃饭、喝茶、每天通上几个长长的电话，她觉得自己简直就是在谈恋爱了。那段日子她一扫前面的颓废，觉得自己浑身上下都充满了电力。她期待自己再过些日子就可以兴奋地告诉老妈，我有男朋友了！可是计划不如变化，两周之后A突然没了消息，先前那么紧锣密鼓地追着她，怎么一下就消失了呢？沈小荻百思不得其解，主动打给了他。电话里A犹豫着说了出来："我想了很久，你的家庭状况我很难接受，你有儿子，将来我们会很难相处，负担也重……"沈小荻啪地把电话挂了。别忘了你也有女儿！你是想找个"有车有房，父母双亡"的吧！还人民公仆呢，简直是人间败类！

B是在婚恋网站认识的，台湾人，在深工作，46岁。年龄是大了点，但胜在成熟。上次相亲带来的阴影还未消散，沈小荻开始明白相亲的圈子里是鱼龙混杂的，所以这次她不急着见面，只是先用邮件淡淡地联系着。

不知是沈小荻哪根弦打动了B，B开始对沈小荻发动攻势了，先是火热的情书一封封地来，等通上电话后招数更猛烈。当B得知沈小荻有一个孩子，B大声地告诉她，"我的目标就是要找一个有孩子的女人，因为有孩子的女人更懂得惜福，何况我独自在大陆创业，我自己的孩子已经长大工作了不在身边，我一直想要个有老婆有孩子的完整的家……我会对你的孩子像亲生的一样！"

在刚在孩子问题上受过伤的沈小荻听来，这些话无疑是天籁之音。她心动了。

B与她狂热地联系了半个月之后，沈小荻终于答应他见面了。那天寒风刺骨，他们吃了顿暖洋洋的火锅。B很老实地先给沈小荻看了他的台胞证，以证实他的身份没有造假，对于他不习惯的内地饮食，他提出来吃东西要用公筷。沈小荻讪讪地答应了，她知道用公筷是文明的表现，可心里为什么又觉得B是怕她有传染病呢？将来要是kiss一下那还不得戴上防毒面罩了……想到两个戴着防毒面罩的人深情缠绵地 kiss，沈小荻差点把茶水喷到火锅里去。对不起，沈小荻很惭愧，怎么让台湾同胞见识了内地女人的老土和不卫生？

B 的谈吐还不错，言语间也非常尊重沈小荻，遗憾的是他的体型恰恰是沈小荻不喜欢的那种类型，太臃肿。B 对沈小荻一见钟情，只是在告诉她已喜欢上她的同时，也透露了一个秘密——他和太太还没有办离婚手续，当然离婚是肯定，迟早，绝对，不可逆转的事。

沈小荻无语了。她很感谢 B 的坦白让她没有浪费时间，可是你还没离婚，来相哪门子亲啊！

再后来就是拍了一段散拖的 C。

C 是宣萱给她介绍的，是宣萱老公的朋友，用宣萱的话说，“条件比夏明皓还好”。的确，高大威猛，略有啤酒肚，开着一家经营高尔夫用品的公司，有房有车，离过婚有一孩跟前妻，离婚的原因据他说是“前妻出国了”。

见过一次面之后，C 同意跟她交往了，宣萱转告的理由是“她看着像个本分人”。C 的高尔夫打得极棒，他们的约会地点大都在球场上。沈小荻屁颠屁颠地跟着他拎包，顶着高温看他打球，他一下场休息就赶紧送上毛巾和饮料，这就是他们约会的内容。为数不多的说话机会，基本上是沈小荻小心翼翼地围绕着 C 的工作、生活和家人转。C 从没问过沈小荻任何事情，也不知是他太矜持还是根本不关心。

对这场高尔夫恋爱，沈小荻越来越觉得寡淡无味，她开始厌烦那种伪装自己是球迷来迎合 C 的感觉。C 的条件是很好，是很多离婚女人梦寐以求的结婚对象，可是从头到尾 C 没有为沈小荻花过一分钱，每次约会都掐着吃饭的点之前送她回家。沈小荻觉得尴尬和恼怒，宣萱也觉得奇怪，不过让她“千万要忍一忍，也许他是在考验你是不是个物质女人，将来考验通过了就会对你很好。像这样有钱又有品的男人大概不愿意靠花钱来征服女人，那样无法显现他的魅力。”

沈小荻苦笑，一屋不扫何以扫天下？现在对她都不好还指望什么将来？她的态度气坏了宣萱，“你没救了，离婚已经把你离变态了”。

沈小荻很抱歉，她也不知道自己的问题出在哪儿，是不是条件太好的男人让她自卑呢？那降低条件？

她的心开始焦躁不安了。不管黑马白马，能结婚的就是王子。

D 就在这时候出现的。从老妈那介绍人朋友提供的信息来看，虽然有车无房但自营公司，还是比较有潜力的。不过沈小荻现在对相亲对象的条件比较麻木了，她觉得那些表面的条件就像是一个人的面具，代表的只是他的社会身份，想要跟条件后面这个真实的人交往，还得有外科医生般剖皮见骨的精湛技术。而在这一点上，沈小荻沮丧地承认自己是白痴。

某个无聊的下午，介绍人安排沈小荻和D喝了一次茶。应该说这是一次极其无聊的相亲。

D长得四平八稳。所谓平稳，是指他那张四方四正的方框脸，真让人惊叹造物主的鬼斧神工，怎么可以让一个人的脸型长成完全没有瑕疵的正方形呢？如果D投资拍个关于机器人的动画片，他自己完全可以出演主角。D很健谈，一坐下来，就开始滔滔不绝地谈论他的生意，谈论天文地理，谈论社稷民生。沈小荻当然也有自己的一些看法，可她一句也没能说出来，因为她找不到插嘴进去的机会。

沈小荻喝了两杯果汁后，终于听明白了，D现在开着一家五金杂货店。可介绍人说他经营建材公司啊，五金店——建材公司，嗯，差不多，差一点而已。银子不论新旧，英雄莫问出处，经营不好的建材公司可能还不如一家五金店。沈小荻觉得自己怎么能这么俗气呢，主要是她对人的职业缺乏深刻认识。沈小荻开始设想她当上五金店老板娘的样子，生意好得爆棚，她忙得连喝水的时间都没有。"老板娘，给我来五个螺纹钉！""老板娘，我要一个灯泡！""对不起，我们店里不能刷卡。""怎么不能刷卡呢？连超市也银联了，你们也太落后了吧？"……

D还在一秒也不停歇地神侃，沈小荻觉得他平时一定没机会说话憋坏了，他店里可能有一个小电视摆在柜台，D嘴里这些科普教材大概都是这么来的。沈小荻很想上厕所，可几次欲起身时，D都一拍大腿，大声说："对了！"原来他又找到了一个新话题。其实沈小荻可以不必这么照顾D的面子，因为D并不在乎沈小荻做什么，到最后沈小荻连"嗯""啊"之类的应付之词都不用说，就听得"嗡嗡嗡嗡"不绝于耳。看着D那张一动一翕的薄嘴，沈小荻突然想起了电影《大话西游》里的唐僧——悟空，不要乱扔东西，会砸到小朋友的；就算没砸到小朋友也会砸到花花草草……她非常不合时宜地在D大谈导弹设备的时候笑了出来。这一笑打断了D的神侃，也打消了两人交往下去的可能。

见到E时，沈小荻快对相亲失去信心了。

那天沈小荻在家包饺子，以儒商自居的E打电话来要求见面。

老妈喋喋不休地唠叨，“都怪我把你惯坏了，放着好日子不过非要离什么婚。昨天你二姑打电话来问你和老公好不好，我都没敢告诉她你离婚的事，老家的亲戚还以为你过着少奶奶的神仙日子，这下不知怎么笑话了……”

沈小荻心烦意乱地答应了E的见面。她当时在郊区，E在市中心，E说：“你那边太远了，我就不去接你了，你早点出门，我们取个中间点见面吧！”

放下电话沈小荻逃出了家。路上很顺，不过到了见面的路口时开车的E还没到。沈小荻想在附近有冷气的商场逛一逛，E却来电：“我马上就到了！”沈小荻站在烈日下等了45分钟，与E通了五个“马上就到了”的电话后，E终于到了。这是一个穿着西装配牛仔裤配亮皮鞋的秃顶男人，肩上挎着一个长长带子的休闲包，连自认不会打扮的沈小荻也觉得他穿衣的搭配确实还可以更好一点。

不应该以衣取人吧，应该说E的文化素质还不错，不然怎么会聪明谢顶呢。比起儒商的名头，更适合E的应该是文学中年，他说话引经据典，字字珠玑，大师的名字不时往外蹦，让沈小荻羞惭自己的孤陋寡闻。他说的那些作家名人她实在一个也没听说过，好在E不会像D那样一点不给沈小荻说话的机会，沈小荻也渐渐忘了E迟到带来的不快。问题出在埋单时，E换了三张银行卡都刷不出来，沈小荻看不下去主动付了账。让女人埋单，E没有丝毫不好意思，他问沈小荻：“这边你有车回去吧？要不要我送你？”沈小荻心里不舒服，这还用问吗？你约我见面，结果我请你吃了饭，作为男人，你又有车，怎么也该送我回家吧！不过沈小荻还是没有流露出不快，虽然已经不想再跟这人相处了，但她不能让自己这么没面子地回家，“如果你方便的话就送我回家吧！”

幸好沈小荻跟E去停车场拿车了，E翻遍了口袋也没找到八块钱停车费，原来他今天根本没有带现金！沈小荻震惊之下又掏了钱。而在送沈小荻回家时，E一路都在批评郊区的交通、治安和居住人的素质。让沈小荻彻底无法忍受的是，E居然说了一句：“你就住在这里？那你平时都不在深圳啊！”

沈小荻在深圳生活了快十年，第一次听人说郊区不算城市版图。E住的也不过是中心区，在他那里就成了火星到地球的距离了。不过她什么话也没回敬，很有礼貌地下车说再见。她心里明白，这次见面后将永不再见。

这中间，还穿插了许多通过电话、网上聊过的神秘人士。有的自称是某医院主任医生，可一听沈小荻也有亲戚在那科室就马上挂电话；有的上来就直接盘问经济状况，问能不能马上搬来沈小荻这边同居；有的奇怪地说自己是阳痿患者，问沈小荻能不能接受……

不知不觉，沈小荻离婚已经两年了，生理和心理都很煎熬。她终于发现，围城中的人，女人的问题通常比较大，可在离异后的人群中，男人的问题比较大。

她悲哀地觉得，她奢望的爱情已经无法得到了，她害怕老了一个人孤独地死在公寓里。这时她对男人经济基础的要求，已经从“成功男士”降低到“只要不要我养就行了”，对男人外表的要求从“起码要看着顺眼”降到了“只要不被大象踩过”，对男人人品的要求从“诚实善良”降到了“没有犯罪记录就行”。她的心一次次在期望、失望和绝望之间徘徊，心底却对爱情还抱着最后一丝幻想。

还好隋杰姗姗来迟，否则沈小荻还会一直F、G、H、I……下去。在见过了这么多猪头三之后，隋杰就像一朵傲世奇葩，低低地开在了沈小荻已成荒漠的心里。

4

就在沈小荻对相亲已经绝望的时候，婚介所的大姐又打来了电话，她在电话里好说歹说非要让沈小荻去见一次面，说对方在几百份资料中一眼就挑中了她的，这是难得的缘分，要沈小荻无论如何也要再尝试一次。大姐说对方离过婚，暂时没房，但人很有能力，正自营公司，很希望能够尽快找到合适对象结婚。

冲着结婚来的？这对任何一个恨嫁的女人都有诱惑。不过沈小荻还是不抱多大希望，所以没有化妆也没有换衣服，头发用手刮了几下随便找条皮筋一绑就出了门。她对所谓“几百份资料一眼就挑中你的”这种说法表示怀疑，人家为的会是什么呢？看中她的房子？看中她那张高不成低不就的文凭？还是看中她那张正儿八经的大头照？沈小荻看自己就算重新活一回也不会有百里挑一的优点了。唉，不要太认真，就当是太无聊了找个人喝茶，找不着男人她就跟儿子过下去，老了就找个庵子出家，不要让自己沦落到没有男人就不能活的地步。

怀着一边死就死吧一边又盼着奇迹出现的心情，沈小荻到了约定的那个咖啡厅。

沈小荻见到一个斜背着方包的男人站在门口拨电话，他干干净净的寸头大眼，清清爽爽的蓝棉衬衫和牛仔裤，中等个头不胖不瘦，不臃肿、不秃顶、不方框，看起来三十一二岁，或者更年轻。沈小荻心一跳，会不会是他呢？如果是就好了，这人看着挺顺眼。

真的是他，那人电话一拨，沈小荻的电话就响了，两人站在门口同时打电话："你到了吗？我到了……是你吗？"

沈小荻与隋杰相视一笑，两人同时低下头按电话，沈小荻有些害羞和紧张起来。

微妙的尴尬在两人坐下来后消失了，因为隋杰一上来便说："其实我很害怕，怕你不是在找一份真感情，你我都不小了，如果不是想安定下来就不要耽误对方好吗？"

沈小荻被这意外的开场白怔住了，一时不知如何回答。过去几回的相亲经验告诉她，所有男人都在竭力摆脱相亲的感觉，个个都掩耳盗铃地强调先从朋友开始交往，生怕女人就此赖上身。相亲市场是一个女多男少比例失衡的地方，男人永远比女人有优势，而且越老越值钱。沈小荻不知道男人也会怕被人耽误。眼前这个男人是真情还是矫情呢？

"我的房子给了前妻，儿子和父母跟着我。我现在主要在做药品代理。如果要求不太高的话，一家人的生活费用完全没问题，而且我计划在两年内买房安家，让我将来的妻子有安全感。"隋杰老老实实把自己的家底和规划报了上来。

很特别的男人，把女人最关心的问题全都开门见山了。沈小荻有点感动，既然对方如此真诚，那她就把心里的怀疑也摆出来吧。"希望你别介意，我想知道你为什么相中我呢？"

"如果我说什么都不图你，这话一定是假的。我很想碰上一个不愿再浪费时间，可以和我过一辈子的女人……如果还要找什么原因的话，那是因为照片上你的眼神看起来很温柔善良……希望我的直觉没有错。"隋杰很会说话，但不是满嘴抹蜜花言巧语的那种，"不愿再浪费时间""一辈子""温柔善良"这些关键词都恰到好处。

沈小荻垂下眼睑，脸微微红了。她突然为自己不饰装扮就跑来相亲有点惭愧，不知道素颜的她是不是也能让隋杰入眼呢？她暗暗希望眼前这个男人不会以色取人。

"我也认识一些离婚的男人，他们被很多美女包围着，都快活得不得了，不想再被婚姻绑着了，你为什么想安定下来呢？"

"人跟人不一样的，我这个人比较土，那样的生活我不喜欢，可能因为我是农村出来的，一直觉得一个完整的、和睦的家庭很重要吧！”

“既然你觉得完整的家庭这么重要，那你当时为什么离婚呢？”

“我们性格不合，你呢？”

“他有别的女人……呵，你看我们怎么都说了标准答案！”

非常难得地，隋杰完全明白她的意思，“是啊！很奇怪的规律，问男人和女人为什么离婚，男的大都会回答‘性格不合’，女的多半是‘丈夫出轨’，大概这都是避重就轻减少自己罪责的说法吧。事实上家家都有难念的经，离了婚并不代表这个人不好，因为一个婚姻的成败百分之六十是取决于对方而不是自己。”

“我们都失败过，你还有信心再重新开始吗？”

“感情这两个字，有一个共同点，都有个‘心’字旁，只有用心才能得到真感情，你说是吗？”

“很有意思……你想对一个什么样的人用真感情呢？”

隋杰的眼里闪过了一丝阴霾，“我希望碰到一个人，不是因为婚姻能带给她多少实际的利益而嫁给我，而是因为婚姻在我们生活中的这份意义。可能在现在这个社会，我的想法太奢求了吧！”

“那我希望找一个不会背叛和伤害我的人，也是在做梦吧？”

“……过去的都过去了，我们要重新开始。”

“是的……我的问题是不是太多了？以前都是别人是考官，怎么今天倒过来了？”

“你被人考过很多次吗？”

“是的，相过几次亲……你会介意我的过去吗？”

“公主在碰到王子之前，不得不亲吻很多癞蛤蟆，不过以后你不需要再亲了，因为我已经解除魔法，从青蛙变成王子啦！”

两人齐声大笑起来。

几小时的聊天仍然意犹未尽，隋杰提议去观音山走走。虽是第一次见面，沈小荻竟然也不害怕，痛痛快快就随他去了。

这天观音山的游人很多。春风拂面，细雨涤尘，满山草木都在低吟浅唱。看得出隋杰很虔诚，他郑重地点燃了三根粗如长枪的香烛向观音许愿。沈小荻也在佛前双手合十，求菩萨保佑身边这个人一生平安喜乐吧，至于和他……唉，在天愿为比翼鸟，在地愿为狗男女……许完愿，她窃喜。装作香灰迷了眼睛去偷看他，发现他正笑眯眯看着她，眼里闪烁着令人心跳的欢喜。

沈小荻心里一动，知道隋杰许的愿一定也与她有关。

佛前许的愿谁也没有追问，佛缘却助长了情愫的蔓延。从观音山回来后，沈小荻和隋杰都从婚介所撤下了自己的资料，吃饭、逛街、看电影、打球，他们开始约会交往了。两人这回是彻底对上了眼，瞅着对方哪里都舒服。不过，到底是成年人的恋情，他们都小心翼翼地踩着刹车往前走，沈小荻则是一路加冰让自己冷静，直到自认为把对方的家底身世、脾气性格已摸清楚了。

如果说隋杰有什么让沈小荻特别喜欢的地方，那就是沈小荻觉得她被隋杰深深地喜欢着。隋杰很会照顾人，两个人过马路他永远会挡在她的外面，每次打车他都会用手挡住车框不让她碰到头，倦了的时候沈小荻发个小呆出会儿小神，隋杰就会一直默默地看着她。见隋杰如此体贴周到，起初沈小荻内心并不安全，她生怕他只是情场老手图个新鲜。有时她会故意把逛街的时间拖得很长，有时也会撒个小娇挑上几件自己并不是非要的东西，隋杰的耐心和大方都经受住了考验。隋杰给她的感觉是淡淡的温暖和细细的温存，和他在一起的时光里，幸福的感觉被像喝饱喂足了的酒虫，晕晕歪歪地爬到她每一根血管里。

第一次牵手，第一次揽腰，第一次亲颊，沈小荻竟然会紧张到手心出汗和无法呼吸，她自己都难以理解，都结过婚生过孩子的人了，怎么还像小女生般羞涩。比起这小酒微醺般的醉人恋情，她前面的经历简直味同嚼蜡，原来被一个人重视的感觉是这么好。她和夏明皓之间最大的问题是像左右手相握一样没感觉，难怪夏明皓宁可和她离婚也不肯跟鸡窝头分手。想到夏明皓，沈小荻的心仍然像针扎一样刺痛，但也庆幸自己终于守得云开见月明。

当然，爱情的花朵不可能只酿出芬芳的蜜，一定也会结几个走了味儿的果，如果隋杰真的如此完美，也不可能会离婚吧。沈小荻越来越想要了解隋杰的过去了。这天两人去海边游玩，吃海鲜逛景点，他们玩得非常尽兴，晚上又安排看电影。

电影院里强劲的冷气吹得沈小荻直打喷嚏，有了怕她冷的借口，隋杰正好可以跟她第一次亲密接触。然而他只是规规矩矩地抱着，并不乱摸乱动，不知道是否顾忌这是在公众场合。沈小荻有心想试试他，便脱下了自己的外套反穿在胳膊上。这样隋杰环抱她的手臂藏在她的外套里，就算有所动作别人也看不到了。隋杰的手离沈小荻的乳房只有几公分，沈小荻能感觉到他手掌的热度，不过他还是纹丝不动。莫非……他有问题？沈小荻狐疑地把头往后一靠，耳朵触上了他的脸。天哪，他的脸像块烧红的炭！他不是对她没有反应啊，他只是在极力克制自己……怎么如今这社会还有如此老实的男人？沈小荻的心像日头下的冰糕，融化成水，破壳成泥……

看完电影想找车回深圳时却怎么也没车了，只见所有的公交站的士点都挤满了着急回家的人们。原来前些日子雨水太多，突然放晴的天气将大家压抑已久的玩心都爆发了出来。回是回不去了，那就找地方住一晚吧。问遍了所有的酒店，没有提前订房的他们只拿到了一间房。沈小荻一听晚上有着落了几乎立刻就愿意了，不料隋杰牵着她转身就走。

沈小荻拽住了他，“你怎么了？再不要就连这一间房都没啦！”

“我们还是想办法找人拼车回去吧。”

“为什么？刚才找车有多难你又不是不知道……”

“可是只有一间房，难道你不怕我吗？”

沈小荻扑哧一笑，“不怕，只要你答应我一件事。”

“好，我答应。”聪明的隋杰不问是什么事就立刻答应了。他的眼神是清澈坦然的，沈小荻相信那承诺是来自喜欢和尊重。

房间小小的，除了电视桌就只有一张床，连打个地铺都很困难。冲完凉，两人还都穿得整整齐齐，隋杰把空调调到最大也是浑身冒汗。平时在大庭广众之下他们还算亲密，现在第一次有了私人空间反倒很疏远了。两人正襟危坐地看着电视，把所有的台转了一通也没找到想看的节目。心猿意马，却碍于刚才的承诺，谁也不敢先捅破那张纸。

看着隋杰一个劲地抹汗，沈小荻于心不忍了，她低声问：“你……想不想抱我？”

“想……”隋杰盯着电视不敢看她。

“那就抱抱吧……”沈小荻脸红了。

隋杰听话地靠近了她，伸出一只僵硬的胳膊，程式化地搂着她，但也只是搂着，两人还继续看那不知所云的电视。

一个小时后，沈小荻快要被全身发烫的隋杰烤焦了，她的心早化成了一团泥，其实，她对隋杰的人品考验已经通过了。现在，还有非常重要的一关，她想知道隋杰那方面究竟如何，这很重要……碰上这么可心的人儿不容易，她不想再离婚了。她暗暗祈祷,只要隋杰有个一般水平,她也就心满意足了,绝不苛求。

她轻轻地把他的手按在了自己的胸上,心想温柔的他一定会来一段温柔的前戏。谁知得到了特许证的他像出笼的困兽一跃而起,一秒钟之内就把她从层层衣服里给解放出来了。她半是后悔半是害羞地和他撕扯着,“别……不要……慢点……”都是过来人,他哪会在这个时候乖乖听话?他有些霸道地拧亮了床灯,捉住了她的双手,亲吻也热烈地倾泻下来,“你真美……”

没有女人能抵抗这样迷醉的眼神和动人的赞美,久旷的沈小荻更是。他是一个点燃的风火轮,辗到哪里哪里就燃烧;他是一场淅沥的及时雨,让她见水化泥骨酥筋散……

沈小荻幸福地躺在隋杰怀里,小声地说着:“你这么好的男人,怎么会有女人舍得放过呢?给我说说你的故事吧……”

隋杰点燃了一支烟,眼里结起了浓得化不开的忧郁。

5

隋杰和他美艳的前妻莫莉曾是高中同学。

那时还在老家,一个是一心学习的穷小子,一个是众星捧月的班花。整个高中三年,隋杰几乎都是埋在书堆里度过的,在男女之事上,他是个心智晚熟的孩子。漂亮的莫莉是男生们私下里议论的焦点,不过隋杰总是听着,他对莫莉的美貌还没什么概念。

隋杰对莫莉第一次正面印象是一个夏日的午后,他与莫莉在学校长廊迎面走过。莫莉那天穿着一条白裙子,面绯如桃,身亭如莲。她没有像别的女生那样低头含胸走路,她背板挺直地大大方方地顶着她发育良好的胸部走着,怀里两只展翅欲飞的鸽子微微颤抖着,脑后高高的马尾辫也随着脚步轻轻地甩过来,甩过去……隋杰与她擦肩而过,嗅到了她身上淡淡的芬芳,那是类似雨后茉莉花的清香。隋杰确定他并没有喜欢上莫莉,但这晚他第一次梦遗了,梦里的姑娘穿着美丽的白裙,站在几株茉莉花丛中……之后很多年,隋杰梦里都有一个面目模糊的白裙姑娘,她身上永远带着淡淡的茉莉花味道。

莫莉印象中的隋杰却又黑又瘦又矮,因为家境困难他总是穿着哥哥们的旧衣服，一个打着补丁的沉甸甸的大电工袋是他的书包。就这个破袋子还是他当电工的表叔淘汰给他的，很多年后同学们还能说起隋杰那招牌式的破电工袋。隋杰平时很少说话，如果不是成绩很好一直被老师关注着，恐怕班上没有几个人会记住这个沉默寡言的同学。

从县城高中到省城大学，隋杰一步步走出了家门。窘困、饥饿、自卑，是伴随着隋杰读书生涯的关键词。家里人每次问他生活费够不够用时，隋杰总是说够。其实哪里够用？可家里能凑够他的学费就很不容易了。有一段时间，隋杰最怕的是上午第三、四节课，那两节课基本上他都听不进去，来来回回光琢磨着中午是吃三毛钱的饺子皮还是四毛钱的烂馄饨。有一次隋杰得了一笔奖学金，从没穿过新衣服的他兴奋地去为自己买了件当时很流行的皮夹克。他不知道十几块钱根本买不到真皮夹克，他第一次穿上它就碰到了下雨天，从宿舍到图书馆不到五十米的距离，他的皮夹克淋了雨，黑汁水流了一路，表皮开始大块大块地脱落。因为记忆中这件斑驳的假皮衣，隋杰后来再也没穿过任何皮革的衣服。

毕业了，隋杰选择了去南方闯一闯。不到半年他就还清了上学欠下的债务，职场小试身手就如鱼得水。在浪迹全国做区域销售的日子，他发现了自己做市场的天分。他的职务从业务员、主管、经理、总监、总经理，一步一个台阶地级级跳，他赚到了他在老家工作一辈子也赚不到的钱。他帮家里盖起了新房子，哥哥娶亲姐姐出嫁外甥侄儿读书，他成了家里最强大的经济后盾。

一次高中同学聚会让隋杰和莫莉重逢了。

这时时光的日历已翻过去了十三本，老同学们有不少都跳出了“农”门。这年春节的同学聚会，大家都变样了，土小帽、穷瘪三、愣头青都成了年富力强的三十青年。当年因为家境好或有关系留在县城参加工作，让人羡慕和嫉妒的那些同学，如今看来不过是早早地当爹当妈，每天打打麻将赌赌马，带带孩子吵吵架，重复父辈们的无聊人生，而当年那些穷困得在当地没办法混下去的同学，有的下海经商，有的出来打工，有的读书深造，这当中有一部分人到现在仍然过得比较窘困，也有一部分人意气风发、前途无量，成为同学们羡慕的焦点。

隋杰就是人们羡慕的对象。

整个同学聚会上他都是人们议论的焦点，时光把当年那个沉默寡言的少年历练成了一个能说会道、左右逢源、成熟稳重的男人，他给家人带来的经济上的改善，他名片上的光环，他一身低调却难掩贵气的名牌，都是人们感叹“莫欺少年穷”的佐证。

这次聚会上还有一个人是人们注目的中心，那就是莫莉。

莫莉高中毕业后读了一个医护专业的专科，后来留在了南方。她相貌出众，按说应该是女同学中嫁得最好的，可事实偏偏相反，她身边的男朋友换了一茬又一茬，高不成低不就，眼见着跨进三十了，她还没能把自己嫁出去。不能说她不着急，她非常非常想结婚了，她为自己的终身大事焦虑得快得神经官能症了。盛极将衰，人老珠黄，她太清楚这些词对她意味着什么。

大城市女人的三十岁和乡下女人的三十岁是不同的，莫莉像打了防腐剂一样，十几年光阴没有在她脸上留下痕迹，只是让她更丰盈饱满了。和她同龄的女同学大都是孩子的妈了，不是产后暴肥就是憔悴瘦弱，不是灰头土脸就是俗艳不堪。而莫莉永远引领着班里的时尚风向标，读书时她一身白裙秀若芝兰，如今一袭红衫艳如玫瑰。当年那些仰慕她的男同学到现在大都还只能远远地流着哈喇子。

莫莉花蝴蝶般穿梭在聚会上，这里聊聊那里笑笑。她喜欢这种被人注目被人羡慕的感觉，不管她自己过得好不好，在人前她都不能示弱，就算不能像男人们那样衣锦还乡，她也要告诉大家，独身是一种姿态，美丽是一种常态。

“莫莉，你还记得隋杰吗？就是我们班那个背电工袋的书呆子，他现在混得很不错。对了，听说他在深圳一家医疗器械公司上班呢！听说他还没有结婚，你们联系上了没有？”有好事的同学来告诉莫莉。

莫莉看到了被几个同学包围着的谈笑风生的隋杰。他清瘦而儒雅，淡定且从容，在一群已经变胖和衰老的男同学中，他让人看着那么顺眼。他完全变样了，不，也许这才是他真正的样子，男人的魅力是与事业的成功成正比的。

莫莉走了过去，脚下一崴，手里的红酒洒了几滴在隋杰的衬衫上。“对不起，对不起！”莫莉赶紧拿纸巾给他擦。

“你是……你是隋杰吧？你还记得我吗？我是莫莉啊，当年你是数学课代表，那时我的作业常常做不完，你还帮我写过作业呢！”

隋杰最好的哥们儿，现在在深圳当律师的老黑马上取笑他，“好家伙，当年就在偷偷追我们班花了啊！这事连我都瞒着啊！”

隋杰脸红了，追莫莉一事纯属瞎扯，不过这时如果解释什么不免会伤了莫莉的面子。其实隋杰早就看到莫莉了，不知怎的，尽管今非昔比，他还是不大愿意去凑莫莉的热闹。难得莫莉还记得当年帮她写作业的事，其实这些小事隋杰早忘光了，现在被莫莉一提，突然之间心里有些暖暖的。

“你现在在哪里工作？”

“我公司总部在深圳，目前我的工作范围主要在华南片区。”

“真的啊！我也在深圳哦！我在康健医院上班。”

“是吗？康健医院是我们的业务单位，我和他们正有个CT机的项目在谈。”

缘分啊！两人相视而笑，很自然地留了电话。

隋杰回到座位时，老黑笑道：“莫莉还是单身哦，你赶紧追吧！大家是知根知底的老同学，比外面认识的人可靠。”

隋杰心一动，莫莉是老同学不说，她的父母亲戚也是大家认识的，两位老人家在当地人缘很不错，的确能称上知根知底，这一点对他非常重要。

“你不是刚离婚吗，怎么不去追她？”隋杰反过来打趣老黑。老黑刚闪婚又闪离了一回，原因是结婚后才发现老婆是同性恋，找人结婚只是为掩人耳目。这在同学当中还是稀罕事。

老黑叹口气，“我再也不会结婚了。”

隋杰用眼角的余光追随着明艳照人的莫莉，心里泛起了涟漪。

同是初八开工，隋杰和莫莉约好了一起坐火车回南方。

这是隋杰漂泊生涯中最愉快的一次旅行。莫莉放下了一头蓬松的卷发，放松地把腿盘在了卧铺上，这是一种很放松很信任的姿势。尽管隋杰对着这个昔日连看一眼都眩晕的老同学还有点说不出的紧张，莫莉却一点也没有让气氛冷场。过去未来、国事家事，莫莉都妙语连珠。

隋杰发现，莫莉除了美貌，其实还很有味道。回忆到当年读书的事时，她时而伤感得泪光盈盈，时而俏皮地咯咯笑着。三十女人的可爱如果没有把握好分寸，很容易会变成做作，可莫莉让隋杰完全没有这种感觉，他常常会忘记眼前这个女人的年龄，就觉得她的举手投足都那么让人心动，既有成熟女人的风情，也不失妙龄姑娘的可爱。

如果说隋杰以前对莫莉的印象一直停留在画面般的场景里，这次旅行便让莫莉从记忆的魔画中走了出来，变成了一个有血有肉活生生的女人。

吃饱了，聊累了，莫莉蜷在她的铺位上睡着了。隋杰却翻来覆去地睡不着，他不时要去下洗手间，以解去体内的焦躁不安。每次从洗手间摇摇晃晃着走回熄了灯的车厢时，他能感觉火车在风驰电掣地飞奔着，铁轨两旁的灯光透过窗帘的缝隙照了进来，照在睡着的莫莉身上，时明时暗地映着她一脸安详的表情。

她动了一下，手从被子里伸了出来，露出了半个身子，但仍然睡得很香。隋杰准备给她盖下被子，可是目光落到她脸上却舍不得挪开。造物主对她真是偏心，把如此精巧的五官都集中到她脸上来了，当看到她微微翕动的嘴唇时，隋杰的心猛地跳了一下，目光慌乱地下移。顺着那长长的脖颈下去，是她敞开的衣领，那衣领里半掩半露地装着一对宝贝，那是曾出现在他梦里的恩物。现在它们如此近距离地向隋杰展示着，肌肤细腻，形态饱满，触感柔软，它们随着主人的呼吸微微地起伏着，仿佛在召唤隋杰快点奔向它们的怀抱。

隋杰又闻到了那迷人的茉莉花香。他的呼吸停住了，全身的血液都涌到了头部，他把准备给她掖被子的手赶紧缩了回来，生怕自己的手会不受控制地往不该去的地方去。

回到深圳的第三天，隋杰刚好要到莫莉所在的康健医院办事，他给莫莉发了个信息，莫莉没有回复。一个半小时后，等隋杰从院长办公室一出来，他就被在门外等候已久的莫莉逮了个正着。这天的莫莉和在火车上的她给隋杰的感觉又不同了，她盘起了一个传统的发髻，粉红色的护士装包裹住了张扬的美貌，正如隋杰印象中的护士小姐那样温柔甜美。

隋杰心跳跳地不知说什么好。“你真的在这个医院上班啊？”他发现自己一开口就说了句废话，紧张地又添上一句，“你怎么会在这里？”不对，这句还是废话，他有点脸红了。

莫莉从身后拿出一个大棒棒糖，“生日快乐！”箭靶状的棒棒糖衬着莫莉那张灿烂的笑脸，爱神的箭就在这一瞬间正中隋杰的靶心。

“你怎么知道我今天生日？”隋杰惊喜地说。

“你不知道有句话叫酒后吐真言吗？”莫莉歪着头狡黠地笑着。

隋杰想了很久也没想起来究竟是哪次酒后说了自己的生日，但不管怎么样，这个棒棒糖是隋杰三十一年来得到的最特别的生日礼物。这个棒棒糖后来被隋杰收藏了很久，直到他们分手时才从箱底清出来，发现它和他们的感情一样，早已化成了一摊不成样子的糖泥。

那晚莫莉上大夜班，隋杰一直在值班室看着忙得像陀螺的莫莉。莫莉打针的手法巧极了，打屁股针时病人说几乎感觉不到她进针，打吊瓶也是一扎即中，干净麻利，好几个病人说全院护士只有莫莉的技术是最好的。隋杰眼里的莫莉更美了。

11 点查完房之后莫莉就轻松了。她用一个冰淇淋贿赂了同班的实习生，然后拉起隋杰的手就跑。

“我们去哪里？你不换衣服吗？”隋杰奇怪地问。

“我在上班啊，不能走远的。”莫莉的表情有点兴奋。

莫莉拉着隋杰偷偷溜进了平时很少用的住院部内科抢救室。她让隋杰坐下，然后变戏法似的拿出了一个饭盒。隋杰疑惑地打开一看，那是一盒小小巧巧的粽子。莫莉说：“没有生日蛋糕，也没有蜡烛，这盒碱水粽子是我亲手做的，我想你长年在外面，一定很难吃到这些正宗的家乡小吃。如果你喜欢的话，以后我常给你做好吗？”莫莉眨巴着大眼睛，拿起一个粽子塞到隋杰手里，自己也拿起一个，以粽代酒，象征地与他碰了碰粽子。

吃着久违的碱水粽子，隋杰的心被那清香的甜甜的糯米黏住了。

很自然地，他与莫莉拥抱了。在抢救室的病床上，在满屋氧气瓶、呼吸机、心电监视仪的包围中，隋杰解开了莫莉的护士服。不知莫莉的身体里是否藏了春药，还是这令人恐惧的环境格外刺激，又或是隋杰太久没有与心仪的女人肉体交融，这一晚，他们的做爱畅快淋漓。

激情过后，隋杰把这个肉肉的、软软的身体紧紧抱进怀里，他有种心里被彻底填满的感觉，那是高于肉欲之外的精神上的丰足，他更深刻地领会了女人对于男人意味着什么。

莫莉轻柔地抚摩着他的头，在他耳边说了一句话：“咱们成个家吧，以后你别在外面飘了，以我们的家为圆心来跑你的市场吧！”

这句话几乎让隋杰落泪了。

6

看房的时间是隋杰和莫莉最和睦的时光，那时莫莉已经呕吐频频，隋杰最渴望的孩子提前来临了，他被这突如其来的幸福注了一剂兴奋剂。

在看房买房的过程中，隋杰充分享受了做男人的幸福。莫莉乖得像黏在隋杰胳膊上的一块糖，嗲嗲地娇娇地给隋杰建议哪里的房子好。在看过不下二十个楼盘后，他们在中心区选定了一套三居室的高层房，隋杰一次性付清了楼款。

交房款时，莫莉娇滴滴地黏住隋杰，"亲爱的，你爱不爱我？"

"当然爱了。"

"那房产证写我一个人的名字吧！"

"这个……这个……我的不就是你的吗？"

"我不，你爱我就一定要写我的名字！否则我不嫁你！孩子我都给你怀上了，你还这么防着我吗？你要不答应我现在就打掉孩子！"

为房产证署名的事情，莫莉第一次跟隋杰翻脸了。隋杰思前想后犹豫很久，终于妥协了一步，房产证最后写了他们俩的名字。他们在相识了十几年后结婚了。

隋杰曾以为做护士工作的莫莉一定是贤妻良母，结婚后，隋杰终于发现这只是他可笑的梦想。莫莉所有的耐心都在繁重的工作中耗完了，下了班恨不得让人伺候，家务活儿根本别想她伸手，每天她只把自己收拾得漂漂亮亮的，奔波的隋杰回到家常常是冷锅冷灶，家里乱得像狗窝。隋杰想起婚前她说过"以后咱家家务事就都交给我了"，真有些哭笑不得。

而这时，莫莉个性中的问题开始暴露出来了。她事事以自我为中心，刁蛮任性，脾气暴躁。她还是一个很爱攀比的女人，总是不停地拿别人的老公跟隋杰比。反正她心里不舒服的时候，看隋杰什么都不顺眼，她要改造隋杰，可又拿不出什么能站得住脚的理由来。

怎么一个人婚前婚后会差别这么大呢？隋杰郁闷地把莫莉所有的不正常都归于怀孕太辛苦，可现在还只是怀孕呢，到时候孩子生下来那么多事怎么办？隋杰只盼着有人分担好家务，照顾好莫莉的身子，她就会变回原来他认识的那个可心的女人。工作决定了隋杰没办法做居家男人，保姆换了好几个也没找到莫莉合意的。隋杰的父母现在身体还很健康，倒是很帮得上手，他们带大的孩子一大堆呢。其实接父母来一起生活也是隋杰一直梦想的事，现在正好找了要照顾莫莉这个借口。

找了一个莫莉心情最好的时间，隋杰说了他的想法，莫莉只是听着，并没有反对。

隋杰还不知道这个决定对他们意味着什么。

父母来的第一天，莫莉就给了隋杰一个下马威。隋杰高兴地领着两个老人进门时，莫莉正看电视，看到老人们兴冲冲地拎着大包小包跟她打招呼，莫莉还是坐在沙发上没动，她皱着眉头，用手掩住嘴巴，欲呕无力。

“怎么了？又想吐了吗？”

“你们带来了什么东西？怎么这么臭？我一闻到就要吐。”莫莉嫌恶地指着那堆行李。

咦，全是吃的怎么会臭呢？两个老人立刻动手清理行李，要找出让媳妇难受的根源来。他们带来的东西全是自种自做的，给莫莉的家乡食品。平时莫莉最稀罕的就是这些东西了，她称之为“无污染农家菜”，在深圳是买也买不着的宝贝。可现在莫莉对这些她素来见着两眼放光的东西看也不能看，“赶紧把它们都扔了，我一见着就要吐。”说着她奔向洗手间，惊天动地地呕吐起来。

真扔吗？这可是千里迢迢从家里背过来的啊！隋杰做了主，把东西都藏到莫莉看不到的地方去，这可都是给莫莉补身子的好东西啊！等莫莉出来，三个人已小偷似的藏好了所有东西。莫莉站在客厅用力嗅了嗅，又拿着一瓶空气清新剂喷了喷。就这样莫莉还觉得不舒服，冲隋杰说了句：“让你爸妈去冲凉换衣服吧！”

你爸妈？难道不是你的爸妈吗？对了，莫莉还没改口叫爸妈呢，隋杰想发作，可还是忍了，先安置起老人们的生活起居来。

母亲不顾旅途劳累做了一桌子荤素搭配的菜，还煲好了土鸡汤给莫莉。但莫莉只是用勺在碗里搅了搅，便拿了个苹果去卧室啃了。母亲让隋杰去叫老婆来吃饭，隋杰心里窝着火去了，把门一关，低声质问：“你什么意思？”

“我什么意思？”莫莉的声音提高八度，“那么油腻的东西，想让我胖成个大肥婆是不是？”

怕父母听到，隋杰的声音软了下来，“你这不是怀着宝宝吗？不吃点营养的东西身体怎么吃得消呢？”

“少来这套，你们那是心疼孩子不是心疼我，反正我不吃。”

这样的情景从此每天在家里上演，除了水果和青菜，其他东西莫莉一概不吃。母亲有时跟隋杰嘀咕：“你嫂子你姐姐也都生孩子，怎么没一个像你堂客这样的呢？”

隋杰心里火直冒，可还得在母亲面前为老婆说好话，“妈你就担待点，不要跟她计较，她身子弱怀孕反应大。”

莫莉自始至终也没改口叫过隋杰的父母做爸妈，因为不肯改口，所以连叔叔阿姨这样的称呼也不好叫了，有事要跟老人说话的时候只有喊“哎”或者等老人主动跟她说话。隋杰怎么劝也不行，莫莉说：“我连自己父母都很少叫，我叫不出口。”

唯一让隋杰可以自我安慰下的是，父母来了之后他和莫莉吵架少了很多，主要原因是隋杰不想让父母看到难过，他是能忍则忍，不能忍也要忍，总之不要让家里有战争。而莫莉显然也知道父母是隋杰的雷区，她最多只是冷口冷面地对父母，好像跟他们没有任何关系一样，但还不敢胡闹。

家里稍稍安顿一些，隋杰又开始为工作忙碌了。新的财年到了，他要对下一年度的市场做布局，经销商和医院头头们要一一打点到，短途出差的机会多了很多，这时候忙一点，年中的压力就会小很多。

而这时，隋杰与莫莉之间新的问题又出来了。

孕期不能做爱。尽管莫莉告诉隋杰前三个月后两个月时注意点就行了，隋杰仍是极其自律地主动搬到了书房去睡。虽然大着肚子，莫莉身体里的欲望却是更强烈了，可隋杰这个死人头榆木脑袋宁可去自慰也不来碰她，莫莉心里总是憋着一股无名火，总想找个碴儿跟隋杰发泄一下。

隋杰没完没了地出差让莫莉起了疑心。要知道她怀孕可不是一天两天，隋杰会不会在外边有女人呢？莫莉决定要调查他一下。莫莉先是缠着隋杰给她买了个跟他一模一样的手机，周末趁着隋杰午睡，她拿了隋杰的手机出门了。她拐到了小区门口的电脑店，让他们把隋杰手机里的电话全部复制了出来。这时家里的电话打了过来，“你是不是拿错电话了？”

莫莉一副恍然大悟的样子，“老公，原来我真的拿错了哦！”

现在隋杰所有电话联系人都被莫莉掌握了，她从容地打起了电话，先只是打女性联系人，结果发现电话本里除了同事就是客户，连女同学的电话都少，更别说女性朋友了，看起来隋杰像是不近女色。可莫莉还是不放心，第二轮打起男性联系人的电话。所有接到莫莉电话的人都很奇怪，由于她自称是隋杰老婆，大家对她还挺客气的，可说着说着不对啊，怎么像侦探在核实行踪呢？其中一个电话还打到了隋杰公司董事长那里，董事长纳闷地问秘书：“隋杰的家庭不是出了什么问题吧？”

这事很快传到隋杰耳朵里了，同时来关心隋杰的，还有那些被莫莉盘问过的同事。要好的同事都跟隋杰开玩笑："是不是在外面包二奶了？下次有什么事先跟我打个招呼对好口供啊，不然我们说法不一样可就麻烦啦！"

隋杰怒火冲天地回到家。卧室的门关着，莫莉正在打电话。这是给隋杰一个大学女同学第三次打电话，莫莉仍然问不出什么来。当发现隋杰铁青着脸站在她身后，莫莉嘴硬地说着："我问候下你的旧同学。"

隋杰一记耳光打到了莫莉脸上。

莫莉疯狂地尖叫起来，父母闻声来扯架，"有天大的事情你也不能打人，人家莫莉还怀着你的孩子呢！"

莫莉想也不想就报了110，"姓隋的，我今天跟你没完，你们一家虐待孕妇，统统要拘留。你要是不给我跪下道歉，我就拿刀子在身上割几刀，说你要杀我！"

父母怕了，"小杰，你赶紧道歉！道歉！"

110的警察已经在按门铃了。

隋杰捏着拳头噙着眼泪跪在了莫莉面前。

这晚隋杰是留在卧室睡的，他怕莫莉会有意外。哭累了的莫莉睡得很沉，一个侧身翻过来，她的大肚子和腿都压在了隋杰身上。隋杰一动也不敢动，渐渐地四肢全都麻木了。可比四肢更麻木的是他的心。他在黑暗里睁大着眼睛问自己：难道这就是我一直在追求的婚姻吗？这是我的命吗？

果果就在隋杰和莫莉的磕磕碰碰、大吵小闹中出生了。因为莫莉羊水不够，提前剖腹了。孩子一出生就得了肺炎，在保温箱里住了两个月，花了好几万块钱才抱回家。隋杰固执地认为是莫莉这个自私的母亲只吃水果和素菜的原因，才让孩子体质那么差。

果果的名字是在刚怀孕的时候就取好的，莫莉说让将来的宝宝叫果果，他是他们爱情的结果。尽管这枚爱情的果实是苦果，隋杰还是很开心的。他甚至在想，只要果果平平安安，他不再跟莫莉计较什么了，毕竟她是果果的妈。只要她别再闹到公司去就行，日子稍稍安宁点能过得下去就可以了。他辛苦一点，多花点钱，自己家人累一点，都不要紧。

可事情总是不在隋杰的控制范围内。

莫莉的月子是隋杰农村的大姐来伺候的，她自己的家人一个都没来。尽管不喜欢莫莉，父母和大姐还是尽了他们最大的努力来照顾她，可莫莉总是看谁都不顺眼。父母做的菜太辣可改过来又嫌没味道，大姐擦身手太重可轻点又没擦干净，家里的空气不好可打开窗户又着凉……看着父母在莫莉面前反像战战兢兢的小媳妇，隋杰积压的怒火已是一触即发。

果果从医院回家的第一天又闹出了事。

果果回家，这是件大喜事，一家人都欢天喜地，莫莉心情也不错，主动给孩子换起了纸尿裤。

大姐看着稀奇，不禁好奇地问："这个玩意儿多少钱一块啊？"

"这个是好奇牌的限量版，也就四块多钱吧！你们给果果三四个小时换一片就行了！"

"乖乖！果果可真是个金屁屁啊！"大姐咂舌。

"这么贵的东西，就晚上用用行不行？白天完全可以把把尿啊。再说天气这么热，捂坏了果果的小鸡鸡咋办？"母亲心疼了。

"我就这么一个儿子，用几块纸尿片算什么了？养不起就别让我生啊！"

看莫莉拉长了脸，大家都不敢说话了。母亲心疼那纸尿裤太贵，就一直给果果兜着，等莫莉注意到的时候，那块尿片已经尿到有好几斤重了。莫莉也不说话，拿起几包没用过的纸尿裤直接去了阳台。这天天气很好，阳光灿烂地照耀着这个家，却驱散不了笼罩在家里的阴霾。莫莉拈起一片纸尿裤，轻盈地往空中旋去，一块，两块……纸尿裤像雪花一样在空中自由落体飞向楼下。

母亲心疼极了，大喊着来阻拦，"别扔别扔！那可都是钱啊！"

莫莉冷笑，"舍不得给果果换是吧？那我全扔掉！"

"求求你别扔了，我给他换，我给他换……"七十岁的老母亲哭了。

莫莉还是充耳不闻地继续扔着。

隋杰站在婆媳俩身后沉默不语。飞舞的纸尿裤像隋杰破碎的心，一片一片飞去不回。

7

离婚对于隋杰，是一个挣扎而又艰巨的过程。

第一次有这个念头，起源于他要带莫莉和孩子回老家看莫莉的家人，他希望以心换心，让莫莉对他家人好一点。可几次提到要回家，莫莉居然一点都不愿意，一问原因隋杰吓了一跳，出来工作后莫莉已经九年没回过家了！就连春节时的那次同学聚会，莫莉到了家门口也没有进门！她全程都是住在同学家的。

为什么莫莉跟自己的家人不来往呢？在隋杰的坚持下他们最后还是回去了，他终于得到了谜底。

莫莉的父母对莫莉很客气，客气得有点像久未见面的远房亲戚，又似乎在莫莉面前，全家人都有点说不出的疏远和畏怕。反而跟隋杰这个没见过面的女婿，他们表现得要热情和随便很多。隋杰给老人们拿了两万块钱，“爸，妈，这次来也没给你们买点什么东西，这点钱你们拿着……”

老人们惊讶地说：“不用了，这太多了……”

莫莉从她妈手里抢过了那两万块钱，“太多了那就少给点吧！”她数了一千块出来给她妈，剩下那一万九，很自然地揣到了自己的口袋。父母僵在原地，既尴尬又无奈。

莫莉有个哥哥，不过隋杰看到了奇怪的一幕，哥哥总是小心翼翼地跟莫莉说话，莫莉却总是装没听到地走开。

隋杰把哥哥拉到厨房。

“哥，你跟莫莉是怎么回事？”

“几年前股市比较红火，我建议她买一点股票拿着，结果她一进市就天天跌，那段时间我快被她埋怨死了。最后她卖掉股票出来了，亏了一万块钱……从那之后她就不跟我说话了，她一直也没回过家……”

隋杰心里挺不是滋味，他不愿意看到一家人为这点钱不和睦，于是拿了一万块钱出来，“哥，这个你拿着。”

哥哥以为隋杰是给他的钱，“这怎么行？不行不行。”

“我是想让你把这个钱给莫莉，就说是你自己还给莫莉的吧，赔上当年莫莉亏的股票钱。她心里顺了这口气，也就不会这样对哥了。”

“我这个妹妹很任性，是不是让你也吃了不少苦头？”

隋杰什么也不说，两个男人沉默地对视着，隋杰看得出哥哥对他的同情。

隋杰这一招果然很奏效，莫莉对哥哥终于有了笑脸，家里的气氛似乎也融洽了起来。隋杰似乎松了一口气，可心情分明更沉重了。

枕边时，隋杰忍不住问莫莉：“你为什么要这样对你的家人呢？”

黑暗中隋杰看不到莫莉的表情，可他分明清楚地知道莫莉翻了个白眼。

“他们什么都没给我，害我这么辛苦在外面打拼，现在我日子好过一点了，为什么要便宜他们？”

隋杰倒吸一口凉气。怨气冲天，自私自利，冷漠无情，这就是他的老婆。一个连自己的父母兄长都不爱的女人，怎么可能指望她对他的家人好呢？莫莉要这个婚姻，不过是要个赚钱工具和性爱工具吧……他后悔自己被所谓的“知根知底”蒙住了眼睛，了解一个人太难了，到底什么人才可以信任呢？现在他一点一点看清了自己的老婆是个什么样的人，可太迟了。一辈子这么长，今后几十年怎么过……那是凌迟处死啊……怎么办？难道……离婚吗？

睡在隋杰身边的果果翻了一个身，把手搭在了隋杰脸上，发出低低的梦呓，“妈妈……爸爸……”

果果幼嫩的小手温柔地抚摩着隋杰的脸，就像在抚慰着他的怨恨和委屈，他心里刚冒出的离婚的念头一下被压下去了，他不能让果果没有妈妈或者爸爸，他根本不能失去果果。还是只有忍啊！

和莫莉回的这趟老家，在亲戚朋友中给足了她面子。莫莉的心情是很好的，可惜她的温柔只持续到回深圳。一进家门，隋杰父母殷勤地上来抱孩子提行李，莫莉把脸一沉，自顾自地走进卧室，门“嘭——”地在她身后重重关上。隋杰气得全身发抖，拳头几次握紧了又松开。母亲伤心地说：“小杰，要不你让我和你爸带着果果回老家吧……”

隋杰心想，这样下去不行，他不能让父母再受气。可眼下果果这么小，既离不开爸爸妈妈，也离不开爷爷奶奶的照顾。唯一的办法是在附近小区租一个房子给父母住，这样父母平时只来做饭收拾家照顾孩子，莫莉在家的时候他们就住回去，尽量减少他们碰面的时间。父母搬走了，也许莫莉的臭脸可以少一点了。

房子很快租好了，看来看去父母看中了步行两里路的城中村的房子，虽然又黑又暗面积又小，来家里的路程也不短，两个老人却特别高兴，连连说好。隋杰明白，这房子好的原因不仅是便宜，还因为可以少看一点媳妇的脸色了。搬家那天，隋杰拎着父母小小的行李包，心酸得不行。他恨自己活得太窝囊，连父母都保护不了，他还是个男人吗？可是，为了果果，为了这个家，他也只能委屈父母了。书上不是说父母孩子之间保持“一碗汤”的距离最好吗？也许这样，家里就可以有安宁日子过了吧？

一份安宁，隋杰却求之不得。

一天晚上，隋杰在办公室加班。其实这天并没有多少紧急的事情一定要加班，只是他越来越不想回家面对莫莉了。这时已经快十一点了，停了冷气的大厦热得像个闷罐子，人坐在里头对着热气腾腾的电脑，就像是在蒸桑拿烤炭炉，可隋杰宁愿汗如雨下地坐在办公室，也不愿回到那个令人窒息的家。突然，他听到门外有轻微的响动，好像有人蹑手蹑脚地走到了他的办公室外，接着门上有了像猫爪子挠门一样的细微声音。有贼！隋杰第一个反应是抄起一个订书机在手里，轻轻走到门前猛地把门一开。

一个贴在门上偷听的矮小男人一下子跌进办公室来。隋杰一把拎起那男人的领子，准备打下去，“你敢偷到我们公司来！”

“饶命！饶命！我不是小偷，我是你老婆请来调查你的侦探！”

隋杰呆住了。原来莫莉一直在暗中调查他，因为她怎么打电话调查也没抓到过把柄，现在升级到请这三流的私家侦探来跟踪他了。趁隋杰发呆，侦探赶紧逃跑了。隋杰跌坐在办公室的地板上，突然发出了一阵大笑，他笑自己有眼无珠，他笑人生如戏，他笑命运如棋。他笑他一个大男人，却让老婆钳住七寸，求生不得，求死不能。他笑得怒火中烧，真想回家把她狠揍一顿。先打她哪里好？对，先在她最自恋的脸上狠扇几个耳光，再拿鞭子抽她的屁股……隋杰想象着莫莉被他打得鼻青脸肿的样子，笑得眼泪都快出来了。

这晚隋杰把手机一关，席地睡在了办公室里。熄灯后，办公室里蟑螂四蹿，有的跑到了隋杰身上来撒野，可隋杰一动不动任由它们肆虐，他在与蟑螂的和平共处中找到了一点点短暂的安宁。他惊讶地发现自己的耐受力什么时候变得这么强了。原来，妻子可以比蟑螂更让他恶心。

早上隋杰一开机，无数条莫莉的信息挤了进来，那是一次凶过一次的质问。“你在哪里？”“为什么还不回家？”“你在跟哪个女人鬼混？”“警告你，如果你再不回家我就让你好看！”……

电话来了，意外地，是董事长的电话，平日那个很器重隋杰的董事长不见了，他在电话里声音很严肃，“隋杰，我想让你暂时解下区域总经理的职务，希望你能多抽点时间把家里的事情处理好。”

后来隋杰才知道，莫莉又闹到了董事长那里，说他怎么在外面包二奶不回家，跟同事客户鬼混。见董事长当时没有表态，她接着又打遍了公司几个总经理副总的电话。大家一合计，隋杰的工作的确做得非常出色，可一个家庭关系都处理不好的男人怎么能担负公司那么重要的职务呢？再说天天让他老婆这么骚扰下去，大家还要不要工作啊！清官难断家务事，还是让隋杰解决好后顾之忧再说吧！

够了，隋杰对莫莉的心已经彻彻底底地死掉了。

隋杰要离婚！不管付出什么样的代价也要离！只要果果跟着他就行。可是，他拿不准莫莉肯不肯离，也拿不准莫莉肯不肯把果果给他。从现在开始，他要做一个周密的计划来确保成功离婚。

首先让父母先搬回来住，他告诉莫莉，“我要在这里为父母养老送终，他们是不可能住到别的地方去的。”莫莉当时脸都变绿了。隋杰在心里冷笑，莫莉不是讨厌他父母吗？好，那就让她讨厌得更彻底一点，讨厌到她无法忍受这个婚姻。

接着隋杰搬到了书房睡觉，本来夫妻俩什么都不合适，只有房事还合拍，现在隋杰完全不碰她了，看她能忍受多久。莫莉性欲很强，夫妻这几年他一直在精疲力尽地满足着她，如果这个婚姻无性了，无疑对莫莉是最大的折磨。以隋杰对她的了解，她那斤斤计较的性格是不会允许让别的男人随便占便宜的，当然，如果莫莉忍不住在外面找了情人，那就正中隋杰下怀，正好有离婚的理由了。那隋杰简直要烧高香拜菩萨念阿弥陀佛了。

第三步，莫莉再和他吵架，隋杰也不再忍让了。对吵吧，只要父母把果果抱开就行。你嗓门大是吧，我比你嗓门还大。结婚这几年，他俩的争吵从月吵、周吵、日吵到现在一见面就吵，以前还有唯一安宁的片刻——做爱，只是做完爱接着又开始吵，可现在他们不做爱了，哪里还有缓和矛盾的机会。

第四步，隋杰拨通了莫莉哥哥的电话，恳求哥哥帮忙劝莫莉离婚，而且要很婉转地劝。凭着男人的直觉，隋杰觉得哥哥是站在他这边的，也是能理解他为什么要离婚的。没多久，莫莉满怀委屈地向家里哭诉隋杰的罪状了，哥哥果然劝她，“算了，不合适就离婚好了，再另找一个好的吧！”

第五步，隋杰对莫莉开始断了供。以前莫莉要花钱隋杰从来都不打折，现在他一分钱也不上交财政了，理由是：“你不是让我降职降薪了吗？我现在没钱了，你看着办。”

第六步，为了让莫莉不起疑心，尽管隋杰开始和莫莉争吵、冷战，但只要莫莉一提“离婚”两个字，他就立刻缴械投降，他要让莫莉觉得他非常害怕离婚。每次看到莫莉那一脸因为争吵胜利而得意的笑容，隋杰心里就暗暗地踏实，他知道莫莉以为离婚已经成为继果果之后的第二个法宝了。

这一切，是为了等待一个最合适的机会到来。

而此时的莫莉也一点没闲着，眼见着越来越控制不住隋杰了，大吵小闹要离婚似乎效果也很短暂，她心里越来越慌，觉得再这么过下去实在没指望，心急火燎地找了个律师商量对策。

律师说：“现在房产证是你和丈夫两人联名的，如果真要离婚的话你只能分一半，而现金什么的你说平时他都自己管着，他要是不肯给，只怕你什么也分不到。”

“不会吧，我跟了他几年，难道就分到这一半房子吗？”

“我倒是有个办法，你现在去申请移民，等拿到办理回执后再要求和你丈夫离婚，当然你得要求带走孩子，到时可以要求法院判你丈夫一次性付清孩子的抚养费用，也就是说按你丈夫现在收入的百分之三十，一直支付到孩子成年的抚养费。只要你丈夫有支付能力，一般你都会胜诉。”

好主意，如果真要离，就让隋杰倾家荡产；如果隋杰不肯离，为了保住家产，他就得乖乖听话。

莫莉听着，心里又喜又愁。

8

离婚对于隋杰和莫莉，是一场智力的较量和心机的博弈。

让他们离婚的导火索是什么，隋杰后来怎么也想不起来了，他想他是选择性地失忆了。

他只记得那天莫莉不知为什么发起了脾气，当着父母的面，她歇斯底里地骂起了隋杰，那尖锐的嗓音像拿了金属片在黑板上刮，刺耳得让人要抓狂。隋杰默默地看着她，她的脸色惨白得像刚粉刷过的墙，那涂成桃红色的嘴唇一翕一动的，像鬼片里刚吃过人的妖怪。美貌？那是什么时候的感觉了，为什么现在看这个人如此惊悚？

隋杰一句话也没有说，他像被孙悟空施了定身法，钉在了沙发上，面无表情地看着莫莉咆哮。果果被吓哭了，母亲抱着他躲在书房里走来走去，从关着的门里仍然能听到孩子凄厉的哭声。父亲走到了阳台抽烟，隋杰坐的位置恰好能看到父亲苍老的背影，烟头的亮光在黑暗中一明一灭，老人的心说不出该愤怒还是该凄苦。如果依父亲年轻时的火爆性子，早对这样的人动粗了，可现在时代不同了，老婆是儿子的，究竟要怎么过还得他自己拿主意。

见隋杰麻木地不应战，莫莉的咆哮开始升级，她摔起了东西，可见砸了一地的玻璃瓷片隋杰还没反应，莫莉奔腾的怒火像脱了缰的野马，一句平时常说的话不加思考地又脱口而出："我们不过了！离婚！"

莫莉以为隋杰又会像过去那样慌乱地向她道歉，恳求她留下来，然而隋杰这次面无表情地一动不动。

莫莉怒火冲天地拿出了她办签证的资料，"隋杰，你别以为我是说着玩的，我已经申请移民了，我要带着果果去美国，我要向法院起诉离婚，要你一次性支付果果的抚养费180万！"

看着莫莉精心准备好的一切，隋杰笑了，笑得如此悲凉，"原来是为了钱！何必这么费周折呢？你想要跟我说就是，我可以把这房子还有我手头一点钱都给你，只要你把果果留给我。"

"果果我也要！"

"如果你坚持要他，那我一个子儿也不会给，我不会同意离婚。我跟你耗到底，看你青春长还是我命长！"

隋杰的语气斩钉截铁，让莫莉心乱如麻。没想到隋杰会这样接招，隋杰的父母也不来劝，她有点不知如何收场了。毕竟要离婚打官司是个很费钱的事，这不还没怎么的，她已经付了不少律师费了。算了，见好就收吧，她也不是非离不可，只是咽不下气想逼隋杰就范。

隋杰起身进了书房，过了一会儿，给莫莉送来几份资料，"我同意你的要求，我们离婚，果果我带走，房子我给你。"原来隋杰去书房打了几份离婚协议书出来，已经工工整整地签上了他的名字。

莫莉有点傻了，她不相信隋杰真的已经决定了。拿着那离婚协议书，她完全不知怎么办才好，她慌乱地拨通了她唯一的朋友阿金的电话。阿金是一个最爱八卦的离婚女人，唯恐天下不乱的家伙。阿金在那头劝她："离就离呗，你搞到这么好一套房子有什么不好啊！不离还不得伺候那两个老东西！你还年轻漂亮，到时再找一个更有钱的不就完了？最近住院部不是有个挺有钱的病人想追你吗？离了好，等你自由了想跟谁都行。"

"快点签吧，明天早上我们去民政局。"隋杰的声音冷冰冰的。

莫莉有点蒙，这次她搬起石头砸自己的脚，彻底下不了台了。

离婚比结婚简单多了。不过刚拿到离婚证时莫莉还挺高兴的，她第一个想法是家里这套房子终于只属于我一个人了。几年的婚姻换了一套市值一百多万的房子，她觉得这比上班能赚钱多了，再说男人她经历了不少，如果不是结婚根本不可能从男人身上弄到这么多钱。隋杰已经不正眼看她了，这让莫莉心里多少有点刺痛，但自我安慰一下，跟这张臭脸和那俩老东西过下去，还不如她自己一个人逍遥自在。

隋杰带着儿子和父母搬到了出租房。他看起来很平静，父母不敢追问他的心情，只有暗地里为儿子损失的那套房子心疼，儿子的每一分钱都是血汗钱啊！二老一想到隋杰的辛苦和委屈就想哭。隋杰总是安慰他们："钱没了可以再赚，房子没了还可以再买，只要我们还跟果果在一起就行。如果不把房子给她，她是绝对不会让我们脱身的。"

"房子她没出一分钱，凭什么要给她？"

隋杰苦笑，"如果不是趁着这个机会抓着她离婚，我这辈子就要被她全毁了。"他是太了解莫莉了，莫莉当时不过是在说气话，等她回过神来，恐怕到时斤斤计较的还不只这房子了。

表面上隋杰和父母孩子是被扫地出门的，没人想到，离婚其实是隋杰策划了很久才成功的，拿到离婚证的时候，他心里有种终于解脱了的兴奋。离婚虽然付出了房子的代价，可是他得到了果果，这已经够了，而且离婚是由莫莉提出来的，这样他再也不欠她丝毫了。

他又回到了单身时漂泊的状态，不同的是他多了孩子父母需要照顾。很长时间他都把心思扑在工作上，把笑脸都留给了家人和员工。他始终没有摘下左手的婚戒，并不是留恋失去的婚姻，他怕的，是别人真心或假意的关心，他怕别人询问他的婚姻状况，他心头始终在淌血。

战争并没有因为离婚而结束，前妻成了隋杰生活中扳不倒的红旗。因为他们有一个共同的孩子，永远有斩不断的亲缘关系。

离婚后一个月，隋杰接到了莫莉的电话。“我要见果果。”电话里她的声音还是那么生硬，那么命令式的口气。

和她约好了时间，隋杰带着果果赶到了约定的肯德基。虽然一个月没见儿子，莫莉还是两手空空的，不过她让隋杰叫了儿童套餐，因为这个套餐刚好搞活动有玩具送。隋杰心里暗自冷笑，她还是那么会盘算，一个只进不出的耙子，哪天她要对谁好了，一定是想从那人身上得到更多的东西。不过果果倒是跟她很亲，亲亲热热地让她抱在腿上，跟妈妈有说不完的话。看到果果很开心，隋杰既心酸又宽慰，毕竟血缘是离不掉的，他要让果果有个健康的成长环境，今后还是要让他跟妈妈多见面。

这之后隋杰和莫莉渐渐地又见面了，尽管每次都是因为她要看孩子。

莫莉不闹了。她的新追求者被证明是个有妻室的骗子，莫莉在把对方调查清楚之后大骂了他一顿。莫莉不会当别人的情妇，她要的不只是实惠，还要有名分，这也是她与隋杰重逢前一直没把自己嫁出去的原因。

她感到了前所未有的孤独。这种孤独跟没结过婚时的孤独是不一样的，享受过有父母有孩子的温暖，享受过有男人依靠的生活，再回到孤单的状态就很难忍受了。尽管当时莫莉觉得那是一种地狱般的日子，可现在这种孤魂野鬼似的状态更像在地狱的十八层。

虽然现在莫莉自由了，可以随心所欲地跟任何男人交往，她也的确有过一段疯狂寻找新目标的日子，可男人们只是对她的身体感兴趣，如果约会超过三次还没得到她就马上人间蒸发了，现在的男人太现实了。莫莉被心理和生理的巨大落差弄得非常沮丧。

隋杰纵有千万个不好，他对她的负责是没有任何男人可比的。

她想隋杰了。其实他还是挺好的，他不是富豪，可赚的钱足以让她不担心生活，这几年她一直在调查取证也没查出他有花心出轨的事，他以前的脾气也挺好的，只是后来一回到家除了逗儿子就是睡觉。更重要的是，他们在房事上非常配合，隋杰总是很贴心地去发掘她的敏感地带，在她经历过的男人中是表现最好也最让她舒服的。后来两人不做爱了，失去唯一缓和争吵的方法，这才让关系不可逆转地走向了崩溃。

再见面之后，莫莉对果果就开始上心了，她舍得给孩子买一两件衣服了，对隋杰也有了难得的笑脸。她看着隋杰手上的婚戒，心想他还是放不下她的。

莫莉生病了，得了很严重的肠胃炎，虽然是住在自己工作的医院里，可没有一个家人和朋友来照顾她。她拎着盐水瓶一趟趟地跑厕所，看护工阿姨不耐烦的臭脸。她想起了隋杰一家这几年对她的细心照料，忍不住打了隋杰的电话，还没说话就开始哭了。当问清楚是怎么回事后，隋杰赶到了医院，衣不解带地照顾了她两天。

病好后，莫莉打电话给隋杰，“谢谢你那两天来帮忙，我想请你吃个饭。”

“不用了。”

“我也该见果果了，是吗？”

隋杰沉默了。

当然，这顿饭最后还是隋杰埋的单。只是一家三口前所未有的和睦，和睦得简直让人看不出他们已离婚。隋杰看着果果和妈妈开心地说笑着，他为他们离了婚还能做朋友感到很欣慰。可在临走前，莫莉吞吞吐吐向隋杰提了出来，“老公，你们回家吧。”

隋杰叹了口气，答非所问地说:“我今后不会再结婚了……”

虽然没有正面回答莫莉，但隋杰的确在考虑了。给孩子一个正常的家是他现在最大的梦想，可莫莉变脸比变天还快，谁知道复合之后会怎么样呢？隋杰用他的沉默来考验莫莉。

莫莉却绝望地认为他不会再回头了，刚刚熄灭下去的怒火又点燃了。她想到了果果，她最后的武器。

这个时候，隋杰父亲突然感冒了，紧接着母亲也被传染上了。因为怕传染给果果，隋杰把果果送到莫莉那边住段时间，又特地请了保姆给莫莉帮忙，心想让孩子跟妈妈亲近亲近是应该的，何况莫莉有意和好。万万没想到的是，莫莉不让果果回家了，不让他和孩子通电话，也不让他去看孩子，还在果果面前说:“爸爸是个坏爸爸，以后都不要理他！”

隋杰急得班也没心思上了，一心要把果果偷回来。

他特地找了个莫莉上白班不在家的时间，偷偷回到家里去看果果。当时只有保姆在家，她不了解眼前这个笑容可掬的男人是来偷孩子的，看着果果和爸爸玩得开心，保姆也乐得丢手歇一歇。过了一会儿，隋杰抱着果果说下楼玩玩。

出门时一切都很正常，为了不让保姆起疑，隋杰还把自己的公文包特地留在家里，公文包里甚至还放着几份没用的文件和几百块钱，他要制造出一会儿还要回来的假象。

等出了家门，隋杰心里的大石头还没放下，他生怕莫莉这时半路杀回来，紧张地一路小跑。半路有人拦下了他，是小区保安。保安狐疑地看着这个抱着孩子的男人，他神色慌张、满头大汗，边跑边看，怎么看怎么像个拐小孩的人贩子。"你是干什么的？这孩子是你的吗？"

还好隋杰是有备而来的，他掏出了身份证、户口本、孩子的出生证明和离婚协议书。保安把他带到管理处，翻来覆去没审出什么问题，这才放走了隋杰。胜利大逃亡之后，隋杰立刻辞职，带着父母孩子搬家，远离莫莉的视线。惹不起那总躲得起吧！为了在工作上不再受莫莉威胁，隋杰在老同学老黑的帮助下开始创办公司。

果果被偷走，到处找不着隋杰，莫莉打爆了隋杰的电话，也找遍了隋杰的朋友。她让老黑转告，她会上诉，要抢回孩子的抚养权，还有一种选择是，复婚回家。隋杰第一个打算是不应诉不理她，但老黑说，"必须要应诉，否则法院可能会缺席判决，而且结果很可能对缺席方不利。但不管应不应诉，这时的你都处于劣势，按惯例，孩子一般都判给有抚养能力的母亲，莫莉有房子有稳定的职业，于情于理，果果跟着她都比跟你强。"

"那怎么办？果果是我的命根子！你得帮我！"隋杰急了。

老黑迟疑着问："那我问你，你还想结婚吗？"

结婚？尽管婚姻让隋杰遍体鳞伤，心有余悸，嘴上说着再不结婚了，但他内心还是渴望家庭的。

老黑给隋杰出了个主意，"如果你找个经济条件好点的女人结婚，一家子生活稳定，你的赢面要大很多。其实结了婚对你的事业也好，找个好女人照顾老人孩子，你也可以安心创业了。虽然我和你一样受过重伤，很难再相信女人，可还是要试一试吧。如果这世上没有一个女人你愿意信任，不知道活着还有什么意思？"

两个选择。第一，被逼就范，重回那个噩梦婚姻；第二，再尝试一次，也许真命天女就在前方。

再渺茫的希望也比直接对着莫莉绝望强。于是，隋杰去找了婚介所，也便有了和沈小荻这份情缘。

知道了隋杰的故事，沈小荻并没有介意隋杰最初找她的动机，离过婚的人谁没有血迹斑斑的过去呢，又有谁不渴望找到真正的归宿呢？她开始心疼这个受伤的男人了。

沉醉在爱情中的沈小荻并没有注意到，在隋杰的讲述中，有几年的历史是大段空白的。

Second Marriage

2婚

第二章

爱的考验

二婚男女的交往总是表面甜蜜却各有算盘。

在第一次婚姻的纠缠中，他们对爱情的勇气和对异性的信任都已消耗完了，发誓以后再也不要为爱所困。可这才隔了多长时间？他们便不能自制地被对方感动和吸引着，而对方似乎也越来越依恋他（她）了。只是他们还不敢确定，对方是爱他（她）这个人，还是在贪图什么。

他们想，还是多了解一下吧，也许这是增加自己信心的惟一方法。

1

在沈小荻了解隋杰的同时，她也被隋杰考验着。

当时隋杰的确是在婚介所几百份资料中一下挑中了沈小荻的。当时婚介所的大姐搬了所有女性会员的资料出来，气喘吁吁地往隋杰面前一放，“这里有大把优秀女人，你好好挑挑你的意中人吧！”

隋杰心一横，闭上眼睛探手一抽，有点像在赌场上抽扑克牌，抽到哪张算哪张。

找个心爱的意中人？不敢奢望。隋杰的主要目的是为了果果，不过尽管他很急，有些东西还是非常谨慎的。前面婚姻的教训给他的再次选择设下了非常苛刻的要求，现在他对女人的相貌、身材、学历、职业如何已经不在乎了，但对对方的人品性格、家世背景有了很严格的标准，他再也不想有前妻了。而且，为了加强他手里的筹码留住果果，对方经济条件必须还可以。所以他跟婚介所说得很清楚，对方得有房有稳定的收入，合适的话能够接受短期内结婚的。

其实以隋杰当下的环境，一个拖儿带母没车没房的离婚男人，他的要求简直一点都不靠谱，可偏偏这次上帝眷顾了他，有房有工作、要求不高、想结婚到快饥不择食的沈小荻恰巧被他抽在了手中。

和别的女人不同的是，沈小荻没有放生活照或者艺术照出来，而是把一张证件照附在资料上，照片上的她一脸中规中矩的表情，四六分的直发，光洁饱满的额头和黑白分明的眼睛。如果给莫莉的外形打九十分，那这个女人顶多七十分。她介绍自己的独白很实在，基本情况、优点、缺点、希望找的对象、对未来生活的期望，一条条写得很清楚。不用艺术照扮靓，不用文学语言煽情，她不像是来相亲的，倒像是来应聘的。像是个诚实的女人。隋杰与照片上的沈小荻久久对视着，他似乎从那清澈的眼睛里看到了这个女人的内心。像是个简单的人。

就她了。

沈小荻真人比照片好看多了，不如莫莉美艳妖饶，却很顺眼可亲。一开口说话，她给人的感觉又加分了。她总是未语先笑，把眼睛眯成两个喜气的豆角，说话爽直，大大咧咧，不表现，不迎合，不争执，一副没什么城府、很好相处的样子。让隋杰第一个有好感的地方是她竹筒倒豆子地说出了自己的往事，尽管隋杰并没有马上就相信她的故事，但她表现出来的真诚是让人舒服的。去观音山拜佛的时候，他们曾在半山腰的石阶上休息了一会儿，正当隋杰就这么坐下去时，沈小荻拦住了他，她细心地为他铺上纸巾，起身后又将纸巾收好扔进垃圾桶。很普通的细节，隋杰看得出沈小荻是个会体贴人、生活有条理的人。

隋杰想，为了不碰到第二个莫莉，他必须要考验沈小荻。第二次见面时他便说："我想给你买个礼物。"

沈小荻推辞了一会儿，还是顺从地听隋杰安排去了商场，隋杰看得出她很高兴。毕竟女人都是物质动物，隋杰有一点小小的失落。在琳琅满目的女装柜，沈小荻兴奋了起来，她看看这件瞅瞅那件，像个兴高采烈买玩具的小孩。可当隋杰让她试穿下那几件她称赞的衣服的时候，她却不肯。

"不试啦，这么漂亮的衣服我没有机会穿出去的，上班公司要求穿正装，下了班要忙家务，好看的东西看看就行了，不一定要买回家啊！"

"可是你别忘了我们在给你挑礼物啊！为了让我心里舒服，你就当是完成任务挑一件吧！"

"我们还是回去吧，让你一个大男人跟着我逛商场，我一点都不安心，老觉得自己太任性了。"

"不要紧，我特别喜欢逛街，你可以跟我比比耐心。"隋杰这是有意试她，以前莫莉隔三岔五地就会拉隋杰逛街购物，莫莉自己舍不得花钱，但只要有隋杰在场时就毫不含糊地要这要那，隋杰再也不想找个他消费不起的女人了。

沈小荻的眼圈有一点点微红，"从来没有男人陪我逛过街，我挺感动的，谢谢你有这份心。”

隋杰真的陪着沈小荻逛了一整天，结果是沈小荻还是什么也没买，她说：“东西太贵了，我真的什么都有，不需要了。”

“是不是你还没有把我当成自己人？或者因为有我在场你觉得不好意思挑？那我给你一点钱，你自己去挑一份礼物好吗？”

“不是的，我也很想找一个我需要的礼物，可确实没有找到啊！”

“我知道你前夫环境不错，你平时的消费应该也不低，是不是我太穷了你觉得不习惯？”隋杰拿过了她的包，把钱往里塞，其实心里在想，她今天不肯要礼物不是太体谅他那就是在矫情了。

“不是的，不是的……”沈小荻急得脸都涨红了，她没有再推辞，任由隋杰把钱塞在她包里。

隋杰心里在苦笑。他不是为那一千块钱心疼，难过的是沈小荻和其他女人也没有两样。这小小的不舒服，让隋杰刚对沈小荻找到的一点感觉淡了下去，隋杰打算就此与她别过了。不过事情并没有这样结束，只过了两天沈小荻就主动给隋杰电话了，“今天有空吗？我给你买了件衬衫，得让你试试合不合身……”

这件衬衫是隋杰一贯喜欢的休闲风格，价格比隋杰给沈小荻的礼物钱要少一点，既给了隋杰面子，又表明了她的心意。隋杰心里热热的，沈小荻真是个懂事的女人。隋杰想到了莫莉，和莫莉认识了十几年，除了生日时的那个棒棒糖，莫莉没有给隋杰买过任何东西。在莫莉心里，男人生来就是为女人服务的，女人如果为男人付出了一分，那男人就得回报百分。

不过，光检验出来沈小荻不图便宜还没用，隋杰不知道沈小荻会不会也像莫莉那样喜怒无常，现在的温柔会不会变成将来的跋扈，今日的和睦会不会变成他日的反目。他最需要了解的是沈小荻的性格究竟如何，他又给沈小荻出了难题。

隋杰的工作很忙，周末常常不能休息，他和沈小荻约会的时间很难提前定好，因为常常得去别的城市跑业务，他和沈小荻约会就更困难了。常常是他突然有了一点时间，就马上抓沈小荻来见一面。沈小荻后来笑说她是“奉旨待诏”，整天像个罪臣一样眼巴巴地等着皇上开恩召见她一回。

一个周六隋杰在广州办事，沈小荻的信息来了：“如果再不见到你的话，我怕你会忘记我的样子……”

“我一会儿还要赶到东莞去，下午会有一点时间，如果你不嫌太远的话，来东莞见见？”

沈小荻兴高采烈地答应了。

隋杰比约定的时间早半小时到了东莞，他坐在一个可以观察下车乘客别人却看不到他的角落，静静地等待着沈小荻。没过多久沈小荻从深圳的大巴下车了，她满面笑容地东张西望着，没找到隋杰，她拿起手机欲拨电话，可犹豫了一下还是没有拨出去，只是她不时看下自己的手机有没信息过来，脸上渐渐有些着急。

隋杰给沈小荻发了个信息过去：“我临时有点事要晚一点到，你可以等我吗？”

“没事，你先忙吧，我在附近逛逛挺好的，不要担心我，我会等着你。”

有了隋杰的消息，沈小荻脸上显然轻松了，她悠闲地在落客区踱起了步，只要有广州过来的车她马上紧张地盯着看，直到所有乘客下完这才稍显失望地走开。大概她觉得这么消磨时间太慢，过了一会儿走进了小卖店，把所有陈列的货品都琢磨了一遍，搞得人家老板都起疑心地走过来了，她这才顺手买了一本花花绿绿的杂志出来。然而她没有心思看杂志，仍然站在落客区张望着。有一个小贩向她兜售山竹，她买了一点，蹲下和那小贩开开心心地闲聊起来。

时间一点点过去，一晃两个小时了，隋杰还是没给沈小荻准确的到站时间，可隋杰也一直没收到沈小荻催他的信息。她似乎不像在异乡等人，不着急、不生气也不委屈，倒像在超市闲逛般轻松。不管和隋杰在一起还是她一个人独处，她都是随遇而安的。躲在一角的隋杰可比沈小荻坐立难安多了，他心里一直在犹豫着要不要出去见沈小荻，用这么个馊主意来考验沈小荻是不是太过分了？让她等了两个小时了，够了。如果换了莫莉肯定早就暴跳如雷了，不是打爆他的电话那就会打道回府，过后隋杰要用十倍的时间来接受她的惩罚。

就在隋杰已经下了决心站起身的时候，一个小青年靠近了蹲在地下和小贩聊天的沈小荻。沈小荻显然没什么出门的经验，一点也不注意保护自己的财物，她把包背在身后，嘴里跟小贩聊着天，心思却放在下客的大巴上。小青年蹑手蹑脚地凑过去，手伸向了沈小荻的包。

这时，一只青筋突起的手钳住了小青年正待作案的手。小青年抬头一看，一个男人对他挥舞着拳头，怒目而视。小青年以为要挨打了，吓得抱住了头。谁知那男人把手一松，低声喝道："滚！"

听到声音，沈小荻惊喜地回过头来，"小杰，你是从哪里钻出来的？刚才下客的大巴里没有你啊！"

隋杰一把把沈小荻揽进了怀里，发自内心地道歉："对不起，对不起……我让你受委屈了……"

"这是什么话啊！是我不好，你这么忙我还要求见面……是我不好。"沈小荻温顺地靠在他肩头，连声自责着，一点也不提刚才这两个小时等待的心焦。"你渴不渴？我剥山竹给你吃，这东西很新鲜很甜的！"

隋杰抱着她不让她动，心里内疚极了。对这个莫名其妙的考验，沈小荻以超出他意料的高分通过了，他为自己感到惭愧，他想他会把这个龌龊的秘密永远埋在心里，今后他要好好对这个好性情好心地的女人。

从这之后，隋杰和沈小荻的交往就正常起来了。人是有磁场的，莫莉的磁场像一团烈火，吸引着寒夜里孤独的人，可越走近她就越会被那火焰灼伤，最后不得不落荒而逃。沈小荻的磁场就像一汪40度的温泉，不烫手不沁凉，贴身又贴心。有人说女人对男人的感觉是从零分到一百分，男人对女人的感觉是从一百分到零分。为什么分数会递减？那是因为你本来就不够一百分，越了解真实面目就越失望。在隋杰眼里，沈小荻就是一个越相处越加分的女人。

但隋杰心里还是没有底，他很怕沈小荻是为了得到那个婚姻的名分把她的狐狸尾巴都藏起来了，就像莫莉那样，结婚前何尝不是让隋杰心动得不得了，可婚一结，马上就恢复了本来的面目。

隋杰并不确定自己是否爱上了沈小荻，在婚姻的纠缠中，他对爱情的勇气和对女人的信任都消耗完了。他曾经绝望过，他发誓这辈子再也不要为爱所困。可这才隔了多长时间？他不能自制地被另一个女人感动和吸引着，而这个女人似乎也越来越依恋他了，只是他还是不很确定，她是爱他这个人，还是在贪图什么。

他知道这想法很过分，他现在有什么可让沈小荻贪图的呢？除了是个自由身，能给沈小荻一个婚姻的名分……可如果不跟他在一起，依沈小荻的条件，要找到一个能给她名分的男人也不会困难……他来来回回在怀疑与自责中挣扎，却始终不能对沈小荻放下全部的信任。要怪就怪老天爷吧，是老天爷太捉弄人，如果隋杰第一个遇见的女人是沈小荻，他对人生一定是另一种看法和活法。为什么偏偏在他的人生已千疮百孔后她才出现呢？心已碎，爱已残，信心和信任都已丧失，一个束手无策的烂摊子需要解决，他还有什么可以给她？

隋杰想，还是再多了解一点沈小荻吧，也许这是增加他信心的唯一方法。

2

二婚男女的交往总是表面甜蜜却各有算盘。第一个对他俩真正的考验在热恋中来临了。

在与隋杰相亲之前，婚介所大姐就告诉过沈小荻，隋杰在做投资生意，虽然他暂时没房，在经济条件上还不是差她很远的，沈小荻这才答应了和他见面，毕竟谁也不会存心要找个穷光蛋。两人正式交往之后沈小荻就更不介意了，她能从隋杰的谈吐处事中，看出他是个挺有能力的男人，这样的男人要翻身是迟早的事。

这天的约会隋杰情绪特别不好，不停地抽着烟，脸色难看得如同被艾草熏过。

“小杰，你这是怎么了？是不是有心事？能说出来让我分担一下吗？”

“我有个问题要问你，如果我现在投资失败了，你还会要我吗？”

“咱们能穷到哪儿去啊！现在不是好好的吗？”

“我有一笔投资款出问题了……三十万啊，都够付房子的首期了，要是收不回来可怎么办啊……”

没有人不想知道拍拖对象的经济状况，这是沈小荻第一次摸清隋杰的家底，不过显然这也是个已经出了问题的家底了。

“别着急，给我说说怎么回事。”

“前段时间我大姐夫找我借资金周转，他是一个村官，村里前几个月在搞一个工程，老板差点资金运转，想让我姐夫帮他组织借些钱。当时我觉得这事在我姐夫的控制范围内，借款利息又挺高的，就借了三十万给他。哪晓得那工程出了事故，老板跑路了，工程现在成了烂摊子，钱只怕也要不回来了！”

“天，那不是传说中的高利贷吗？这个投资是你完全不懂的行业，你怎么敢冒这个险呢？”

“我是信我的姐夫啊……”

“好了，事情还没到彻底完蛋的时候，你先别着急，能想办法就想办法，实在没办法也别急坏了自己，钱还可以再赚的……”

看着隋杰着急的样子，沈小荻也不忍心再责怪他了，不过嘴上虽在安慰隋杰，她自己心里不由也犯起了嘀咕，转回头她便跟宣萱商量这事。

宣萱一听就投了反对票，“呀，这个人多急功近利，多冲动啊！这不叫投资失误，是判断有问题。”

“可是男人要做事业不冒险又怎么行呢？多少企业家刚创业的时候不也被人骂疯子吗？只是那些人成功了，那就是有眼光有魄力，失败了的人哪怕是运气不好也没有资格辩解了！”

“小荻，你没真正吃过苦，穷人的日子不好过的。咱先不管隋杰这个人怎么样，我只问你，如果他一直是这样一个穷老板，没有能力让你和海海过更好的生活，甚至还可能要你去帮补他，你还愿意接受他吗？”

沈小荻沉默了，她心里乱糟糟的。

为了给沈小荻拿主意，宣萱就在这时被带着去见了隋杰。

宣萱一见面就主动跟隋杰握了握手。配着她浓眉大眼厚唇的，是一副足有半个脸大的夸张耳环，一说起话来眉飞色舞，耳环也随之微微晃动，表情和手势都非常丰富，是个活泼热情，也很富感染力的女人。如果把沈小荻比做一幅清新淡雅的水彩，那宣萱就是一幅浓墨重彩的油画，完全不同类型的两个人能成为这么好的朋友，真让人费琢磨。隋杰看得出来，这个女人社会阅历不简单，心思头脑也比沈小荻复杂。

宣萱没有拐弯抹角，一上来就问：“你别怪我说话太直，其实我挺反对你和沈小荻交往的，我怀疑你不能给她一个稳定的生活，你做好思想准备要当她的丈夫了吗？”

沈小荻涨红了脸，拼命在桌子底下踢宣萱。她和隋杰根本还没有到谈婚论嫁的地步啊！宣萱最近心情很不好，婚史两年的她刚离了婚，正在极度郁闷中，一方面和沈小荻前两年一样得了离婚焦虑症，一方面又不愿降低要求随便将就，看所有男人都有问题。

迎着宣萱挑剔的目光，隋杰很坦然，“感谢你这么直接说了自己的看法，没错，我现在是不富有，可是我还有将来。养家和保护女人是男人的责任，如果不能担起这个责任，根本不要去谈恋爱。”

这个回答对刚离婚的宣萱听来，无异于天籁之音。

“是的，最可恶的人就是耽误了女人青春的男人，不肯做出承诺又不愿意补偿，还要落井下石地做出一些卑鄙的事。”

“不是每个男人都是这样的，我和前妻分手几乎是净身出户，这不是因为我做了什么对不起她的事，而是我觉得男人生来就要为女人多承担一些东西，虽然分手了，我也希望她不要过得潦倒，算是夫妻一场吧！”

宣萱眼睛有些微红了，她想起了自己的伤心事。沈小荻赶紧打圆场，“来来，咱们吃菜！”

这场见面饭，几乎都是宣萱和隋杰在说话，从针尖对麦芒似的质问到推心置腹的朋友谈心，宣萱对隋杰的感觉完全改变了。散了之后，宣萱在沈小荻胳膊上用力掐了一把，“我真是嫉妒你，老天爷怎么对你那么好呢？你想要钱的时候，老天给你送来一个有钱有型的老公；你想要爱情的时候，老天又给你这么个有情有义的男人！”

“这么说他在你这通过了?！”沈小荻惊喜地说，这些日子为隋杰投资失败的事情她一直纠结着，宣萱的意见对她很重要。在此之前，宣萱一直是坚决反对沈小荻和隋杰来往的，在她看来，一个没车没房拖儿带母的男人根本不能列为考虑对象。

宣萱幽怨地叹着气，“我也算明白了，这年头，想找个条件不太差又肯对你负责的男人真的太难了，鱼与熊掌不能兼得，也许你是对的，放低点心态才能嫁得出去。反正你自己有工作，儿子又有夏明皓这个靠山，只要找个自己喜欢的就行了。”

“宣萱，你太好了！”

“他也算是个人物，让我们一起相信他的能力和运气吧。人不可能一直走背运的，他这种人一旦有机会就会起来得比谁都快！”

在认识宣萱后某一晚，隋杰接到了沈小荻十万火急的电话，“宣萱刚才给我电话了，她的情绪很不对头，我心里很不好受，老觉得她可能会出事……一早我要送海海上学，没办法赶过去，你能不能帮我去宣萱的住处看看？”

照沈小荻说的地址，隋杰找到了位于市中心的一栋小复式大厦。在宣萱家门口，他按了半天门铃，就在他自认完成任务的时候，门开了，酒气熏天的宣萱站在了他面前，含糊不清地说着："其实他逼我离婚不是因为破产了，是因为要跟别的女人结婚，他骗了我，他逼我把房子还给他……"

话没说完，宣萱站立不住地呕吐起来，呕吐物污秽了她自己的睡衣，也溅了毫无防备的隋杰一身。隋杰皱着眉扶宣萱进了屋。这是一套60平方米的小复式单身公寓，不过像刚被抄过家一样，到处乱七八糟。隋杰扶着宣萱在沙发上坐下，愣在房里不知怎么办才好。三更半夜孤男寡女的，隋杰真怕人误会，于是把大门打开着。可看着沙发上这一身脏兮兮的宣萱怎么办呢？总不能帮她换衣服吧？隋杰犯了难，只好给沈小荻打电话。沈小荻对他还真是信得过，"没事，你就帮我陪她一下吧，我真怕她想不开出事，等送完海海上学我就赶过来。"

隋杰没办法，只好给宣萱找毛巾擦脸，又给她泡茶解酒。

端着热气腾腾的茶杯，宣萱仿佛被热气蒙住了眼睛，就是和她结婚了两年的老公，也没有这样对过她。

见宣萱缓过来了一点，隋杰赶紧说："如果你感觉好了一点，那我就先回去了。"

"你陪我聊聊好吗？我心里难受死了……这已经不是我的家了，很快我就要搬出去了。"

宣萱没了那天晚餐时的活泼，夜灯下的她憔悴得仿佛一下老了好几岁。看到宣萱可怜兮兮的样子，想起沈小荻的嘱咐，隋杰只好找了条板凳坐下，听宣萱絮絮叨叨地讲起她的故事。

宣萱是沈小荻最好的朋友，结婚两年，老公生意做得不错，曾用她的名字一次性付清买了一套房，说是送给她的礼物。今年老公说最近生意周转不灵，从宣萱手里拿到了房产证把现在这套房子抵押给了银行，作了一个按揭付款。这之后他便说已经破产了要跟宣萱分手。今年宣萱已经31岁了，全世界都知道她结婚两年了啊！宣萱慌了神，无论怎么求怎么闹都没用，铁了心的老公就是要和她分手，还要她把房子过户给他，说反正她的收入也供不起。最后没办法还是过了户分了手，结果那男人一转身就跟别的女人结婚了，所谓破产抵押过户不过是早就预谋好的计划。

宣萱的故事引起了隋杰的某种共鸣，他义愤地说："这男人太不厚道了，分手就分手，为什么还要把以前送给老婆的房子骗回去呢？毕竟你跟了他这么久啊！"

本来隋杰是想安慰宣萱，没想到这话让她崩溃地大哭起来。隋杰没有再劝她，只是任她发泄着，这个时候的她也许最需要的是倾诉。无心插柳般地，隋杰更坚定地赢得了沈小荻的心，同时也得到了宣萱的好感，可没想到给自己惹了个麻烦。

在半夜去探望宣萱后的第三天，隋杰接到了宣萱的电话。

“杰哥，我想请你吃个饭，感谢你那天晚上来陪我。”

“不用了不用了，你是沈小荻的朋友，为你做点事是应该的。”

“一定要感谢的！”在电话里听起来，宣萱的声音活泼灵动，她已经恢复得差不多了。

“不行啊，我在上班呢！”

“没关系，我就在你公司大厦二楼的西餐厅等你，不见不散。”

隋杰有些不高兴，可是没办法，人都到楼下了。

今天的宣萱没了那天晚上的狼狈，新剪的清纯 BOBO 头与低胸吊带黑裙呼应着，仿佛是为了诠释那句话：天使脸蛋魔鬼身材。远远见到隋杰，她立刻绽开了一个热情的笑容招呼着：“杰哥，在这里！”

周围几桌人都往这里看过来，隋杰赶紧低着头走过来，要知道这可是公司附近，这里有太多熟人，既然无心寻花问柳又何必惹上一身膻骚？

“杰哥，原来你穿正装的样子更帅！”宣萱一口一个杰哥叫得很亲密，她熟练地安排着，“来，我给你点了牛扒，知道你们男人食量大……对了，还叫了瓶红酒，今晚咱们好好喝两杯。”

对于为他安排餐谱和主动喝酒的女人，隋杰心里有点抗拒，但他还是礼貌地听从了宣萱的安排。这次见面还是很愉快的，宣萱和他一样是很会察言观色的人，渐渐地他们聊得很开心了。只是这顿饭吃到最后，宣萱意味深长地问他：“杰哥，你觉得沈小荻适合你吗？你也知道沈小荻是独生子女，她前夫经济环境不错，她未必能跟着你吃苦。”

隋杰警惕地说：“你不是帮沈小荻来考验我的吧？”

“沈小荻是我的朋友，”宣萱看隋杰的眼睛闪亮亮的，“可是你是个有情有义的好男人，我更希望你有个更好的归宿。”

隋杰心里一紧，“那你觉得我的归宿是什么？”

“我直说了，我觉得你应该找一个吃过苦又懂事的离婚女人，这个人她还没有孩子，没有组合家庭的烦恼，她可以再为你生个孩子——比如我。”

笑容僵在了隋杰脸上，他尴尬地直摇头，“不行的，我有沈小荻了，你是她的朋友，我……”

“杰哥，你可能觉得我太突然了，可是你跟沈小荻这么好，我怕如果我再不表白你就快跟她结婚了……我希望你能认真地考虑下我。”

隋杰心里十分明白，宣萱不是他想要的人。对于宣萱撬沈小荻的墙角，隋杰真有些讨厌。要知道宣萱绝不是随便玩玩就能算了的人，她是想找个能结婚的人啊！一旦沾上宣萱，就意味着要放弃沈小荻。像宣萱这样的女人深圳有很多很多，她们大都有不错的学历和工作，有些小漂亮，懂点小情趣，年轻时一心想找个绩优股男人，可当希望落空后，这才退而求其次地抓个有情郎。可是，你把我当后备胎，我又怎会为你赴汤蹈火？

此时隋杰还没想清楚要怎么和沈小荻往前走，就更不想招惹宣萱的是非了，可要怎么拒绝宣萱，才不伤到沈小荻和她的朋友感情呢？隋杰犯了难。

3

如果要娶沈小荻，是否能和公婆相处好将是隋杰最看重的一关。

随着他们感情的升温，双方的家人渐渐列上了话题。隋杰心里一直忐忑不安，要知道隋杰是从农村出来读书奋斗的，让“山窝窝里飞出了金凤凰”，也势必有一大堆摆脱不了的负担，沈小荻能接受吗？

这天，隋杰约了沈小荻见面。沈小荻一坐下来，隋杰小心翼翼地拿出了一包东西给她看。这东西用塑料膜和牛皮纸包裹着，一层层解开来，一个发黄的硬壳本子露了出来，跳入沈小荻视线的首先是一个戴着有耳军用冬帽的雷锋头像，头像下印着一行字“为人民服务”。

“这是什么年代的古董啊！”

“你打开看看。”

翻开发黄的封面，原来这是一本相册。底板是硬壳的黑纸，几个褪色的烫金纸叠成小三角贴在黑纸上，卡住了几张发黄的照片。第一张照片是一个银盘脸、大眼睛，梳着两条大黑辫子的姑娘。姑娘目光闪亮，笑容灿烂，照片当时是黑白照，但后期被照相馆画上了色彩，红红的、青青的颜色，淡淡地晕染在姑娘的嘴唇、眉毛和衣服上，添上一分别致和娇俏。好一个美人！她的美丽完全能用朝气蓬勃、英姿飒爽这样的词来形容，可能不是如今这个时代流行的标准了，沈小荻却觉得更为赏心悦目。

姑娘的照片后面接着是一个年轻的小伙子，国字脸、高鼻梁，头发根根向上怒发冲冠似的竖着，他嘴唇紧抿，一脸正直，没穿军装气质却胜似军人。再往后，是姑娘和小伙的半身合影，姑娘梳了盘髻，甜甜地笑着，小伙子还是表情严肃，只是眼神中掩不住一股喜气。这张八成是结婚照吧！

翻过来是一个瞪着大眼站在婴儿围栏里的小孩，小家伙手里拿着一个拨浪鼓，一脸似哭非哭的紧张表情，照片左上角写着一行字"一岁的我"。

后面还有几张合影，每张合影里都有渐渐成熟的姑娘和小伙，不，这时应该是母亲和父亲了，在他们身边，孩子大小不等地由三个、五个加上去，最后一张全家福一共是九口人，围着两个大人或抱或蹲或站的有七个孩子。沈小荻定睛看去，女人身旁站着的那个八九岁的男孩跟拿拨浪鼓的一岁小孩应该是同一人，都跟隋杰的眉眼有些相像。沈小荻抬眼看看隋杰又跟照片比比，她猜这小孩应该是隋杰。

"这个是我妈、我爸，这个小家伙是我，我家所有的孩子中只有我小时候单独照过照片。在这七个孩子中，有两个是我妈和她前夫生的，这三个是我妈和我爸生的，另外两个小的是我舅舅的孩子……"

沈小荻吃惊地瞪大了眼，好庞大的一家子！

咖啡厅里放着李宗盛的一曲《鬼迷心窍》，在伤感的情歌伴奏中，隋杰说起了父亲和母亲的故事。

父亲和母亲都年过七十了，说到他俩的姻缘，要追溯到很久之前。

母亲家是个没落的地主家庭，所谓的地主其实也是非常可怜的，不过是一年能吃上一两回肉，家里比别人多两条板凳罢了。年轻时的母亲出落得十分出挑，是当年乡里远近闻名的美人，但上门说媒的人并不多，好人家都怕了母亲的地主成分。娘家帮母亲挑了一个从营长岗位上病退下来的军官，虽说这军官年纪大了点，头部还在抗战时期中过枪，但毕竟是当官的啊，母亲嫁了他，家里那压得人喘不过气的地主成分就能翻身了。

连对方长什么样母亲都没看清楚，可18岁的母亲还是出嫁了。

都说红颜命薄，这话真是不假。母亲嫁给军官并不是掉进了福窝。军官平时与常人无异，可隔三岔五地就会头痛病发作，只要一发作起来就会疯狂打人，年轻的母亲就成了军官发泄的对象。她常常被打得皮开肉绽、头破血流。在那些噩梦般的日子里，母亲无数次地想到了逃走。可是，扔下这个生病的丈夫他该怎么办？她于心不忍，只有流泪忍受，自认命苦。没多久她怀孕了，生了一个女孩，军官在不发病的日子对她也关心了起来，无尽的黑暗日子似乎有了一点光明的色彩。她陪着军官四处求医治病，从县城、省城一直走到了北京，可医生说他已经做过两次开颅手术了，弹片伤了脑神经，他的病很难有好转的希望了。军官说："不治了不治了，我要带我堂客去天安门看一次升旗。"

那天他们半夜就起床了，从繁星点点走到了曙光微明，终于走到了天安门广场。母亲护着军官挤到了人群的前排，当看到仪仗队出现时，军官便开始浑身颤抖，他和着节奏唱国歌，直到看着国旗升到顶端，军官两脚并拢，认认真真地行了一个标准的军礼。然后，在母亲一声长长的尖叫中，他轰然倒下了。

"我对不住你，来世再报答你。"这是军官跟母亲说的最后一句话，也是唯一的一句情话。

母亲戴着孝把军官的骨灰从北京带了回来，她哭了一路，也呕吐了一路。

她又怀孕了。

不会再有人对母亲施暴了，不幸的母亲万幸地得到了解脱。可是膝下一女，腹中一儿，一个没有收入的农村妇女可怎么拉扯得大啊？回娘家是不可能了，嫁出去的女儿泼出去的水，何况娘家也是穷得叮当响。难道要靠组织养一辈子吗？母亲不知道什么是爱，她只知道军官死了，她也不想活了。

办完军官的丧事，母亲把家里最后一点米给女儿做了次干饭，打算天一亮就带着女儿去投河。那晚，心如死灰的她做了一个梦，梦见到了一户人家，见着了一个红脸的高个子男人。第二天，一个好心的邻居大清早地来捶门了，原来她要给母亲说个对象，对方是县林业局的伐木工人，这在当时可是吃公家饭的人。母亲心情不好不想去，邻居却死拉硬拽上了她。一进那户人家的大门，母亲心里大惊，这家的摆设不就是昨晚梦里见着的吗？再看那相亲的对象，好一个高大壮实的红脸汉子，这人，分明就是昨晚在梦里见过的人啊！没有一点思想准备而来的母亲心里立刻愿意了，她信命，这是老天派来让她娘仨儿活命的人啊！

父亲虽说是公家人，相貌堂堂而且未曾娶过亲，但贫农出身的他可真是家徒四壁，何况做着最苦最累的工种，工资也十分微薄。当年24岁的他是高不成低不就的，虽然常有人给他说对象，可不是他看不中人家就是人家相不中他。这次不知怎的，他一眼就看中了这个梳着大辫子、慈眉善目的小媳妇。当听说她被军官打得死去活来的遭遇，眼下又为生计犯愁，父亲心里生出一股豪气：这女人我要了！

于是，22岁的母亲带着女儿，怀着腹中三个月的遗腹子嫁进了这个一贫如洗的家。新婚夜，母亲要侍候父亲休息，父亲抱起被褥睡到了外屋，他让母亲带着女儿睡他们的婚床。母亲想了很久终于鼓起勇气去问："你是嫌弃我吗？"

父亲面向墙壁不敢回头，"等你生了肚里的伢崽，养好了身子，我再搬进去。"

母亲热泪盈眶，她知道这一回她终于找对了丈夫。

婚后没几天父亲就下林场伐木去了。年轻时的他是出了名的大力汉子。之后好些日子，来山里打猎采菇的人们总能看到一个红脸汉子，一边推着伐好的木头滚下山，一边快活地唱着歌。木头在山间滚动着，发出轰隆隆的巨大声响，可在声响的间隙，还能听到汉子那不成曲调的山歌。

父亲还未当上丈夫，就先当了别人的爹。孩子呱呱落地了，是个大胖儿子，父亲抱着孩子一个劲地傻笑，"这是我儿子！这是我儿子！"母亲从床褥上挣扎下来，当着稳婆的面，她给父亲跪下了。这一跪，是感念眼前这个男人的恩情，是一生一世不离不弃的承诺。后来母亲让父亲给孩子取名，他想了一会儿，决定让孩子还是跟军官爸爸姓，他就解释了一句话："我得让人家传个后。"

父母在一起又生了三个儿女，隋杰是幺子。在隋杰五岁的时候，家里又添了新丁。原来母亲的大弟弟患有精神病，弟媳耐不住穷病跟人跑了，留下两个男孩没人照看，也就是隋杰的表兄弟，母亲的亲外甥。父亲二话不说，把两个外甥接了过来，家里从此又多了两个孩子。要知道全家九口人就有七个孩子，母亲只是个家庭妇女，全靠父亲做伐木工人的工资养活啊！

父亲有的是力气，母亲有的是勤劳，只要人想活，日子总有办法过得下去。家里吃饭的人多，好在干活的人手也不少，父亲一声令下就组成一个小型的加工厂。他们开过副食品店，贩过布匹，编过草席，糊过纸盒，养猪捕鱼，喂鸡种菜，什么有活路就做什么，日子过得当然是非常紧巴的。隋杰他们几个小的基本上都是姐姐哥哥带大的，这一家九口有五个男孩，调皮捣蛋打群架到处都有他们的份，给人赔礼道歉的事在父母也是家常便饭。当着别人的面，父亲把捣蛋的孩子打得哇哇叫，回到家却大手一挥：“伢崽伢崽，不打架不得大，下次打架只要别往人要害上招呼就行！”

父母渐渐老了。岁月压弯了母亲的杨柳腰，斑秃了母亲的麻花辫，浑浊了父亲的老虎眼，染白了父亲的黑头发。七个小崽子却没有饿着冻着，都健健康康的，而且都多少读了点书地长大了。有意思的是，家里读书最少干活最多的不是老大老二，而是父母共同生育的老三老四。在父亲的心里有一个固执的念头，再苦也不能亏待了母亲跟军官的孩子。

到幺子隋杰读书的时候，家里环境已好很多了，大姐出嫁，二哥四哥也出来干活了。隋杰成绩挺好，可就是不想读大学，他觉得父母苦了一辈子太不容易了，想早点出来干活，家里的房子该盖新的了，哥哥们要娶亲，到处都要用钱。

高考还有三个月了，隋杰每天跟家里人说去学校上晚自习，家里人都以为他很用功。结果一天婆婆在路上碰到了班主任，老师关心地问：“隋杰晚上在家复习得怎么样啊？”母亲傻眼了，这浑小子，原来他没有一个晚上在学校学习！

晚上十点半，隋杰背着书包进了家门，一进门就想溜进房睡觉。

“站住！你给我跪下！”父亲一声怒喝。

隋杰咚地跪在了父亲面前。

母亲紧张地挡在隋杰身前，“你这孩子，晚上都上哪里学习去了？你赶快跟你爸说实话。”

隋杰低着头不说话，父亲打他的板子已经举到了半空中。

母亲突然嗅到了隋杰身上的油漆味，“他爸，这段时间好像这孩子身上总有一股油漆味，你说怎么这么怪呢？”

在父母的再三逼问下，隋杰说了实话。原来这些日子他偷偷在跟村里的油漆匠学徒，他想学门手艺好糊口。乡下人，如果不能读书跳龙门那就只有学门手艺傍身。

母亲的眼泪糊了眼睛，父亲的板子也扔到了一旁。父亲发了话：“现在全家砸锅卖铁也要供你上学，将来你有出息了加倍还给哥姐。”

隋杰只复习了三个月，他成了家里唯一的大学生。

当隋杰把这段家史告诉沈小荻时，沈小荻一直在流眼泪。她为父亲的胸怀、母亲的感恩和这相亲相爱的一家人感动得哭了。

“把这些往事告诉你，是让你在决定嫁给我之前想清楚，我必须要照顾我的哥哥姐姐，也必须要赡养我的父母。未来的路会很漫长也很艰难……当然，我自己有能力承担这个责任，绝对不会加重你的经济负担……你能接受吗？”隋杰忧虑地看着沈小荻。

沈小荻泪光闪闪，“如果我有幸成为他们的亲人，有生之年，我会尽我全力对他们好……你看你爸妈也是二婚，他们多幸福啊！我们将来也会这么幸福的……”

隋杰伸手与沈小荻相握，难舍难离。

4

在这个时候，沈小荻和前夫夏明皓的关系让隋杰很是难受了一下。

夏明皓的名字，从和沈小荻相识就出现在隋杰的耳朵里。尽管他负了沈小荻，沈小荻对他的评价还是不错的，这让隋杰觉得有些不舒服。因为隋杰自己和前妻的关系是势不两立的，他根本不相信离了婚的夫妻还可以保持很好的关系，除非有暧昧之事。偏偏沈小荻和前夫的关系就不错，海海跟爸爸每两周见一次面，娘俩有什么事需要用车或者帮忙的也是第一个找夏明皓。沈小荻到现在也没把家里的锁换掉，理由说是：“他爸钥匙早掉了，我懒得去换了。”虽然知道他们原来在婚姻里时也早是无性夫妻，虽然沈小荻一再说夏明皓根本不爱她，隋杰还是为这种牵强的理由难受了一下。

这几天沈小荻有在外地工作的大学同学一家要来玩，沈小荻打算带他们好好转转，隋杰当然要在这个时候出点力了，“我去包个车吧，不然带着一家子挺不方便的，再说不能让你在同学面前没面子。”

沈小荻想了一阵，还是摇摇头，“算了，我就带他们坐公交车吧。”

隋杰看得出沈小荻有些惆怅，一个坐惯私家车的人去挤公交，心里的落差肯定挺大的，何况在旧同学面前。公司周转抽不出钱来买车，这次还是去租个好车吧，给沈小荻点面子。

就在隋杰盘算着时，他意外地在街头碰到了沈小荻。当时他正好过十字路口，路边第一排停着一辆等红灯的林治，因为这辆车是很特别的香槟色，他多看了两眼，谁知却看到了一个熟悉的身影。沈小荻正坐在这辆车的副驾驶位上，扭着头跟后座的人说话，坐在她身旁开车的，是一个明星般俊美的男子，那男人侧过他雕塑般的脸来正看着沈小荻，眼神很是温柔。

说是不怀疑沈小荻，隋杰心里还是打起了鼓，一刻钟后他拨通了沈小荻的电话，装出很轻松的语气问："你在做什么呢？今晚一起吃饭吧？"

"嗯……啊……我有事在忙，一会儿给你回电话。"沈小荻支支吾吾的，电话背景很嘈杂。

隋杰的心一沉，你当然在忙了，忙着跟帅哥约会呢！

十分钟之后，沈小荻的电话回了过来，"对不起啊，刚才不方便说话……"

隋杰心里直冒火，你坐在一个帅哥的车上，怎么会方便接我电话呢？

"是这样的，你知道我同学一家子要来的，我去找了我前夫借车。嗯，主要是他公司有车闲着，我不想让你浪费钱。没想到他今天刚好有空，说正好陪海海和他们一起玩。当着海海的面，我不好跟同学说我已经跟他爸离婚的事，只好……"沈小荻拼命解释着，她怕隋杰不高兴。

"只好还装是一家人对吗？"隋杰的声音冷冷的。沈小荻真是替隋杰心疼钱，一个女人开始为男人心疼钱的时候就证明把他当自己人看了。隋杰心里却不好受，他觉得夏明皓还是沈小荻的什么人似的，"同学看到你们一家三口和睦富有，一定很羡慕吧？"

沈小荻还没听出她已经让隋杰难过了，老老实实地说："我不在乎同学怎么看，她只是玩两天就回去，将来我们又不会常见面，关键我接待好了尽了自己的心了，没必要跟她解释我要过什么样的生活。离婚这两年我的确常找前夫帮忙，我是没办法，有些事情我一个女人根本解决不了，如果找其他男人就要付出代价，夏明皓就不用了，他是孩子的爸，他会随叫随到的。"

"我觉得你前夫其实对你是很有感情的，否则他不会对你这么好。"

"你说他没办法拒绝我的要求，我才信呢！他只是觉得欠我们的！"

隋杰又想起了夏明皓看沈小荻时的那种眼神，话不好说透，但他相信自己作为男人的直觉，不由担心地问："你们这么离不开他，他又还这么照顾你们，会不会考虑复婚呢？"

"我和他是不可能了，他有女朋友，我现在也有男朋友了，他给我帮忙不过是看在海海分儿上，你不要多想……再说了，如果我有了新的家庭，这些事情自然有我的丈夫来搞定，到时我肯定不会再找前夫了……”

隋杰的心猛一跳，沈小荻的意思是希望他能以一个丈夫的身份分担这些家务事。只要有了名分，将来做任何事情就顺理成章了。沈小荻敢说清找前夫帮忙的理由，证明他们之间是没有苟且之事的，再说一个女人离了婚还能让前夫这么愿意帮她，也说明她的为人不错。

一关关考查下来，一点点小事看过来，隋杰对沈小荻的人品放心了，可眼下还有个穷追不舍的宣萱呢。怎么办？

隋杰不厚道地想出了一个脱身的主意。宣萱不就是想找个结婚对象吗？隋杰还有个要好的哥们儿老黑呢，虽然老黑也离过一次婚，可他上次婚姻找了一个同性恋的老婆，和宣萱同样情场失意，这些年来他身边虽然女朋友没停过一直在换，可隋杰相信他最终还是需要一个女人安定下来的。就像他自己一样，刚和莫莉离婚的时候真的对婚姻失望透了，可当碰上了沈小荻，生活又重新燃起了希望。对宣萱来说，做律师的老黑事业有成又是单身，也是很好的人选。他们需要的，只是一点碰撞出的火花。

找了一个周末，隋杰叫上了老黑，让沈小荻也叫上了宣萱。这次四个人的饭局，隋杰算是正式把沈小荻带给自己最好的朋友老黑看，顺便也捎上了沈小荻的朋友宣萱。在介绍两人相识的时候，隋杰用了不少修饰词：“我哥们儿老黑，年轻有为的大律师。宣萱小姐，美女加才女。”

老黑本名叫贺宇轩，人确实也像他的名字那样是个气宇轩昂的男人，不过因为他从小皮肤黝黑，被同学们取了外号“老黑”，渐渐在同学中他的名字便被忘记了，别看他平时不大爱说话，在法庭上可是出了名的铁嘴。他还没意识自己已经变成了炮灰，礼貌地与宣萱寒暄过后，他开始用审慎的目光观察沈小荻，心想隋杰还真有两把刷子，说找就立马找了一个。若不是事先知道沈小荻的情况，他真不相信眼前这个邻家小妹模样的女人已经是八岁孩子的妈了。

听着隋杰隆重的介绍，宣萱立刻明白了隋杰安排这次饭局的目的，她幽怨地举起酒杯，“来，我敬你们一杯，祝你们有情人终成眷属。”说完也不管别人回不回答，她一仰脖把手里的红酒喝得干干净净。

沈小荻不知道眼前这几个人都各怀心事，只觉得隋杰能带她见自己的朋友，就是对她身份的承认了，心里高兴得不行。用餐当中，她与隋杰不时要相互看一看，捏一捏手，低声耳语几句，幸福毫不掩饰地像蜜汁一样从两人身上流了出来，却没想到他们的甜蜜刺激着一旁的宣萱。

在隋杰上洗手间的时候，宣萱把他堵在了门口，她眼睛湿湿的，"杰哥，你真的一点都不喜欢我吗？"

"对不起……其实很多男人都比我好，你别死心眼儿地只看到我。今天的老黑就不错，他有车有房又没有孩子拖累，比我强多了，到时我给你们撮合一下，我觉得你们挺般配的。"

"你把我看成什么人了？有车有房就一定行吗？老黑这种男人我见多了，女人对他们就是一件衣服，有没有都无所谓……"

"是的，现在有很多虚情假意的男人，信任可能会让你受伤，可是如果你不肯去相信任何人，人生还有希望吗？这世上一定会有适合你的人存在的，你拒绝了所有人，那就是拒绝了得到幸福的机会……"隋杰觉得宣萱并不是真的喜欢他，而是把他当成了最后一根救命草，借着这个机会，他也劝劝这个钻了死胡同的女人。

这些话说到了宣萱心里，她若有所思地呆住了。

虽然沈小荻和隋杰在大力撮合，老黑和宣萱并没有对上眼，彼此的理由居然是一样：没感觉，不是我想要的人。老黑和宣萱同样久经情场，不相信爱情却又奢望最完美的爱情，这大概是让他们成为剩男剩女的原因吧。不过从这次之后，宣萱没再来纠缠隋杰了。隋杰终于放下了一个大包袱，重要的是没有伤害沈小荻和宣萱的感情，他感到很欣慰。

就算再穷也会接受，父母家世也了解清楚了，沈小荻觉得她和隋杰的感情已经到了一定火候，是时候见见彼此的家人了。就在她兴冲冲地邀请隋杰去家里做客时，隋杰却不肯去，支支吾吾地又说不出什么理由。这之后的几天，隋杰一直没有跟她联系，给他发信息也不回，把个沈小荻急得不行。莫非隋杰另有打算了吗？夏明皓和鸡窝头的事又要重演了？隋杰的冷漠深深刺痛了她，她内心抓狂却又不知如何是好。

其实隋杰此时对沈小荻非常没有把握，他想让自己冷静一下。虽然知道沈小荻肯定不好过，就像他心里总像被猫爪子挠一样。白天，他让自己忙得像个陀螺，可一到晚上还是睡不着觉。闭上眼睛，是她的笑脸，捂住耳朵，是她的声音。他晚晚都去沈小荻家楼下站一会儿，看着她在厨房里忙碌的剪影，看着每晚十点半她家准时熄灯。每每他都有去按响门铃的冲动，但他还是克制住了。

秋风阵阵，夜色怡人，最适合与相爱的人携手漫步，情意绵绵。可这楼上一个辗转反侧，楼下一个一地烟头。明明思念着对方却不肯说出口，明明相互喜欢着却还要相互折磨。

这晚，正当她家该熄灯的时候，她的名字随着“你这该死的温柔，让我止不住颤抖……”的音乐铃声显示在隋杰的手机屏幕上。

“隋杰，你要分手也请给个明白话，我绝不纠缠你……”

“我就在你楼下。”

一分钟之后，青着眼圈的沈小荻和胡子拉碴的隋杰在楼下小区的凉亭里会面了。一见隋杰这副模样，沈小荻的满腹怒火已经成了柔肠百转。隋杰不是出了什么事吧？

隋杰一上来就认错，“小荻，我对不起你。”

沈小荻脑子直嗡嗡，什么意思？

“我错了，我一直有事瞒着你，我怕你知道之后再也不理我了……”

“你，有别的女人吗？”

“不是的，是小荻你对我太好了，好到我有点耍无赖了。好几次我想告诉你真相都没勇气，我的良心一直很受折磨，这样对你是不公平的。”

“究竟是什么真相啊？你赶紧说，我受得住。”

嘴上说受得住，沈小荻的腿已经软了，她赶紧摸到凉亭的长椅坐下。她不知道隋杰会扔过来怎样一个炸弹，也不知道自己能不能承受打击。隋杰走过来抱着她，把头埋进了她的膝盖里，他不敢看沈小荻，生怕直面那双清澈见底的眼睛自己就没勇气再说下去了。一时间，两个人都感觉到了对方在发抖。

“……小荻，你就没觉得我三十多岁才结婚很奇怪吗？”

“不奇怪啊，深圳男人不都是三十多岁才结婚吗？”

“是的，可是你别忘了我是农村出来的，就算我想晚婚我家里人也不允许。从我毕业到和莫莉结婚前，我的历史不可能一片空白……”

“你不是说老在换工作地点，一直没能稳定下来去谈恋爱吗？”

“我是骗你的，有些事情，我怕说出来你会瞧不起我……”

“你到底有什么秘密，全都说出来好吗？”沈小荻急得嘴唇都哆嗦了。她的心仿佛在往无边的海洋里沉，想不到自认已经这么了解隋杰了，他还有自己的秘密。

“在莫莉之前，其实我还结过一次婚……”

5

每个人都有自己的A面和B面。

隋杰毕业之后就开始了走南闯北的区域市场工作生涯，血气方刚的他也有过一些邂逅，但那些晨风一样美丽的短暂恋情总是随着他变换工作地点无疾而终。直到他二十六岁那年，在家人的一再催促下，他在自己当时工作的地方见了一个相亲对象。

虽说南北脾性有差异，隋杰却第一眼就看上了娇小清秀的婉玲。她家境清贫，幼师毕业，虽说毕业两年一直在待业，但听说她照顾父母料理家务是一把好手。别人看隋杰完全可以找个更好的，隋杰自己却觉得还不错。

相识一周后，隋杰把婉玲带回了千里之外的老家隋家村过年。

那一年大年夜格外寒冷，一家人在热闹过后识趣地给隋杰留出了空间。隋杰和婉玲围着火盆坐着，隋杰不时往火盆里添上一两块炭或是拱一拱火，火光映着婉玲两颊绯红如桃花，长长的睫毛在脸上投下一片柔和的阴影。这如花美丽的姑娘也像花儿一样娇羞，她一直低眉顺眼地不敢抬头看这个已经跟她确定恋爱关系的男人。

"婉玲，我家里你也看过了，我就是从这个小山村出去的，有一大帮农村亲戚，你介意吗？"

"怎么会呢，我家条件也不好，你不也没嫌弃吗？我……我还没工作呢，你介意吗？"

"没工作更好，你可以跟着我到处走走，我们做市场工作的，工作地点常常换来换去，希望你将来能适应得了。"

"那，咱们就男主外女主内，以后我给你洗衣做饭照顾孩子。"

"好啊！"隋杰高兴地捉住了婉玲的小手，凑到她耳边小声说道："不过我们得先制造一个孩子出来……"

婉玲的脸更红了，"很晚了，我要睡了。"

"我给你暖暖被子吧，南方不烧炕，可家里比你们那边还冷。"

用一个暖被子的借口，隋杰和婉玲躺到了一个被窝里。不知是因为寒冷还是紧张，婉玲一直在发抖，隋杰怜惜地握握她的手，"别怕，我不会强迫你做不想做的事情。”

婉玲平静了下来，两个人在黑暗里默默相握着。窗外有邻家小孩不时会放一两个烟花，绚丽的烟花拖着清亮的哨声划破山村的寂静，也打断两人杂乱无章的心跳。一直保持坚硬姿势的隋杰觉得快要控制不住自己了，松开婉玲打算下床离开，那只柔软的小手却悄悄拖住了他。两人静止着没有任何语言，直到她纤细的手指往回钩了一钩。

隋杰绷着的弦猛地断了，他伏身下去，准确地吻住了那张湿润的唇。她软软的身子就像他怀里点着的一团火，她小小的乳房就像是窝在他手心的小雏鸭。没有热烈的爱抚也没有娴熟的技巧，隋杰背着那床厚重的被子冲杀进了一片沼泽，他斗志昂扬雄姿勃发，却陷在那令人窒息的沼泽里动弹不得，一个哆嗦间踩中了水雷，被炸得粉身碎骨，一片空白……

这晚他们做了八次，创造了隋杰生命中的吉尼斯纪录。直到早上天色将明，母亲和大姐在灶房点起了炊烟，隋杰才恋恋不舍地亲了亲婉玲，“我得先回自己房间了，免得他们看到我们睡在一起，怕你不好意思。你也准备起床吧，去帮她们准备下早饭。对了，还痛吗？”

婉玲咬着被角娇弱地嗯了一声，可当她往被子里一看时，立刻尖叫一声，说什么也不肯下床了。隋杰纳闷地掀开被子一看，哇，到处是血迹斑斑！

“原来你是，你是处女?！”隋杰又惊又喜，虽然他没指望能找到一个处女做老婆，但老天给的这个大礼包实在是太可爱了！

婉玲用手捂着脸，又羞又急。

这个初夜废掉了母亲刚缝好的新被褥，偷偷乐坏了隋家上下几十号人。

过完年回到婉玲老家，隋杰顺理成章和她摆了酒，也委托岳父母帮他们办了结婚手续。这之后，婉玲随着他在城市中辗转。如隋杰所愿，她果然是个温柔贤惠的好妻子，回宿舍就有热饭热茶、洁衣暖被，病了有人疼，烦了有人陪，这样的生活对漂泊已久的隋杰简直是天堂了。更何况，婉玲很快为他生下了一个女儿，隋杰非常爱这个长相酷似他的孩子，他给女儿取名叫蓓蓓，女儿让这个家更美满了。

有了家的滋润，隋杰的工作也更加顺风顺水，收入像坐了火箭一样往上涨。隋杰觉得自己不会理财，便把大部分积蓄都交给了婉玲保管，他已经把他整个心都放到老婆和孩子身上了，不是说男人是赚钱的耙子女人是装钱的匣子吗？

这才是男主外女主内的模式啊！因为那时工作常变动，他也没规划过要在外面买房定居，只想着多赚点钱，以后带着婉玲、蓓蓓风光返乡。

一天，他接到了岳母的电话，"隋杰啊，婉玲他爸得了肝炎，这可怎么办！"

"别着急，我给你们寄些钱回去！你们找最好的医院给爸爸治病！"

这一寄就是两万，过了两个月隋杰听说岳父肝炎未愈，他又汇了一万。

过了三个月，岳母的电话又来了，"婉玲她弟弟闯了大祸，骑摩托车把人给撞伤了，现在人家要赔五万块钱，怎么办啊，这天都塌了！"

"别急别急，有我在就没事，我给你们汇钱过去，赶紧把那件事给了了，以后可别让小弟再骑摩托车了！还有，这事我这边处理完就算了，你们就别跟婉玲说了，不要再让她着急。"

仅仅才过了一个月，岳母的电话继续穷追不舍，"你小弟撞的那个人死了！现在人家说还要再多赔十万！"

"这么多啊！"

"就当是我们借你的吧，你一定要想办法啊，不然你小弟就要坐牢了！"

无奈之下隋杰又给了。他也心疼自己的血汗钱，可婉玲家的事他不管还有谁管呢？岳父岳母给了他这么好一个妻子，他辛苦点赚钱补贴家用是应该的。

谁家都有个头痛脑热的事儿，没过多久隋杰大姐找他了，姐弟几个想给爸妈盖新房，希望隋杰也出出力，隋杰满口答应，"没问题，房子早该盖了，我出百分之九十吧，剩下的哥姐们凑一凑，也算都尽心了！"

等隋杰转回头跟婉玲拿存折时，婉玲却支支吾吾拿不出来。

"老婆，你看我出来了这么多年，钱也赚了不少，也该给父母尽尽孝是吗？农村里盖房子花不了多少钱的，下次我们再给你家也盖一栋，我会对得起你的父母兄弟，你放心！"

婉玲脸色煞白煞白地拿出几个存折给隋杰，隋杰打开存折一看，天，余额为零，每个都是！

婉玲终于开口说话了，"钱我都汇给我妈了，我小弟开车撞死了人，赔了很多钱。"

"你！"隋杰气得全身都在发抖，"你妈已经跟我要过钱了！所有的钱我都给她了！为什么还要再跟你要！"

带着愤怒和疑问，隋杰和婉玲连夜赶回了岳母家。在摇摇晃晃的火车上，婉玲抱着熟睡的蓓蓓蜷缩在隋杰身边，像一只做错事的小猫。

阳光初起时，隋杰一家三口已经站在了婉玲娘家的村口。他们一眼就看到，过去婉玲娘家的三间平房已经不见了，取而代之的是一栋三层小楼。一时间隋杰全明白了，什么岳父生病、小弟车祸全是假的，全是用来从他们两口子手里骗钱的借口，他的岳母大人利用他心疼婉玲不想她知道，婉玲怕他生气不想让他知道的弱点，在夫妻俩手里前前后后要走了六十三万。六十三万啊！在九十年代后期的农村已经是个天文数字了。

隋杰压着怒火敲门，开门的是服饰发型焕然一新的岳母。

"妈，你这是什么意思？你们盖房子需要钱只管跟我们说就是，为什么要编那么多借口来要钱？"

"没多少钱啊！我们辛辛苦苦把闺女养这么大，你把她就这么带走了，怎么也得表示一下吧！"

"那，那可是我们全部的积蓄！还让不让我们过日子了！"

"不过就不过，我闺女嫁你本来就委屈了！"

岳母和结婚前已经判若两人了。隋杰愤怒地捏紧了拳头，婉玲在一旁则哭得像个泪人。

隋杰没办法跟岳母要到钱，只好请村委出面协调。然而不管来的是什么人，岳父母就是一口咬定所有的钱都花了，要钱没有，要命有两条。当谈判陷进了僵局，看着岳父母一副死猪不怕开水烫的样子，火头上的隋杰把桌子一拍，"婉玲，我们走！"

婉玲抱着蓓蓓泣不成声。

"跟我走！"隋杰大声重复着，"我跟你父母没法再谈下去了，我不会再跟他们有任何关系！你是跟我走还是留下来？"

"我……我不能……毕竟他们是我爹妈……别逼我……"

隋杰简直不敢相信，一直对他言听计从的婉玲竟然选择不跟他走。年幼的蓓蓓看着这一幕，仿佛明白了点什么，突然哇的一声大哭起来。隋杰心如刀割，想过去抱蓓蓓，蓓蓓也向他伸出了小手，"爸爸，爸爸……"

婉玲转过身护住蓓蓓不放，大声哭喊着："蓓蓓是我的命，你要抢走她，就不如杀了我吧……"

隋杰带着一颗支离破碎的心离开了婉玲。他要冷静下来想一想，想清楚这是怎么回事，明明是那么幸福美满的一个家，怎么会搞成这个样子呢？

回到他们暂住的小窝，没了蓓蓓咿咿哦哦的学语，没了婉玲在厨房叮叮嘭嘭的嘈杂，家里静寂得像一片死海。隋杰想喝口水，看到桌上还摆着蓓蓓喝剩没洗的牛奶瓶，隋杰想睡一会儿，发现枕边还留着婉玲掉落的头发……这熟悉而又陌生的一切，像针扎像刀割又像火炙，让隋杰每一秒钟都在痛苦里煎熬。

心底总是有一个声音在说着：你不能没有婉玲和蓓蓓，算了吧，原谅她父母，就当什么事情也没发生过……这时另一个声音就会马上跳出来：她父母太卑鄙无耻了！用这样的手段骗得你倾家荡产，你怎么咽得下这口气？这辈子还怎么去面对这家人？

日子就在反反复复的矛盾心情中过去了几个月，隋杰始终没有跟婉玲联系，他怕拨通她家电话会是岳父母接，他还没想好自己到底该怎么办。这一天，隋杰刚好到婉玲老家的省城出差。晚上有应酬，自然又是一群男人喝酒唱K叫小姐。隋杰虽然心情很不好，也只得强打精神陪着客户。在大家的起哄下，他被逼着点了一首应景的歌，《花好月圆夜》。

……在这花好月圆夜两心相爱心相悦

在这花好月圆夜有情人儿成双对

我说你呀~~你这世上还有谁

能与你鸳鸯戏水比翼双双飞……

一个心碎的人来唱花好月圆，没有什么比这更悲惨的事了。甜蜜的歌词让隋杰更疯狂地思念婉玲了，他还是那样地爱着婉玲！不管她有怎样的父母，不管她怎么对他！那一瞬间，他决定了，今晚就去接婉玲，过去的恩怨就一了百了吧，他不能没有婉玲和蓓蓓，他也不能让婉玲没有父母……一会儿就走，立刻！马上！

就在这时，妈咪带着一队小姐进房了。妈咪殷勤地介绍着："各位老板，今天我给你们带来了咱们夜总会素质最高的小姐哦！这个是露露，这个是菲菲，这个是莉莉……这位老板的歌唱得好好哦！你也来挑一位美女吧！"

隋杰扫了一眼站成列队的小姐，就这一眼，他的血液凝固住了。在那一堆浓妆艳抹的小姐当中，俨然站着一个他再熟悉不过的女人，虽然她烫了大卷穿了吊带，低眉顺眼地站着，他仍然可以一眼认出来，这就是他明媒正娶的妻子，朝思暮想的爱人——婉玲！

电视里的伴唱还在娇滴滴地唱着：我说你呀 ~~ 你这世上还有谁，能与你鸳鸯戏水比翼双双飞……

6

“为什么要当三陪？为什么要当三陪？”

隋杰在K房里歇斯底里地吼了起来。

“一家人总得生活啊。你知道我文化不高，也从来没有出来工作过，现在又带着个孩子，我找不到工作，没有办法……”

“是你妈要你来夜总会当小姐的吗？”

婉玲不肯回答。

“别忘了你父母手里还有我们六十多万！即使我没有寄钱给你们，你也不至于来干这个！”隋杰愤怒了。

“那钱，那钱妈妈说都盖房子了……”

“农村盖个房子要六十多万，你信吗？”

婉玲开始流泪。

“你父母把你当成摇钱树了，根本就不管你怎么活，你还要这样的父母吗？到今天，我还可以原谅你所做的一切，只要你跟我走，和他们断绝关系！”

婉玲点点头又摇摇头，绝望地说：“他们再不好也是我爹妈，我做不到……”

“婉玲，你到底想我怎么样？”

“我一家人都对不起你，已经走错了，我没有办法……”

愤怒的隋杰要告岳父母！可不管法院怎么调解这桩案子，岳父母就是一口咬定钱没了，他们宁愿坐牢也不肯还钱。就算隋杰胜诉，最好的结果不过是让他收回岳父母这栋房子而已。可隋杰要这千里之外的农村小楼有什么用呢？让隋杰寒心的是，婉玲根本就是任由父母摆布，自始至终也没站在他这边。

隋杰撤诉了。

隋杰和婉玲去办离婚手续的那天，突降大雪。打的去村里接婉玲时，隋杰远远地看到村口站着一个身影，是婉玲抱着蓓蓓在风雪中等待，脸蛋冻得通红的母女俩像一块定格的琥珀。一看到隋杰下车，蓓蓓便兴奋地大叫着："爸爸！爸爸！"

说不出心里此时是什么滋味，隋杰把大衣一解，将母女俩一起裹进了怀里。他感觉到婉玲娘俩小小的身子在瑟瑟发抖。隋杰抱过蓓蓓，不停地亲吻她的小脸蛋。蓓蓓虽然几个月没见到爸爸了，但因为婉玲每天带她认隋杰的照片，孩子仍然跟爸爸很亲。一路上，她不时摸摸隋杰的脸，不停地问着："爸爸为什么不回家，为什么呀？"

"因为爸爸要工作……宝贝乖，以后要听妈妈话，爸爸忙完工作就来看你……"后面的话被无尽的酸楚哽在了隋杰喉咙里。

在等候签字办手续的时间里，蓓蓓乖乖地坐在宽大的工作台上，小嘴一刻也没停地问这问那，"妈妈为什么哭呀？""爸爸，你拿着笔干什么呀？""爸爸，宝贝也可以按手印吗？"……

蓓蓓每问一句，就是在隋杰的心上划刀子。他对岳父母已恨之入骨，对婉玲的心也已经冷了，可是蓓蓓啊蓓蓓，他的心肝肉肉小宝贝，爸爸不能不离开你，可是爸爸怎么能原谅自己……

婉玲一直在抽泣，隋杰的眼圈也一直红着。在沾了红印泥按指纹之前，隋杰最后一次问婉玲："你真的不愿意跟我走吗？"

婉玲崩溃地号啕大哭起来，可她只是哭着，那句"愿意"始终说不出口来。

隋杰死心了，面无表情地将大拇指按了下去。

办证员拦住了隋杰的手，"我从来没有见过这样离婚的夫妇，你们——是不是再想想？"

没有什么可想的了，虽然隋杰一直争取要蓓蓓的抚养权，可他自己东飘西荡居无定所，就算要了蓓蓓也只能托付给父母照看，何况婉玲说带走蓓蓓就等于要了她的命。于是蓓蓓归婉玲监护，岳父母拿走的63万全部转成蓓蓓的抚养费，这63万买断了隋杰对婉玲母女的责任，从此他们永隔天涯了。

拿到证后，隋杰把蓓蓓放回婉玲怀里，狠下心快步先离开民政局大厅。

"老公——"

"爸爸——"

隋杰回过头，婉玲已经抱着蓓蓓哭倒在地上了。这画面逼得他的眼泪排山倒海地涌了出来，可他并没有像他心里想的那样停下脚步奔回她们身边。

外面正漫天大雪，隋杰深一脚浅一脚在雪地里乱走着，直到被一块石头绊倒了，他毫无知觉地扑倒下去，把脸埋在了冰冷的雪里，一动不动，很久很久……

离开婉玲之后的第一年，是隋杰人生中最颓废、最混沌的日子。对婉玲的失望渐渐淡去了曾经痛彻心扉的爱，可对蓓蓓的牵挂却越来越深地牵动着他的心了。每次看到和蓓蓓差不多大的小孩时，他就会目光留恋不能自拔。这时候他会问自己，是不是他太小气，为什么要介意那区区六十几万？为什么要介意没人依靠的婉玲去做小姐？为什么能舍下自己年幼的女儿？……

男人要重新开始总是比女人容易的，工作越来越忙碌，隋杰渐渐没有时间去折磨自己了，他又有了不错的事业积累。身边总是有各式各样的女人想走进他的生活，但除非必要，他不会提起自己的往事，他内心总觉得那段不堪的婚姻太让他没面子了。

遇到莫莉的时候，隋杰已表面复原了。他迫切想要开始新生活，他想拥有那种堂前有妻膝下有儿的家庭，而莫莉最打动他的，是“知根知底”这四个字，他觉得既是同乡又是同学的莫莉是最可靠的，起码可以免遭婉玲父母那种不知底细的外地人哄骗了。

直到隋杰和莫莉去登记的时候才知道，当年他是在婉玲老家登记结婚的，后来并没有回自己户籍所有地报明已婚和离婚的状况，因此户籍证明上仍然是“未婚”。

隋杰满怀欣喜地以为自己开始了新生活，然而命运是如此邪性，婚姻没有这样的问题总会有那样的问题。

多年之后，回忆起这段火海雪崩的尘封往事，隋杰仍然无法平静。他一根又一根地接着抽烟，讲述中烟头烧到了手也浑然不知，直到沈小荻不得不抢下他的烟盒。

“为什么到现在才告诉我真相？”

“对不起，我怕你知道这事会瞧不起我……再说我对婉玲母子的抚养费已经结清了，我觉得对咱们没有影响……”

“鬼扯！那是一段婚姻啊！那是你的亲生女儿啊！能用钱结得清吗？我可以不介意你的过去，可是如果你的过去会影响到我们的将来，就一定得尊重我的……知情权！”沈小荻很生气，可看到隋杰的模样比她还难受又有些心软了，“……离开婉玲之后你们还有联系吗？”

“很少，主要是我找她不方便，这些年我也去看过几次蓓蓓，后来婉玲有了手机，联系就多了一点，主要是问问孩子的情况。”

“婉玲过得怎么样？她再嫁了吗？”

“很不好。我们的事在当地也算很出名了，她有这样的父母，谁还敢再娶她呢？她父母拿到的钱给她们母子用的很少，婉玲不得不去……打些散工，但蓓蓓需要人照顾，她也一直没好好上班。”

“那……你还有帮助她吗？”

“唉……在法律上我可以不用再给钱了，可蓓蓓毕竟是我亲生女儿，我怎么能眼睁睁看着她受苦呢？”

“所以你还是常常给她们寄钱是吗？所以后来莫莉为这个事情经常生你的气是吗？”

“……是的，莫莉和我结婚前满口答应说不干涉我照顾婉玲母子，甚至说以后要把蓓蓓接过来一起住……我太天真了，她都是哄我的！”

“那我问你，你给婉玲寄钱时心里有没有一点点不舒服呢？”

“有，每次听到她们的消息我都很难过，我就更恨她的父母了，所有的一切都是他们造成的。可我没办法，我不管蓓蓓谁还来管她呢？”

“你知道吗？是你把婉玲给害了……”

“怎么会？我只想帮她……”

“你和婉玲搞成现在这样，最重要的原因是一开始你就不会保护自己，给了婉玲父母骗你钱的机会。现在分手了，你知道她父母为什么要对她这么苛刻吗？因为知道你还会管她，还会给她寄钱。所以你寄得越多，她父母就会越不管她，只有让她处境更可怜，才能从你这里要到更多的钱……还有婉玲为什么不嫁，因为你一直念念不忘她，她对你也就一直还有指望，没办法死心去跟别人开始新生活。”

隋杰第一次听到这样的言论，不由得非常吃惊，但他不得不承认沈小荻分析得很有道理。

“还有莫莉，你也不能一味怪她，你自己都对婉玲父母一肚子怨恨，你自己都知道你在法律上对蓓蓓已经尽到责任了，你都想不通该不该帮婉玲，让莫莉怎么心甘情愿呢？”

隋杰的心事被说中了，他沉默了。

“现在我明白你为什么一定要跟莫莉抢果果了，是因为蓓蓓的事让你阴影很深，你不能再失去一个孩子是吗？”

“是的！不管付出什么样的代价，我也不会让果果离开我！……小荻，你现在知道了这些问题，还会要我吗？”

“我觉得这些问题都离不开一个‘钱’字，只要是钱能解决的问题，似乎也并不是什么大问题吧！”

隋杰感激地握紧了沈小荻的手。

别看沈小荻跟隋杰分析往事时一副心理专家的模样，其实心里一直在翻江倒海。她为隋杰跟她交往这么久才告诉他结过两次婚的事耿耿于怀，让她酸溜溜的是隋杰显然对婉玲感情颇深，虽然分了手，自始至终他对婉玲的评价都是不错的，并不像对莫莉那样全盘否定。

隋杰啊隋杰，你一个大男人怎么能把日子过成这个样子呢？你结了两次婚有两个孩子，却没有一个能踏实安稳地跟你一起生活。你事业有成赚了不少钱，却攒不下一点属于自己的家底。说你自私吧，你一生都在为孩子前妻父母兄弟付出；说你有责任心吧，你视家庭为生命却轻易地离了两次婚。到底是你有问题还是你碰到的女人有问题呢？……

她真的要把自己绕进隋杰的问题里去吗？难道嫌命长吗？可是，可是如果连她也离开了隋杰，他还有勇气再寻找幸福吗？谁来安抚他伤痕累累的心？谁来照顾他的父母孩子？……想到了隋杰将要面对的痛苦，沈小荻的心好痛。她已经放不下隋杰了。

来来回回想这样的问题让沈小荻头都大了，便拿起手机拨通了夏明皓的电话，海海该跟爸爸聚一聚了。一个电话，夏明皓高高兴兴地来接海海了，说要带他去动物园。他还是很照顾沈小荻的面子，从撞破秘密之后一直没有让那个女人再出现在她的视野。

海海一上车就玩起了手机游戏，沈小荻突然叫住了和她告别的夏明皓。

“我有句话想告诉你，其实我已经不恨你了。”

“你应该恨我的，为什么呢？”

“我突然明白了，在夫妻的问题里，外遇出轨是罪行最轻、问题最小的。其实我们当年也没什么不能解决的仇恨，如果用我现在的心态去处理当年的事，也许我们就不会离婚了。”

“你这么说，我倒真觉得自己是个罪人了。”

“我不是在说反话，除了爱，你尽可能地给了我一切，你教会了我成长，虽然我们婚姻失败了，但我真的应该感激你陪我走了一段路。”

“我……”沈小荻突然的表白让夏明皓有些不知所措，“也许我们当年都太忽略对方的感受了，因为太熟悉，我们自以为很了解，其实我们认识的对方都只是一个家庭角色而已。如果大家都能像现在一样，我可能也不会出轨了。”

“呵……过去的已经过去，没办法再重来了，对你对我都是一样了。”

“听说……你身边有人了？好像那个人环境不太好？”

“评价一个男人的好坏是用财富来衡量的吗？我觉得他很好！”

“不管怎么样，我还是希望你想清楚，为了海海也为了你自己，就算你要找个对象，也要找个能让你过上舒服日子的……”

“记得海海小时候我给他讲的小马过河的故事吗？小马驮着面粉要过河，小松鼠说：‘千万不要过啊，河水会把你淹死的！’大象说：‘没事，河水才到脚脖子呢！’小马不知道怎么办，只好去问妈妈，妈妈说：‘孩子，不管别人怎么说，你都应该自己去试一试。’小马去过河，原来河水只到他的膝盖，他高兴地过了河。”

“可是，我是为你好啊！你现在有点病急乱投医了。”

“行行行，算我想男人想疯了吧！你管好自己吧，不要理我……”

离婚后他们还是第一次谈及这种话题，尽管沈小荻嘴上说已经原谅他了，但沟通还是无法继续下去。

看着夏明皓的车绝尘而去，沈小荻感慨万千。

爱不能抗拒，爱也无法强留。婚姻就像两个同行的驴友，如果一个脚力不行了，一个还精力旺盛，那把行囊分分各走各路吧，往前走的自会有他跟他脚力相同的新旅伴，走不动的也会有人替她背行李扎帐篷，勉强还做搭档只会让两个人都不痛快。

走或留，爱或不爱，只是人生的一个选择，难得的是这个人不会见你陷在困难中撒手不管。人跟人之间，若能有如此结局，那所有的过错都是可以被原谅的。

沈小荻能原谅了夏明皓，也便接受了隋杰和婉玲的过去。

7

自从隋杰把往事跟沈小荻透了个底朝天，他们的感情开始了新纪元。从最初只想找个对象到真正被对方感化再到像家人一样贴心，两人终于再无芥蒂了。

第一次去隋杰的出租屋见到他的父母孩子时，沈小荻挺难过的。她知道隋杰目前有困难，但没想到那个家如此简陋和冷清。他的父亲满头银发红光满面，说话不多，挺像个威武的红军老战士。他的母亲是个开朗的老太太，不过她跟他的父亲之间有点男尊女卑，他的父亲啥活都不干，他的母亲忙前忙后，简直有点服侍皇上的感觉。如果沈小荻不是早已了解隋家的家史，理解了他的父母之间的感情，一般人一定觉得不正常。

他的母亲对沈小荻非常热情，拿来许多零食，一刻也不容沈小荻的嘴歇着。沈小荻便和他的母亲一个普通话一个浓重乡音地拉起了家常。在和他的父母聊天的时候，隋杰一直在厨房忙碌，他的儿子果果在地上玩汽车。果果大头大眼睛，长得十分清秀，但是实在很瘦弱，腿几乎和手臂一样细，一件显然为了明年还能穿的T恤空荡荡地挂在他小小的身架上。对于沈小荻的来访，孩子没有一点敌意和好奇，让他叫人就叫人，让他别闹就不闹，十分乖巧和礼貌。沈小荻倒是觉得孩子的眼神有些忧伤，不知道这小小娃是否明白沈小荻的身份和来意呢？

临走时，他的母亲硬塞给沈小荻一个三千块的红包。沈小荻知道，老人的钱一定攒着很辛苦，可礼节上他们一点也不输给城里人。

这次见面几乎奠定了沈小荻要嫁给隋杰的决心。对于正处在人生最低潮的隋杰，对于失去家的老人和失去母爱的孩子，沈小荻心里充满了爱怜。她想，受过伤的人才懂得惜福，老人孩子就是隋杰的死穴，只要抓到了老人孩子的心，就能牢牢地抓住隋杰。而在这一点上，沈小荻还是满怀信心的。想到这个残缺的家将由她来填满，她觉得自己很重要，真有点英勇就义的悲壮和自我牺牲的崇高感。

不过，蜜罐中的沈小荻也有烦恼，那就是她那属爆竹的老妈。本来沈小荻离婚就够让老妈闹心了，知道女儿跟隋杰在交往后，老妈爆炸了好几回，好好的金龟婿不要了，找上一个拖儿带母、有过两次婚史的穷光蛋，这不是脑子进水是什么？“想带男朋友回家？不见！还要跟他交往？除非你不回这个家！”

沈小荻不敢跟老妈硬顶，也不敢把这事告诉隋杰，她怕自尊心很强的隋杰知道这事就会主动离开，只有自己一个人发愁。

让他们临门一脚的，是老妈的一场病。

11 月 11 号，光棍节，准新人约会。就在隋杰刚接到沈小荻时，她的老爸慌慌张张地打电话来了，“你妈突然心脏不舒服，你赶紧回来看看！”

还好他们还在小区门口。老妈脸色微紫，已经开始有点呕吐，看起来情况不妙。120 迟迟不来，沈小荻六神无主，隋杰马上做了决定，“我给你妈做心肺复苏急救吧！”

隋杰是第一次到沈小荻家，没想到却是为未来的岳母做急救。急救完了，老妈脸色缓过来了点，可 120 还没来，隋杰着急地说：“刚才我看到楼下堵车很厉害，只怕 120 进不来，我们把老人家背下去吧！”

沈小荻家住在五楼，把 160 斤重的老妈背下去，可让隋杰吃了大苦头。120 的车果然堵在了街口，等到把老妈送上车，隋杰几乎快虚脱了。

直到老妈被推出急救室，医生宣告她脱离生命危险，沈小荻才松了口气。回头看看疲惫地靠在椅背上的隋杰，他的手臂不知在哪儿被挂了一道，血迹弯弯曲曲地流了半条手臂。沈小荻吓得拿出纸巾给隋杰擦血，又着急地拉着他去外科上药。

隋杰顺从地被沈小荻拽着走，突然冒出一句：“我们结婚吧，好吗？”

“好。”沈小荻没有矜持，脱口而出。

隋杰兴奋地蹦了起来，“兄弟们，我女朋友答应嫁给我了！我女朋友答应嫁给我了！”

外科当时有几个医生护士，见此情景他们都笑了，有个医生打趣着：“你小子真便宜，光棍节上医院捡了个老婆回去！准备钻戒了吗？没有戒指求婚不作数的哦！”

在医院里哪有什么钻戒。不过隋杰拿着刚才沈小荻为他擦血渍的纸巾，三折两折叠成了一个指环形状，“小荻，你愿意嫁我吗？这个指环上有我的血，算是歃血为盟好吗？”

沈小荻哽咽着说：“我愿意。”

这个惊魂光棍节，也是隋杰和沈小荻相识的第一百天，隋杰和沈小荻用一个纸戒指订下了婚约，结束了彼此的光棍生涯。

因为抢救及时，老妈在一周后出院了。闯过这道鬼门关，老妈终于松了口——“女大不由娘，你自己拿主意吧！”她常常后怕地想起那晚的情景，隋杰就算有诸多的不好，却是可以随叫随到老有所靠的。女儿喜欢他，这就是命吧！

通过老妈这关的第一晚，沈小荻兴奋地约了夏明皓。

“有件事我得通报一下，我要结婚了！”

夏明皓很吃惊，“为什么要这么快结婚？你想清楚了吗？”

“是的，想得很清楚，比当年嫁给你要清楚一百倍！你们觉得隋杰不好只是因为他穷，家庭复杂，可过去的都已经过去了，又不是他这个人有问题，更不是我和他之间感情出了故障，对吗？”

“你为什么要嫁给这样一个问题多多的男人呢，他非但不能给你带来物质上的改善，你还要和他一起负担他的家庭，值得吗？”

“如果只是因为这些事而离开他，我一定会后悔的……何况，只要我想再嫁，就算换一个男人也会碰到组合家庭的烦恼啊！”

“是啊，生活真是没有什么奇迹，你只有跟我在一起才是烦恼最少的……”

“拉倒吧！那我得整天为你和那个鸡窝头闹心！”心情颇好的沈小荻言出无心地大笑了起来。

夏明皓的脸色挺难看，“你是不是还在记恨我？为什么你对这样的男人都这么宽容，却还不肯原谅我当年犯的错？”

“我说过已经不恨你了……是的，隋杰的优点和缺点一样很多，要是换了其他男人我早下了一百次分手的决心了，可我就是没办法放下他，怎么样都愿意去包容他，大概这就是爱情吧！”

“……我应该恭喜你……尽管我心里挺不是滋味的……有个提议，还是我来抚养海海吧，我是为你好，两个没血缘关系的孩子在一起很难带的，特别还是两个男孩儿。你把海海给我，你的麻烦事会少很多。”

“不好！海海喜欢跟着我，我也离不开他。”其实沈小荻心里在嘀咕，把海海交给鸡窝头带？让海海叫鸡窝头做妈？她一千个一万个不愿意。

“以后我还能见到海海……和你吗？”夏明皓的语气有些伤感。

“你放心，没有任何人干涉你见孩子，我保证绝不会让海海改姓，也不会勉强海海叫隋杰做爸爸！”

夏明皓沉默了，大家就这样和平地达成了共识。

结婚的事开始一一落实。首先得让两个孩子见面。为了让孩子们将来和睦相处，沈小荻在安排他们见面前给海海打了无数预防针，以便能隆重地推出果果来。

“儿子，你不是一直想要个弟弟吗？妈妈现在给你找个弟弟好吗？”

“好啊！那我就可以教他怎么玩汽车了！”

“是的，他会很听你的话，可你要是当哥哥了，就得什么都让着弟弟，你能做得到吗？”

“让就让呗，谁让他小。”

沈小荻代表海海给果果买了架吊车模型，隋杰也代表果果给海海买了块赛车拼板。在约好的甜品店一见面，两个孩子都被大人们手里的玩具吸引了，海海接过隋杰的礼物，高兴地说了声：“谢谢叔叔！”果果拿着他一直想要的吊车模型，却没有马上自己玩起来，他的眼睛还一直看着海海，他喜欢这个大大咧咧的哥哥。沈小荻对海海使了个眼色，海海马上主动去拉着果果问：“你会不会玩拼板啊？”

“什么是拼板？”

“让哥哥来教你吧！”

两个孩子很快熟了起来，半小时工夫海海便将拼板变成了赛车，果果可崇拜海海了。海海得意地笑着，向沈小荻挤了挤眼，这是在告诉她：看我把弟弟带得多好！

一旁看着的隋杰和沈小荻也是喜笑颜开，真没想到这对小兄弟这么有缘分！多好啊，别的组合家庭的难题，一到他们这里就顺风顺水。看来他们真是有做一家人的缘分啊！

原计划一会儿要带他们逛街玩的，可隋杰的电话来了，公司有事得马上过去，来回得两小时。看孩子们玩得很开心，隋杰把果果托付给了沈小荻。

照看这要好的小兄弟俩还是很容易的。海海主动跟果果聊起了天，“你去游过泳吗？妈妈说我是从生下来开始学游泳的，到现在我还常常去游。”

“生下来是小 BB 也能游啊！”

“那当然了，妈妈只要给我脖子里套上救生圈就行了！我就在水里游过来游过去，我还跟其他小朋友打水仗呢！”

“哥哥你好棒啊！我也想去游泳！”

“好吧，那哥哥现在就带你去游泳打水仗。妈妈，这附近就有一个游泳池对不对？你带我们去游泳吧！”

“好吧，那就带你们到儿童泳池游一会儿！”

“妈妈万岁！”“阿姨万岁！”

满甜品店的人都看着这个喜气洋洋的妈妈和两个兴高采烈的孩子。

天气已经凉了，不过室内的恒温泳池还是蛮舒服的，假日来玩的小孩真不少。沈小荻给两个孩子都买了全套的泳衣、泳帽和泳镜，自己也下了水，专门照顾从没下过水的果果。虽然海海水性不错，但沈小荻怕她不能分心照顾海海，也限定他只能在儿童区玩水。

果果戴着游泳圈，在沈小荻的搀扶下下了水。最开始他怕极了，水一淹到膝盖就尖叫着要上来。海海大声鼓励，“是男子汉就要学游泳哦！果果要像哥哥这样勇敢，不要当胆小鬼！”

果果紧紧抓住海海的手，口中念念有词：“果果不当胆小鬼，果果不当胆小鬼。”过了一会儿，他终于适应了水中的感觉，高兴地把脚丫子在游泳圈下划来划去，海海拂起水来跟果果闹着玩，果果也会小小地反击一下了。两个孩子兴奋地尖叫着，打闹着，开心极了。

瘦弱的果果让壮实的海海一比，真有些可怜。听说隋杰的父母把这孩子一直关在家里带，平时果果一说哪里不舒服就马上上医院，打个小喷嚏也不让他上幼儿园，简直在把他当小婴儿养，他一定从来没锻炼过身体也没出来这样疯玩过。以后一定让果果像个真正的男孩儿那样成长。沈小荻在心里暗暗下了决心。

开心的时间非常短暂，尽管沈小荻只让初次下水的果果在水里待了十五分钟，可没多久果果就说他很困。他头重脚轻、全身乏力地在沈小荻怀里睡着了，到隋杰赶来的时候，果果已经开始发烧了。沈小荻慌乱地解释着：“对不起，我只是带他游了一会儿泳……”

“你怎么能带他去游泳?! ”隋杰嗓门很大。

沈小荻牵着海海，两个做错事的人都不敢出声。

果果只是低烧，但隋杰谨慎地让他打了点滴。中途果果醒了，虚弱地笑着，

“爸爸，果果今天游泳了，果果像哥哥一样勇敢是吗？”

“是的，你们都很勇敢。”隋杰察看着果果那只绑着药盒的打点滴的手，刚才护士扎了三针才扎进血管，手都青了，隋杰心疼坏了。

沈小荻赶紧又道歉，“都是我不好，是我没照顾好果果。”

“不，怪我没跟你说清楚……你一定很奇怪为什么我们这种农村出来的家庭把孩子带得这么娇气吧？其实我们家的孩子都是从小泥里来水里去的，没有一个像果果身子这么弱。要怪……就怪他妈妈怀他的时候太自私，什么都不肯吃……”

提到莫莉，隋杰还是一肚子怨气。

“果果生下来就住了两个月院，没有吃上一天母乳，医生说他先天免疫力低下，一定要比其他孩子多十倍的小心照顾。所以家里从来不让他像正常男孩儿那样想怎么玩就怎么玩……”

沈小荻这才明白为什么隋杰父母要像照顾婴儿一样看着果果。

打完点滴的果果烧退了，可不到天明他又烧了起来，隋杰赶紧又把他送到了急诊，这样反反复复了三天，果果的病情才稳定下来。

沈小荻的心一直跟着果果的病情上上下下。她总算明白孩子的身体情况不一样，不可以拿带海海的经验来带果果了，以后得吸取教训，看来如何当好继母还真是个技术活。

小小插曲并没有影响沈小荻再嫁的决心，那时她还不知道，幸福的再嫁路途布下了多少荆棘。

Second Marriage

2婚

第三章

布满荆棘的二婚路

当日子从风花雪月落实到柴米油盐，沈小荻才真正明白，再嫁不是她想象中那么激情和美丽。两个没有血缘关系的家，两拨生活习惯、成长背景、脾气性格都不一样的人，靠着她和隋杰的感情来维系，而且要你揉我捏组合成一个和睦的新家，真的很不容易……

1

婚姻的幸福只需要两个条件：做个好人和找个好人。

婚房设在哪儿？孩子谁带？父母跟谁住？第一次婚姻时沈小荻太年轻，糊里糊涂就嫁了，这次这些现实问题不得不自己考虑了。老妈心疼女儿，也心疼外孙海海，想替沈小荻看孩子。但隋杰第一个反对，他说如果要求沈小荻抛下自己的孩子来照看他的孩子，这太不公平。穷一点苦一点不要紧，一家人要在一起。他也不肯要沈小荻凑钱买房，说买房养家是男人的事，等明年这个时候他就能攒够新房的首期了，困难只是暂时的。于是，沈小荻带着海海搬了过来，和他们组成了新家。

除了感动，还是感动。两个人都争着抢着为对方牺牲，为对方考虑。家，就在感动自己感动对方中，垒泥成窝。

再嫁前，沈小荻怀着复杂的心情把自己的家收拾了一遍。许多记载了她和夏明皓生活碎片的东西，让她心酸和伤感，特别是看到离婚后收到角落里的结婚照。当年环境好了之后，夏明皓和她补拍了一套婚纱照，那豪华气派的巨幅油画照、幻灯片、水晶框在年轻的沈小荻布置下挂了满屋。不过天仙看久了也会审美疲劳，何况他们是凡人，很快那以为很美的造型和妆容成了时尚笑柄，巨幅结婚照变成积灰尘的器具，既碍眼又不好扔掉的鸡肋。尤其是当沧海桑田物是人非后，那些历史的裹脚布就更看着刺眼了。沈小荻咬咬牙，能烧的烧，能扔的扔，实在无法毁尸灭迹的就收到杂房去永远封存。

高调的甜蜜都是有猫腻的，所有的猫腻都将成为未来恶心的佐证。

这一次沈小荻把她和隋杰的结婚照只做了两本小相册，是他们一家四口穿便装出外景拍的一套照片，一本放娘家，一本放婆家，想看容易，想收起来也简单。比起那些千篇一律搔首弄姿的结婚照来，人人看了都耳目一新。

结婚的筵席在12月12日12点12分宣布开席。

伴郎老黑问："你们俩是不是要闹西安事变啊？"

隋杰笑道："12象征生肖年轮，我要求不高，只要有生之年能和小荻在一起过4个12年就够了。"

伴娘宣萱啧啧惊叹："4个12年那就是48年啊，你俩现在三十多，那岂不是要活到九十去？还说要求不高！"

没有迎亲的车队，没有美丽的婚纱，没有豪华的婚房，再嫁，沈小荻只想要隋杰的一颗真心。沈小荻向上天祈祷她能和隋杰白头到老，虽然他们不是对方的最初，却希望是彼此的最终。

结婚筵席其实只有两桌，都是两边亲戚和最要好的朋友。亲家到结婚这天才是正式见面，都说喝结婚酒不能讲不吉利的话，直肠子的老妈还是跟沈小荻嘟囔了几句："小荻，他的家庭这么复杂，你今后日子可不好过啊！"

隋杰特别高兴，他一杯又一杯跟老黑喝酒，说着醉酒后含糊的感谢话。这个今后要担起两个家庭重担的男人哭了，他整晚都把头埋在沈小荻怀里，不停地念叨着："老婆，我谢谢你……老婆，我谢谢你……"

当日子从风花雪月落实到柴米油盐，沈小荻才真正明白再嫁不是她想象中那么激情和美丽。两个没有血缘关系的家，两拨生活习惯、成长背景、脾气性格都不一样的人，靠着她和隋杰的感情来维系，而且要你揉我捏组合成一个和睦的新家，真的很不容易。

隋杰的父母亲最大的特点是能把家里任何东西都数字化。小到一根葱，大到一个电器，母亲样样都要问清楚价钱，这之后就会用那东西的价钱来给它下定义，同时还要用老家的物价来做一个对比。"这红薯藤在我们隋家村是喂猪的，在县城里最多也就卖个几毛钱一斤，这里居然要卖三块钱一斤！"这样的惊叹每天都可以在家里听到。

这天沈小荻心血来潮买了只大龙虾回来，她打算让父母孩子开开荤，改善一下生活，因为父母不肯跟他们去外面吃饭，想来也没有机会尝这鲜。看着那张牙舞爪的青花龙虾，两个孩子兴奋地跟在沈小荻后面又蹦又跳。

“荻姨，大龙虾会不会咬果果的手？”

“真笨！龙虾做熟了怎么会咬手呢？告诉你，我妈妈做的龙虾比饭店里的还好吃！”

母亲也挤到狭小的厨房里看热闹，第一句问的还是：“这东西多少钱啊？”

“妈，今天海鲜档的老板给我打了特价，198一斤！”

“我的乖乖，这可是两头猪的价钱啊！”

父母并没有当面埋怨沈小荻的奢侈，但吃饭的时候，他俩几乎不对龙虾伸筷子，只围着桌上唯一的青菜夹。隋杰应酬多早吃腻了这些东西，他到厨房找出了母亲做的豆腐乳，结果他们就用豆腐乳和青菜下饭。

“爸，妈，你们吃虾呀！”

“给孩子们吃，给孩子们吃，我们吃不惯这个。”

两个孩子吃得很欢，沈小荻完全没了食欲，她眼前总是浮现出两头猪在活蹦乱跳等人喂食的情形，哪里还有什么胃口。

这顿饭下来，一家六口只有两个小孩在吃龙虾，好好的菜剩了一大半，到晚餐两个孩子都不吃了的时候，父母才把剩菜全部扫光，原来并不是龙虾不对胃口，只是心疼这两头猪钱啊！

本来想讨父母欢心却做得这么不漂亮，沈小荻决定再好好补救一下，“妈，你的牙不是都掉光了吗，我有个同学做牙医的，我让他给你做一口种植牙吧！”

“不要不要，好好的花那个钱做什么。”

“妈，你就跟小荻去吧！她同学能给打折呢！比别人便宜很多！装上种植牙你就能跟大家一起吃硬饭了，也不用再单独给你熬粥！”

还是隋杰说话有效，母亲乖乖地跟了沈小荻去看牙。当医生给她取了牙模，准备给她打麻药种钉时，母亲问了一句：“做这个牙多少钱啊？”

“两千。”

“啊？这么贵！一口牙要两千块！”

“老人家，两千块是一颗牙的价钱，您媳妇给您选的是最好的全瓷牙呢！”

“天哪，两千块一颗！全口32颗牙就是64000块钱！够农民刨十年地了！”

不怎么识字的母亲算起账来比谁都快，她围着挡水布从病台上跳了起来，大喊着，“我不做了！我不做了！”

回去后，平时很少有怨言的母亲心疼地唠叨了好几天。其实沈小荻是准备动用自己的私房钱给母亲装种植牙的，可好心又办了坏事，她太沮丧了。怎么办？沈小荻跟母亲商量了很久，带着她去挑了一个几百块的可装卸的假牙，又给母亲添了个专门熬粥的自动电锅，母亲这才喜笑颜开地接受了。

由俭入奢易，由奢入俭难。隋杰和夏明皓的环境有差距，沈小荻一时要适应过来可不容易。花钱是有瘾的，她一看到商场超市脚步就情不自禁地往里拐，其实买了东西出来没有一样是给自己的。因为莫莉很小气，沈小荻憋着气要跟她比个高下。每次她拎着精心挑选的礼物回家，两个孩子都高兴得不行，两个老人却总是琢磨标价。可直到一天大扫除，她发现自己给父母买的东西全都纹丝不动地码在柜子里，这才发现她的慷慨对父母成了一种负担。天晓得老人家私下为这些他们根本不会用的东西心疼了多少回，难为他们还次次赔着笑脸给她。沈小荻满头大汗起来……

孝顺孝顺，主要是顺。

沈小荻终于进入了媳妇的角色，再也不会鲁莽地做些让老人们心里不舒服的事了。父母常常私下跟隋杰感叹：沈小荻比莫莉真是好太多了，找媳妇就是要找个像沈小荻这样性情好的人啊！

当然，这种和睦的婆媳关系再亲密也不可能变成母女关系，起码，沈小荻知道自己不可能像跟老妈那样随便。在自己家，她可以吃完饭把碗筷一甩，嗑了瓜子乱扔，把二郎腿架在茶几上，老妈会一边埋怨一边心甘情愿地跟在她后头收拾，但在这个新家就不能那么随便了。

隋杰很快留意到了，问沈小荻：“你是不是还没有把这个家当自己家？其实你放松一点爸妈根本不会管你，他们对谁都是很宽容的。”

沈小荻笑笑，她还是照自己的方式生活。成人世界的幸福总是伴随着妥协。人活着，就是一个改变自己适应别人的过程。她觉得现在这样很幸福，某种意义上，她是为了隋杰才改变自己的。愿意为一个男人做自己能做的事，做了感觉很快乐，这就是幸福。能给你幸福感的人，那就是真正的爱人。

幸福的再嫁生活很快被乌云笼罩，莫莉找到了沈小荻，给她丢下了一颗重磅炸弹——要上诉抢回果果。

第一次与莫莉交锋，沈小荻显然落了下风，不是输给了莫莉的美貌和气势，而是输在了莫莉手里牵着隋杰的命根线——果果。只要莫莉牵动手里的线，他们这个新家就人仰马翻屁滚尿流。

就在莫莉来找沈小荻的第二天，法院的传票也到了，隋杰赶紧把老黑请到了家里。

“兄弟，这次你不帮我不行了！”

“唉，要不再请几个老同学出面帮你们调解下吧，你和莫莉都是我同学，这个案子的律师我不好做啊！”

“我和她没得调解！果果说好给我的，她现在说什么理由我都不会给她！老黑，咱们这几十年交情还比不上你跟莫莉的同学情分吗？”

“我……唉！我夹在你们中间两头不是人啊！”

沈小荻忍不住插嘴：“果果是孩子的妈妈，果果跟着她也没有什么不好吧？起码她不会害自己的孩子啊！”

“如果她是真的重视果果一心为了果果好，我可以把孩子给她，可惜她不是，她眼里只有她自己，果果不过是她拿来折磨我的一个工具。我真怕孩子跟着这样的妈妈会性格扭曲。”

“难道你们这么闹孩子心里就不别扭吗？果果都半年没见妈妈了……”

“她做初一我就做十五，谁让她当初不肯让我见果果！”

“哪有当妈的不爱自己的孩子，我想最起码莫莉是爱果果的吧，只是她发现果果成了对付你的武器，她对果果的爱就显得自私了。”

“你根本不了解莫莉是个什么样的人！如果把你换到我的位置，你一样会跟莫莉闹到底的！”

“如果是我，可能我不会表现得这么在乎孩子，这样莫莉就拿不到把柄来闹，而莫莉这个人未必是有耐心带果果的，说不定要不了几天就会把果果送回来……”

老黑赞许地看着沈小荻，“我也觉得小荻说得有道理……”

“你们都不要再说了！再说我就误会你们另有目的了！……总之我不会拿果果的前途冒这个险，事情已经到这个地步了，官司不打不行了！”隋杰心烦地阻止了两人的劝说。

趁着隋杰上洗手间的空当，沈小荻赶紧给老黑做工作，“黑哥，刚才隋杰说话不好听，真对不住……他是为果果着急，这件事是他的心病，你就接下这个案子帮帮他吧！”

“小荻，你真是好脾气，刚才隋杰那话也刺着你呢！”

“呵呵……没事的，他平时都挺好的，就是一提这件事就捅了马蜂窝，你别生气啊！”

“放心，我和他几十年的交情了，不会为这种小事计较。倒是难为你了，要解决这一脑门家务事。换了别的女人，既然他前妻要抢儿子，你由得她去抢好了，正好落得不当这个后妈。”

“说什么呢，你们老家不是说嫁鸡随鸡嫁狗随狗，嫁个猴子满山走吗？”

“唉，看在他找了这么好一个老婆的分儿上，我尽力而为吧！”

“太好了，谢谢黑哥！”

2

离开庭的日子越来越近了。

自从上次莫莉找过沈小荻之后，一直没有再出现，隋家每个大人的弦都绷了起来，为年后的开庭作战。令隋杰高兴的是，他得到了沈小荻的谅解和支持。

所有人都以为莫莉的注意力在庭审上，隋杰以为是他对莫莉的警告起了作用，因为他很认真地让老黑转告了莫莉，开庭前不要再来闹事，否则他就带孩子搬得远远的，让她永远也找不着。果果不在家就会在幼儿园，家里有父母看着，幼儿园有老师，再说园里有规定，只有凭牌才能接小孩。接果果的牌子只有一张，母亲看得比现金还紧。

结果问题就出在了大家都放心的幼儿园里，莫莉找了一个漏洞。

这天果果正在教室里吃中餐，保育员在一堆孩子当中忙得团团转，一会儿这个把汤洒了一身，一会儿那个把饭吃到鼻子里去了。果果平日是最不让人操心的，可现在他吃着吃着停了下来，怔怔地看着窗外。他看到妈妈站在栏杆那边，拿了一个大红的赛车模型向他招手，妈妈用手指嘘着嘴，示意他要小声说话。“妈妈。”果果轻轻地叫着，起身走了过去。保育员瞟了他一眼，以为果果要去尿尿，也就没注意这个平时最乖的孩子。

果果走到窗前，踮起脚来叫“妈妈”。今天的妈妈没有发脾气，她笑眯眯地看着果果，妈妈不发脾气的时候真好看，比荻姨好看多了。“宝贝儿，你想妈妈了吗？”

果果点点头。他看到妈妈的眼睛红了。“妈妈给你买了赛车，喜欢吗？你跟妈妈走好吗？”

“喜欢。可是爸爸不让我跟你走。”果果目不转睛地看着妈妈手里的赛车。

“没关系，你出来让妈妈看你一眼，妈妈把赛车给你就走。”

“可是妈妈不是可以从窗户把赛车递给果果吗？”

“那妈妈想抱抱你，亲亲你，好吗？妈妈好想你……”妈妈抓住窗框，眼泪快掉下来了。

“那好吧。”

“宝贝儿，你别让老师看见好吗？我们跟老师来个捉迷藏。”

果果回头看看闹哄哄的教室，捉迷藏是他最爱玩的，“妈妈，我出不来啊！幼儿园的大门关着，老师不让我们乱跑。”

想到门口的保安，妈妈皱起了眉头，“儿子你再想想，幼儿园还有没有其他地方是可以出来的？”

果果歪着脑袋想了一会儿，兴高采烈地告诉妈妈一个秘密，“食堂有个后门，平时爷爷奶奶会在那里运菜，可能现在会开着门哦！”

“乖儿子，你就从后门出来，妈妈在那里把赛车给你。”

果果蹑手蹑脚地走出了教室，走过了空无一人的长廊。正是开饭的时间，所有同学和老师都在教室忙呢。今天运气真好，食堂里的爷爷给班上送饭去了，只有一个奶奶蹲在地上刷碗，后门虚掩着，留了一条缝。果果准备跟刷碗的奶奶打招呼时，突然想起妈妈嘱咐的“不要让人看见，来玩个捉迷藏”，他吐吐舌头，赶紧用手捂住了自己的嘴。

妈妈就在门外不远处等果果，手里的赛车高高举起，红红的颜色真漂亮。果果高兴地跑了起来。

莫莉一把抱起果果，不容分说就往外走。就在马路边上，她找了一辆车在等他们母子俩，只要把果果弄上了车，就不怕隋杰了。打官司？鬼才会陪你打，我是孩子的妈，我有权带走自己的孩子。这一次莫莉决定把果果带到山东去，在那边找个神不知鬼不觉的地方安置果果。到时天高皇帝远，看他隋杰还有什么招！一想到隋杰急得团团转的样子，莫莉心里痛快极了。

果果挣扎着要下地，“妈妈，我要回去上课！”

“别吵！”妈妈又凶了起来，“妈妈会送你去上课，但不是在这个破地方！”

果果吓得不敢出声了。

莫莉抱着果果走得飞快，很快到小区的路口了，她已经看到了路边停着的车，司机听她的安排没有熄火，车门也虚掩着，只等她们一上车就可以远走高飞。

就在这时，一个女人伸开双臂拦住了他们，“果果，你要去哪里?!”这个女人秀眉笑眼，直发不合时宜地在脑后拴了个马尾，穿着一件莫莉五年前就不穿了的小西装，腋下夹着一个肩带很短的用来防盗的黑色包，一看就是扔在人海里找不着的小白领。

这女人正是和莫莉见过一面的沈小荻。她今天下班比较早，想拐到幼儿园来看看果果怎么样，谁知刚好撞上了莫莉抱着果果急匆匆地往外走。她一看就明白莫莉是来偷果果的，情急之下一把拦着母子俩，“你不能带果果走！”

莫莉仇恨地看着沈小荻，想到隋杰为了这女人和她闹翻，她心里酸酸的很不好过，又恨恨地鄙视隋杰的眼光，毕竟沈小荻的长相差她太多了。“沈小荻，我抱我的儿子走，你不要管闲事！”

沈小荻着急地喊起来，“果果是我老公的孩子，没有他同意你不能随便带孩子走！”她这一喊，周围有几个认识的店家邻居立刻围上来帮忙。沈小荻赶紧给隋杰打电话，让他马上回来。

见这情形，莫莉知道今天想带果果走可能有难度，索性大声闹起来，“有没有天理啊！这女人跟我儿子一点关系都有，凭什么管我们母子的事情！”

围观的人越来越多，莫莉的声音也越来越大，“大家来评评理，这个小孩是我怀胎十月辛辛苦苦生下来的儿子，我来看自己的儿子带他去吃东西，大家说可不可以？”

人群中有一两个声音在说"可以"。

"是的，我跟他爸爸是离婚了，可是他爸爸半年前带着我儿子偷偷搬到这里来了，一直不肯让我跟孩子见面。他恨我就算了，孩子是没有罪的，凭什么不让他见妈妈？大家也都是有父母有儿女的人，给我可怜的孩子一个说法好不好？"莫莉一脸愁容地给大家诉苦。

围观的人现在有一半已经相信了莫莉，纷纷议论着，"两口子的事谁也说不清楚，不过不让孩子见妈的确是不对。"

不过也有人有疑问，"你说是你儿子就是你儿子吗？你有什么证据？这个女人又是谁？"问的人指的是沈小荻。

沈小荻没被这么多人围观过，加上情绪激动，说话有些磕磕巴巴，"孩子，孩子的爸爸是我的老公，孩子也是我的孩子。"

莫莉冷笑一声，"果果，你倒说说谁是你妈妈？"

果果看看沈小荻又看看妈妈，不肯说话。

"说！到底谁是你妈妈！"莫莉把声音提高了起来。

果果害怕了，用手指了指莫莉。

"大家明白了吗？那我走了！"莫莉抱着果果就要冲出人群。

沈小荻又冲了上来，死死地拦在前面，"隋杰马上就回来了，我，我没有资格拦你，他肯定有吧？"

莫莉见推不开沈小荻，提起高跟鞋往沈小荻的脚面狠狠地踩了一脚！沈小荻这天穿的是薄羊皮短靴，不知是质量不好还是莫莉下脚太狠，她的鞋面立刻破了个洞，脚背似乎也被莫莉踩穿了一样，钻心地疼起来。然而沈小荻顾不上检查伤势，她也不敢跟莫莉对打，只是顽强地堵在莫莉前面，死活不肯走开。

好在这时巡防员已经赶到了，两个女人都开始讲述争执的原因，一个嗓门高亢一个结结巴巴，巡防员听了半天也没弄明白，再说不管听谁说也不能只凭说说就带走孩子，他只好往居委会身上推，"这样吧，请两位跟我去一趟居委会吧，让他们那边来调解。"

巡防员把果果抱在了手里，后面走着趾高气扬的莫莉和一瘸一拐的沈小荻，还跟了几个爱看热闹的群众，一起来到了居委会。不过居委会的人这天下午刚好出去开会了，只有一个文文弱弱的小姑娘在办公室留守。

莫莉一看居委会的局势便心中暗喜，今天就算带不走果果她也能在这里闹个天翻地覆了，让隋杰不死也要脱层皮。她蹬蹬蹬抢先走了进去，把小姑娘面前的桌子一拍，“找你们这里负责的出来说话！”

小姑娘从一堆表格中抬起头来，“你有什么事吗？”

莫莉大声喊道：“没有负责人是吧？那就找你了，你们辖区有一对狗男女为什么不管管？”

小姑娘皱起了眉，“怎么回事？”

“简单说吧，一对狗男女搞到了一起，抢了我的儿子不放，我现在要带我自己的孩子走！”见是这么个没见过世面的小姑娘，莫莉话也懒得多说了，直奔主题，心想只要吓唬吓唬这姑娘说不定就成了。

沈小荻插进话来，“是这样的，这位是我丈夫的前妻，他们离婚的时候把孩子的监护权协议好给了父亲，现在她趁我丈夫不在偷偷把小孩从幼儿园带了出来，在没有孩子监护人的允许下，这么小的孩子不能随便跟任何人走。应该是这个道理吧？”人一少，沈小荻的思路便清晰了，也找到了怎么跟莫莉辩解的话。

小姑娘听着沈小荻的话，若有所思地嗯了一声。

“我说小姑娘，你可要处理好，否则我上你们主管单位去告状！”

小姑娘终于发话了，“这样吧，不管你们是怎么回事，谁是孩子的监护人，谁就拿有效证明来领孩子走，怎么样？”

“我不同意，你这算什么处理意见！”莫莉生气地大叫起来，“打电话叫你们领导来，叫你们居委会主任来！”

小姑娘慢条斯理地拿出自己被桌子遮住的工作牌，“我就是这个区的居委会主任。”

莫莉眼珠子都快掉下来了，真是人不可貌相！

就在这时，隋杰气喘吁吁地跑了进来，一见果果和沈小荻都在，这才松了一大口气。“我是这孩子的爸爸，孩子不能随便跟任何人走！”

“这样吧，你把孩子的户口本、出生证明和离婚协议书拿过来，就可以领孩子走了。”小姑娘和颜悦色地处理着这桩家务事。

莫莉不死心地还要最后闹一下，“我不同意把儿子给他，儿子是我的！”

“只有一个办法，”小姑娘处理事情很周到，转回头就来给莫莉意见，“如果你对孩子的监护权有异议，你可以去法院上诉，你们通过法律的途径来解决。但是在法院判决之前你最好不要随便来带孩子走，否则孩子父亲可以告你，这样你就麻烦了。”

莫莉心虚了，知道今天已经不可能带走果果了，她狠狠地瞪着房子里所有的人，哼了一声扭头走了。

一直强撑着的沈小荻一屁股坐下来，她的内衣都湿透了。

回家的时候，隋杰一手抱着果果，一手搂着沈小荻，脚步有点飘，他是在后怕。

“今天如果不是你在，我就死定了……老婆，我……”

“什么话，果果没事就好。”

“我决定马上送果果去另一所幼儿园，要管理严密的，全托的，到时一定要嘱咐老师重点看护果果，不让任何人领走他。”

“嗯，亲爱的你别着急……真是没想到莫莉居然明着上诉抢抚养权，暗地里却来偷孩子！”

隋杰咬着牙，“如果有一项‘母亲扰子’罪就好了，我一定会立刻起诉她。可要是法律也没办法管住她，我们又该怎么办呢？”

怎么办？难道像今天这样的情况还要不断出现吗？沈小荻虽然成功拦下了果果，可下一次还有没有这么幸运就不知道了，人一松懈下来，被莫莉踩伤的脚背就火辣辣地疼起来了，她忍不住嗯了一声。

“哎呀，老婆，你脚怎么了？这是怎么回事！”

“是我妈妈踩的！”果果插了一句。

“果果，你下来自己走，我背荻姨回家……”

“不用不用，一点小伤而已，以后我要真走不动了你再背我，呵呵！”

推让了好久，最后沈小荻还是没有让隋杰背她，不过隋杰的知恩图报让她心里甜滋滋的，担心和疼痛也被抛到脑后了。

3

媳妇好做，后妈难当。

自从第一次让两个孩子见面，结果带果果游泳闯了祸后，沈小荻左命令右叮嘱让海海不要再带果果玩危险的。可孩子毕竟是孩子，八岁的海海能照顾好自己就不错了，要他看好这个突然钻出来的弟弟，实在是为难他。

放寒假了，海海难得地把今天的作业早早做完了，冲着厨房喊：“妈妈，我下去打羽毛球了！”

果果立刻跟着嚷：“我也要去打羽毛球！”

“妈——”

海海不高兴地向沈小荻求助。其实小兄弟俩平时关系挺好的，果果就是海海的超级跟屁虫，让海海有种做老大的感觉。可这个弟弟碰不得闹不得像个小瓷人儿似的，时间一长他就有点烦了，还是跟年龄大点的小孩玩得比较尽兴。

“果果，你还小不会打球哦，以后再跟哥哥去玩好不好？”沈小荻来做工作了。

果果可怜巴巴地看着海海不出声。

海海只好谈条件，“要不你就下去看我们打球好不好？只准看，不准动，行不行？”

“好！”

球场上已经有几个小孩在等海海了。“海海快点来，我们已经占了位置了！”

海海快跑进场，带着几个刚刚拿得动球拍的小孩打起球来。他们哪是什么打羽毛球啊，不过是偶尔能击中球，能把球发过网而已。沈小荻安排果果坐在一个角落的石凳看打球，吩咐他千万不要离开这个地方。

这边沈小荻刚走，海海他们几个小小孩就被大小孩轰下了场，“几个小破孩打什么羽毛球，真是胡闹，一边玩去！”

这次上场的是附近高中的孩子，他们人高力气大，抽起球来也特别猛。只听得呼呼的声音在空中划响，小小的羽毛球飞过来跳过去，配上大哥哥们标准的姿势，好看极了。海海看得出了神，手里比画着学他们的动作。

“哥哥！哥哥！”因为被沈小荻嘱咐过不能动，果果坐在原地大声喊海海。

“别吵，我们看一会儿就回家！”

果果扁了扁嘴，有点想哭。他走过去帮海海拿球拍，希望这样哥哥就会开心了，不会对他很凶了。

对面的大哥哥一记狠抽，球带着呼声飞射过来，随着大家一声“噢——”，球出界了，正好抽在一旁走路的果果脸上。果果只觉得一个黑东西飞过来射中了他的眼眶，左眼一辣，便有几秒钟时间什么也看不见。“哥哥！”他哭了起来。

“哇，你们打中我弟弟了！”

见闯了祸，大孩子们全部一哄而散。

孩子们跑去跟沈小荻报信，沈小荻慌得把锅铲一扔，在楼梯上差点一个趔趄把自己绊倒，父亲母亲也三步并两步地跟着跑。从家里到球场两百米的距离，沈小荻在心里念了一百遍阿弥陀佛：求菩萨保佑果果千万不要有事啊！

还好，果果只是被吓着了，幸好球的着力点主要在眼眶上。沈小荻还是不放心地抱着果果去医院检查，医生连药都没开，只让孩子回去好好休息。回家的路上，沈小荻再也压不住对海海的怒火。

“你说，为什么你下场了？为什么没看好弟弟？啊?!”

“是那些大哥哥把我们赶下场的！我当时明明看到果果坐在那里……”

“你还犟嘴！”沈小荻停下来吼海海，作势要打。一方面是生气海海没看好果果，一方面也是做给一旁的父母看。老人家这会儿不知有多心疼果果呢，不替他们出气怎么行，再说父母见她主动骂海海了一定就不好意思再生海海的气了。海海，对不起了，你哪里懂得大人的世界如此微妙复杂。

果然，父母马上来劝架了，母亲护住海海生气地冲沈小荻嚷：“你这是干吗呢！果果又没什么事！”

海海挣脱了母亲的胳膊，撒腿先跑回了家。

家里的一场小风波很快平息下去了，果果还是那么黏着海海，海海却有些躲着果果了。妈妈那天当着大家的面那么骂他，差点还动手打他的情形让他很难过。他想，如果在果果和他之间做一个选择，妈妈一定会偏向那个娇气包弟弟。

很快过年了，他们住的出租屋整栋都空了，人们大都回老家过年了，冷清清的没有一点过年的气氛。孩子们吵着要玩花炮，城里虽然禁烟花，可少量玩玩还是没人管的，沈小荻就给孩子们买了些比较安全的小花炮。大年初一这天，大人们忙着做年饭，海海无聊地拿了几个花炮下楼。

“哥哥，我也要去！”

“不要跟着我！爱哭鬼，我不想跟你玩！”

说话工夫海海已跑远了，看看身后，果果没跟来。本来他应该高兴的，总算甩掉了这个讨厌的鼻涕虫，可他一点也快活不起来。小伙伴们都没出来，海海兜了一圈只好又闷闷地回家了。走到空空的楼梯间时，他看看手里的花炮，玩心突起，放了一个“旋转无影腿”，爆竹点燃后飞快地旋向楼下。

哪想到果果一直在下面找海海，这会儿刚好回来上楼，海海点的爆竹一下钻到了他的裤腿边，果果吓得一屁股坐在地上，大哭起来。

等大人们闻声赶来时，海海正蹲在地上安慰哭泣的果果，两人的新衣服都沾满了灰尘。母亲紧张地查看果果有没伤着哪里，沈小荻以为是海海欺负了果果，不容分说地把海海拎到里屋。也不管隋杰和父母在门外怎么捶门，她狠狠地打了海海几板屁股。果果出了几回事，她已经忍无可忍了，一来她必须惩戒海海，二来也是向隋杰表明态度，她绝不纵容海海欺负果果。

等到吃中饭的时候，海海不见了。

海海没有回夏明皓那里，没有回外婆家。孩子心里委屈，离家出走了。沈小荻急哭了。这在新家过的第一个年，一个热热闹闹的大年初一，为了受惊吓的继子，为了一个几乎是冤枉的原因，沈小荻动手打了自己的亲生儿子。在老家的风俗里，大年初一是不能打骂孩子的，否则一整年孩子都会不听话。沈小荻当时是气糊涂了下不了台了，可现在也是后悔死了。

一家人找遍了一切海海可能去的地方，到天黑时，沈小荻打算无论如何要去报警了。就在这时，海海一身泥巴兮兮地回来了。一进门他就耷拉着脑袋承认错误：“妈妈，对不起，我错了……”

沈小荻抱着海海哽咽了，“是妈妈错了，妈妈不该没问清楚就打你……”

果果拿出了他最喜欢的汽车模型，“哥哥别生果果的气了，果果喜欢和哥哥玩，哥哥你别走好吗？”

隋杰拉着海海去洗脸吃饭，直到他狼吞虎咽吃下一碗饭才说话，“海海，你把妈妈吓坏了知道吗？妈妈冤枉你了你可以告诉杰叔叔，我会批评妈妈的。我们是好朋友，什么话都可以说，对吗？”

海海闷嗯了一声，低头大口扒饭。本来他想去同学家，结果走错路了，商场小店都关门了，他兜里揣着一点压岁钱也不知上哪儿买东西吃，真是饿坏了。如果不是后来找到警察问路，让他们送上车回来，海海还不知道自己会晃到什么时候。离家出走真不好玩，下次不闹了。

这一晚沈小荻跟海海睡了大床。

“海海，你是不是觉得妈妈现在对你没那么好了？”

海海不吭声。

“儿子，妈妈现在很辛苦，要照顾四个老人，还有你、弟弟和杰叔叔，不能像以前那样整天陪着你，可你是大人了，不要生妈妈的气好吗？”

“我不要你整天陪我，可你眼里只有弟弟。”

“你知道妈妈为什么照顾弟弟多一些吗？因为妈妈特别信任你，觉得你不会计较这些小事情，因为你知道妈妈最爱的孩子是你，对吗？”

“嗯。”

“果果他跟你不一样，他没有妈妈疼，他年纪小，身体又不好，你要多让一让他好吗？你是个真正的男子汉，你会帮助妈妈帮助果果的，是吗？”

“好吧，以后我再也不让果果哭了，我会保护弟弟，不让坏人把他抢走。”

“好儿子！”

沈小荻摸着海海的脸，心里很愧疚。

沈小荻再见到莫莉是在第一次庭审现场了。

春寒料峭，莫莉却穿着一件单薄的黑色针织衫，头发在脑后绑了个马尾，脸上用了非常白的粉底却没有上胭脂，整个人一副悲凄愁苦的模样。和隋家人摩拳擦掌请老黑出战不同的是，莫莉根本没请律师，她居然做了自己的律师。

她一上庭就向法官道歉，“对不起，我只是一个普通的护士，平凡的母亲，花不起那么多钱来请律师，只能自己当自己的律师，我说话可能没有真正的律师那么有逻辑，所以先要请大家原谅我。今天我想把事情说清楚，孩子到底应该跟谁由法官来决定。”

莫莉真的很聪明，这招苦情牌应该会很有效。沈小荻苦笑。

“在说到孩子的问题前，我要把我和隋杰的婚姻情况说一下。”莫莉表情落寞，声音暗沉，“当年我们是高中同学，不过毕业后就失去了联系，十几年后才恋爱结婚。他隐瞒了在我之前还结过一次婚的事实，欺骗了我，我们的婚姻一开始就埋下了祸根。”

隋杰激动地大喊起来：“胡说八道！我所有的事情你结婚前都一清二楚！从来没有瞒过你！”

“我有证据！他和我结婚的时候拿的是‘未婚’的户籍证明。”

“根本不是这么回事。我第一次婚姻的手续是在外省办理的，当时没有在我户籍所在地登记……这不能证明什么！”

“那你能拿出什么证据证明你没骗我吗？”

“肃静肃静！”

“反对，控方提出的证明与本案无关！”老黑见形势不妙，赶紧来岔开话题。

谁说的是真话？连一心站在隋杰这边的沈小荻也没有把握了。毕竟，隋杰和她刚交往时也是隐瞒了和婉玲的婚史，谁知道跟莫莉会不会也这样呢？她心里有些别扭了。

“我说的这个跟我们婚姻失败很有关系！它导致了婚后我心里一直很不舒服，加上隋杰三天两头跟他前妻打电话，还经常给前妻寄钱，明明抚养费一笔结清过的，凭什么要从我们的生活费里挤出来给她？为这事我们经常吵架，我承认我是想不通，可隋杰也有很大的问题。他和前妻的交往老是偷偷摸摸，扮鸵鸟，明明知道我碰着问题马上就要解决清楚，他总是躲到一边去装看不见，等着我控制不住自己的脾气了才出来收拾残局，表面看起来好像是他被我欺负了，其实大半原因是他逃避问题造成的。”

鸵鸟？沈小荻琢磨着。在孩子问题上，隋杰的处理的确很鸵鸟，看来莫莉对隋杰还是挺了解的。一个男人是什么样的人，只有他身边的女人最有发言权。

“结婚后，他像变了一个人，脾气越来越坏，我大着肚子的时候他还打了我，那次我都报了110，要不是警察来只怕我都被杀了……离婚的时候，他利用我受不了他不理我，先激怒我发火，然后在我火头上骗我签字离婚。我是打心眼儿里不想离婚的，可等我回过神来已经晚了……”莫莉低下头，用手不停地抹泪。整个法庭都静默着，听着这个原告兼律师的低诉。

“我们离婚的时候，是说好房子归我孩子归他的。离婚后一段时间里我们一家人还有往来，因为孩子需要我，作为母亲我也有探视权。我和隋杰还是有感情的，我舍不得他，他也挺留恋我，那时候我们已经打算复婚了……”

打算复婚？这又是一个沈小荻不知道的说法，像一桶五味酱料迎面浇来，让她说不出地难受。

“隋杰工作很忙，根本没有精力照顾孩子，就把孩子交回给我带了。可是后来他突然变卦了，他在不和我商量的情况下偷偷来家里抱走了孩子，他换了电话搬了家就是为了不让我找到他。作为一个母亲，难道我连看自己孩子一眼的权利都没有了吗？

“大半年了，隋杰都不让我们母子见面。如果不是我求爷爷告奶奶找到了他，连告他都困难！现在他已经跟别人结婚了，我的孩子要在后妈的看护下生活，我非常非常担心他……我有工作有房子，孩子还这么小，身体又不好，只有做医护工作的妈妈能够照顾他。而且我今后没有再婚的打算，我肯定比隋杰能更好地照顾孩子。现在我以继母沈小荻可能对孩子的成长造成损害为理由，请求法庭变更隋果果的监护权给我，而且要求隋杰支付月收入的百分之三十作为隋果果每月的抚养费。”

晕！沈小荻愣在坐席，她怎么成了隋杰和莫莉争夺孩子的道具。

隋杰当时想找一个经济好点的女人结婚，就是为了加强自己留住果果的筹码，可莫莉技高一筹，正好抓住后妈这件事来反咬一口，不知隋杰现在会不会有偷鸡不成反蚀把米的感觉？沈小荻生气地看向隋杰。

被告席里的隋杰脸色铁青，一直在极力控制自己的情绪。

4

这些日子隋杰忙工作忙上诉，人越来越消瘦，新婚的快乐已经消失不见了。

外人并不知道隋杰的压力有多大，沈小荻最清楚他有多慌张和恐惧失去果果。每晚，隋杰都睡得很不踏实，磨牙的习惯变得很严重了，不时还会说些含糊不清的梦话，翻来覆去地仿佛在与谁搏斗挣扎。沈小荻有时想叫醒他，每次碰到他总是一身大汗。沈小荻又是可怜又是无奈，怎么一个男人会这么在乎自己的孩子呢？有时她真有点吃果果的醋，可是想想隋杰当初打动她的不就是他的率真吗，既然这么在乎他的孩子，也一定会这么在乎她的。过日子就是问题叠着问题，只要夫妻俩心往一处拧，那什么问题都能解决。如此一想，她心里似乎找到了平衡，也就心甘情愿继续支持他了。

开庭时，莫莉表现非常出色，她口才很好，思路也很清楚。

这次她拿出了一些资料，其中有隋杰毕业后一直东飘西荡的工作履历表，果果的病历证明，她自己的工作收入证明等。这些资料可以证明莫莉的环境比隋杰好，孩子跟着她更合适。资料送上之后，莫莉也找了关键的证人证物上堂，有当年他们夫妻吵架的报警记录、被隋杰骗走孩子的那个保姆、隋杰偷小孩时碰着的保安……总之所有的证明都指向隋杰个性偏激，背信弃义，反复无常，离间母子亲情。

莫莉的证据证人一一摆出来，无论是庭上庭下，人们心里的天平都倾向她这一边了。

一直憋着怒火的隋杰终于忍不住喊了起来："沈小荻绝不会伤害我的孩子，伤害孩子的只可能是莫莉！真相根本不是莫莉说的那样！我把果果偷偷接回来，是因为她不肯再让孩子回家，不让孩子接我电话，还在孩子面前说我是坏爸爸不要理我，我能不着急吗？我希望我的孩子有个正常的成长环境，如果莫莉能像刚离婚的时候那样理智一点，不把我当仇人看，我会让孩子经常跟妈妈见面！"

沈小荻注意到隋杰没有反驳莫莉说他们曾准备复婚的事，不知道这里头是否另有文章，心里更加不是滋味了。

法官示意隋杰安静，让律师老黑代为辩护。

"法官，关于我当事人搬家换单位的原因，我这里有几个证人，可以证明原来我当事人上班的那个单位，原告去闹过很多回。他们还没有离婚的时候，原告就怀疑我当事人在外面有问题，她不仅经常来公司突击检查，还请了私家侦探来调查我当事人。她在没经过我当事人允许的情况给他公司的人打电话，从董事长到部门的同事，所有人都接过她诽谤我当事人的电话和短信……因为原告无中生有地骚扰我当事人的上司，使得我当事人被撤职降薪，这样我当事人离开原单位是有充分理由的，因为怕原告再骚扰，他不再告诉她联系方式也是情有可原的。

“关于孩子的监护权，应该看怎么样有利孩子的成长。就收入状况而言，我当事人除了暂时没有新买房子，他的收入在一两年内买房是看得到的，家庭环境并不比原告差。假如孩子跟了原告，原告是一个每天都要上班的职业女性，尽管她是孩子的母亲，但她也不能二十四小时看护孩子。孩子是我当事人的父母从小带大的，老人们有时间也有精力来管孩子。何况我的当事人和原告离婚时就讲好了条件，房子给原告，孩子给我当事人……一个三十多岁的男人，如果不是为了拥有儿子的监护权，难道他真愿意做个丧家之犬吗？请求法官能给我当事人一个说法。”

老黑把隋杰公司的纳税证明等作为隋杰经济状况的证明呈给了法官，证人也一一上堂。

此刻莫莉却有了新的说法，“法官先生，既然隋杰说到了房子的事，我要补充说明一下，我现在这套房子是我们领结婚证之前购买的，户主是我们俩的名字，这房子有一半是我的个人财产吧？至少这一半跟隋杰没有什么关系，所以离婚的时候签的那个协议根本就是没用的，什么房子归我儿子给他，房子有一半本来就是我的，需要他给我吗？”

“你！你！房子你有出过一分钱吗？”隋杰愤怒地喊了起来，“当时买房你还要只写你一个人的名字，说我要是不肯就是防着你，你就要去堕胎！你敢说没说过这些话吗？”

莫莉一点也不动怒，她耸耸肩摊摊手，一副请君自便的神情，“现在你怎么说都行，法律上房子从头到尾我都有份，这点你弄清楚就行了。”

“你……你这个无耻的女人！”隋杰再也控制不住自己的怒火了，他愤怒地冲向莫莉，挥舞着拳头作势威胁她。其实他并不会真的打下去，但在还差莫莉几米的地方就被庭警拦下了，连莫莉的汗毛都没碰着。莫莉夸张地尖叫着：“救命啊！法官救命啊！”

老黑死死地拦腰抱住隋杰，低喝道：“你疯了！这是法庭！你这样正好中了她的圈套！”

半个月后，法院通知他们去调解。

这次的调解程序还是由上次的法官主持，不过调解地点换到了一间圆桌会议室。没了法庭那种庄严肃穆的气氛，按说应该让当事人感觉轻松很多，莫莉和隋杰一见面，却仍然怒目相对。莫莉还是上次那身朴素的衣服，老老实实地坐在法官旁边，低眉顺眼的，像个受虐的小媳妇一样。隋杰一进门就瞪着莫莉，眼睛里简直要冒出火来，劈头就是一句："你就装吧，看你能装多久！"

"请你注意点言行，这是法院，不是你们家厨房！"

"好了好了，大家都心平气和一点，来，坐下。"法官今天像个居委会主任，各打五十大板又各给一粒糖吃，"其实你们都是孩子的父母，都想孩子过得好一点，能不能商量一个折中的方案出来呢？"

莫莉眨巴着眼睛看着法官，"您有什么好法子呢？"

"咱们来分析一下，现在孩子父亲再婚了，虽然你经济条件也不差，养孩子完全没有问题，但组合家庭的关系比较复杂，孩子可能会碰到的问题比较多……"

隋杰着急地插话进来，"不是这样的，我们的家庭非常和睦，果果比原先跟她妈妈在一起时开心多了！不信你可以问孩子。"

"你让我把话说完好吗？现在不是宣判，只是调解。"法官有点不高兴，"孩子母亲现在一个人，暂时没有再婚打算，她有房子，工作也稳定，能不能先把孩子放在她这边带，然后你付一点抚养费，每周你可以去看孩子，大家都心平气和地为孩子的前途着想，尽量让孩子过得更好一些，这不是皆大欢喜吗？"

隋杰还没听完就急了，"不行，我绝对不会把孩子给莫莉！"

"是什么原因让你不肯把孩子交给母亲带呢？"

"第一，果果要是给了她，她以后就不会让我见果果了，她恨我，她会把孩子藏得远远的，可能我这辈子都见不着了！"

莫莉不怒反笑，"你以为每个人都像你这么无聊吗？别把你自己做过的事栽赃到别人头上！"

法官插进来，"让他继续说。"

"第二，她有心理问题，自私，偏执，孩子跟着她会受很大影响。何况孩子从小都是我爸妈带大的,根本离不开爷爷奶奶。”

老黑在桌子底下踹了隋杰一脚,法官怎么会支持“心理问题”这种难以举证的东西,这个隋杰真是急糊涂了。

显然莫莉比隋杰明白,她根本不去反驳所谓的心理问题。“法官先生,孩子主要是爷爷奶奶带大的,这不错,可是现在爷爷奶奶都是七十多岁的人了,说得不好听点,他们随时可能出点身体状况,到时连照顾自己都很困难,您觉得他们能照看好一个又病又弱的四岁小男孩吗?是的,果果现在有了一个后妈,别人能花多少心思在他身上呢?总不会比我这亲妈还照顾得好吧?”

沈小荻终于找到了一个说话的机会,急切地接上了话头,“法官,我就是果果的继母,不过我是真的很爱果果,我对他比对我自己的儿子还好,我的孩子跟果果相处得也很好,这一点,你可以问问孩子本人……法官,可以让孩子自己选择跟爸爸还是跟妈妈吗?”

法官摇摇头,“孩子还太小了,如果在10周岁以上就可以征求他自己的意见了……那这样,如果孩子还是跟爸爸,但你不需要付抚养费,你还可以依法享受探视权,这样行吗?”法官转过来问莫莉。

莫莉看着隋杰冷冷地说:“我不会跟他和解。”

隋杰也没好气地回敬:“我也不接受和解!”

调解程序以失败告终。在没多久之后的第二次庭审上,一审判决下来了,孩子的监护权判给母亲,父亲支付抚养费,享有探视权。

一出法庭莫莉就得意扬扬地过来告诉隋杰:“给我的宝贝儿收拾好东西,我明天来接果果。”

隋杰狠狠地瞪着她,“别高兴得太早,我会上诉,不会让你带走果果!”

一审判决的结果对隋家简直像是天塌了。

上诉期只有十五天,这期间要做的事情很多。从法院一回来,父亲就开始收拾行李,母亲默契地去幼儿园接果果。隋杰跟沈小荻商量,“老婆,你请几天假好吗?送爸妈和果果回老家去,我和老黑在这边准备上诉的事。”

送果果回老家?显然隋杰和父母是早有准备了,只等着这个最坏的结果判下来。

“啊？为什么？既然准备上诉了，为什么还要把果果带回老家？咱们还有二审呢，最后结果还不一定怎么样呢！”

“先做好最坏的打算。”

“你的意思是，就算法院判了也不会把果果给她是吗？”

平时很少表态的父亲发了言：“果果就不给她，看她能怎么样！”

“我们也没办法，不把孩子留在这里就是不想发生冲突，她毕竟是孩子的妈，我总不能把她杀了剐了吧？”隋杰心烦意乱地说。

老黑的意见不同，“咱们还是尽量争取二审胜诉吧，不过说实话，如果你们真的把孩子带回老家去，法院也很难强制执行。但我们怕的不是法院，而是莫莉。一旦莫莉有了法院的最终判决在手里，她可以理直气壮地天天来闹，到时还不知道她会搞出什么事来，你们一家人可就别想过安生日子了。隋杰毕竟还要工作，你们也不能老搬家，总不能躲她一辈子吧？”

沈小荻打了个冷战，“能有别的法子不？”

隋杰重重地叹了口气，“能有什么别的法子，除非把果果给她，这个事情我是绝对不会妥协的！”

“小杰，别这么激愤，能不能换个角度去想这件事……”

“小荻！如果你愿意帮我就送爸妈和果果回去，不愿意我就自己请假，别的不用多说了！”

老黑出来打抱不平了，“隋杰，这可是你不对了，怎么话都不让小荻说完？别把人家好心当驴肝肺！她一直在全心全意帮你，这个麻纱是你和莫莉扯出来的，你别输了官司还怪到人家头上！”

“行了行了，都别说了，我请假就行了……黑哥，我给你换杯热茶……”

借着给老黑换茶，沈小荻在厨房站了一阵，把就要涌出来的眼泪给逼回去了。现在不去计较莫莉和隋杰怎么利用她打这官司，就刚才隋杰那态度她就有些顶不住，好像她巴不得要让莫莉带走果果一样，明明她自己另有主意也说不出来了。唉，隋杰这个人脾气也是够臭的，眼下只有先听他的，送老人孩子回去再说。

5

三月初的老家是倒春寒最厉害的时候，一下火车就感觉到空气湿湿冷冷的，寒意透过厚厚的靴子直往骨头里钻。因为怕果果感冒，他被母亲全副武装地包裹了起来，压根不让下地。沈小荻不忍见父母辛苦，便全程把果果抱在了手里。虽然果果很瘦，但毕竟是四岁的孩子了，加上厚厚的冬装，抱着还真让人吃力。但让沈小荻沉重的还不是孩子的体重，而是孩子茫然的未来。

火车转汽车，汽车转摩托车，一路颠簸了快二十个小时才到了隋家村。比起沈小荻印象中瓦房砖墙的农村来说，隋家村算是很富裕的村子了，家家户户都是独门独院，有田有山。但这里毕竟是山区，山里人家全是环山而居，走上一两百米才有一户人家。虽然通电话了，但平时他们有什么事都是扯开嗓门吆喝："幺伢子哎——"隔着好几亩田的那边山头就会传来回应："么子事——"

隋杰为家里盖的房子是一栋两层楼，父母不在家时，家里就只有二哥一家四口住着。家里的格局是照着城里的三房两厅而建的，主楼后面是原来住的老屋，现在已经改成灶房了，父母说舍不得让油烟熏坏了新房子，宁愿还在昏暗的灶房烧着柴火做饭。这在村里算是最好的房子了，尽管限电的农村没有多少机会能常用电器，隋杰还是给家里配了全套的电器家具。屋前那大大的晒谷坪里放着自家的黄狗，一见沈小荻这个生人就凶狠地上来吼个不停。

"畜生！自己家里人都不认识了！——去！"父亲一声喝下，黄狗住了嘴，摇头摆尾地跟着他们身后跑。

远远地看到沈小荻一行人的身影，大姐夫点燃了屋前挂起的一串鞭炮。这是当地的风俗，虽然情况特殊，但第一次来隋家的沈小荻还算是新媳妇上门呢。在这清寂的山坳里，鞭炮响得格外热闹，一声一声表达着隋家人对沈小荻的喜欢和接纳。

沈小荻心里一热。踏进了隋家门，才真正算是隋家的媳妇了，她与这个家庭的命运溶在了一起。

堂屋里已经站了满满一屋人，大姐、大姐夫、二哥、二嫂、三姐、三姐夫、四哥、四嫂、大表弟、二表弟……左邻右舍、远亲近朋，只要接到消息的人全都来了。沈小荻目不暇接地跟这个问好，跟那个握手，心里着实有几分震撼，没想到隋杰在家族中这么有号召力！

几个姐姐嫂子热情地把沈小荻围住了，爱唠嗑的女人们总是很容易熟。

“弟嫂到底是大城市的，皮肤多好啊！”

“我是天天在办公室捂着不见太阳，像姐姐们皮肤才好，红红的，多健康！”

“你这个衣服料子不错，一定很贵吧！”

“不贵的，姐姐你要喜欢我回去就给你寄一件来……”

“不用不用，我只是随便说说呢，弟嫂可千万别当真啊！”

……

沈小荻是新媳妇第一次进门，就算是隋杰第三次结婚，就算是在这么特殊的情况下，隋家也没少了礼节。大姐小心翼翼地捧着几个红色锦缎的袋子给沈小荻，“老弟嫂，你们结婚的时候我们没有去，心里蛮不好意思的，这是我们几个凑份子给你打的一套金器，你看看喜欢不？”

沈小荻惊讶地打开了那几个锦袋，原来是耳环、戒指、项链。隋家真的把她看得很重要，每一样金器都是千足金，而且分量都很重，特别是项链上那个金坠子，沉甸甸的，都快赶上一个锁片了。沈小荻从小到大就不喜欢金器，夏明皓送的婚戒也只是戴了两年就以带小孩不方便为借口摘了下来，所以这次结婚她也没让隋杰买这些。家里人凑钱买的这些金器，对农村人来说实在是礼重情也重啊！

沈小荻慌乱地塞回大姐手里，“我不能要这个，不能要这个……”

几个姐姐同时伸手来塞到沈小荻怀里。“拿着吧！隋杰总是说你对他很好，对咱爸妈也好，对果果更好！”说着这话，大姐的眼圈分明红了。

“老弟嫂，你就拿着吧，隋杰找了几个老婆，我们只送了你！隋杰命苦啊，第一个老婆人不错，可岳父母是巫婆；第二个岳父母人不错，可老婆是巫婆，唉！”快嘴的三姐捅出了心里话。

大姐把眼一瞪，“三儿，胡说八道什么呢！弟嫂，我们乡下人说话没规矩，你别见外。”

虽然手脚冻得有点不听使唤，可沈小荻心里热得像放了个暖炉。她知道，对饱受隋杰动荡婚姻影响的隋家人来说，这样接纳沈小荻是很不容易的，其实哥姐们这样对她，无非为了让她对隋杰和果果好点。她要对得住这份信任。虽然外形和头脑她都不如莫莉，可她终于赢到了隋家的人缘，这是生活回馈的一个大礼包，来之前的委屈和辛苦顿时都得到了平衡。

中饭是几个姐姐一手张罗的，屋里屋外摆了六桌。满脸络腮胡子的二哥端着一杯酒站到了堂屋中央，清了清嗓子准备说话。沈小荻好奇地看着二哥，二哥就是当年母亲跟军官的遗腹子，据隋杰说他是被父亲最宠惯的孩子，从小他就是家里的孩子王，谁也不敢惹他，不然就得挨父亲的揍。如今二哥四十多岁了也没个稳定的事做，一直东捣鼓西捣鼓，一会儿贩木材一会儿贩石头，折腾了半辈子也没见发过财，现在一家四口全靠二嫂开间杂店和隋杰偶尔贴补生活。虽然混得不咋的，可兄弟姐妹个个让他几分，他顺理成章地成为隋杰这一辈中的老大，一有事就是他出来主持大局。

"今天——是我老弟媳第一次来咱家，我们一起来敬她一杯！感谢她照顾咱爸妈，照顾咱幺弟！"

沈小荻没想到第一句话就点到了自己头上，慌得赶快站起身，结果哐哐几声响，几双筷子随着她站起掉在了地下。沈小荻慌乱地蹲下去捡，与弯身帮忙的三姐刚好碰着了头，好不狼狈。可谁也没有笑她，反而所有人都站起来给她敬酒了，大家齐刷刷地喊着："弟媳，我们敬你！"

沈小荻哪里见过这架势，立刻涨红了脸，结结巴巴地说："大家，大家都坐下，我，我，我当不起……"

"老弟媳，你当不起还有谁当得起！"二哥走过来与沈小荻碰了下杯，一仰脖喝了个干干净净。

这可是乡里的米酒，酒性不小，天生酒精过敏的沈小荻发了愁，她知道应该给大家面子一饮而尽，可这酒一喝下去她就会倒地大睡的啊！一会儿还怎么见人？见沈小荻还愣在原地没动，二哥伸手把沈小荻的酒杯接过来，往自己杯里一倒，"没事，我帮你喝了！"

二哥自己跟自己干了两杯，倒也丝毫不生气，喝罢，大喊了一嗓子："开吃！"

老人小孩得了令，立刻开吃起来。沈小荻被二哥将了一军又救了一驾，对这个鲁莽但不失可爱的二哥开始有了好感，这一家子都是好人呢。

酒足饭饱后，家庭会议在二哥主持下开始了。平时隋杰帮他最多，现在他自然是第一个站出来吆喝的人。

“兄弟姐妹们，小弟现在有难了，咱们老隋家的人不能让人欺负，从今往后果果就交给我们看了，咱们要保护好这个小孩！他们姓莫的那一家我认识，其实人都还不错的，就莫莉一个小娘儿们闹腾，难道她还能把咱家的天翻了不成？她要是来这里抢人啊，白道黑道随她选，我要让她站着来，爬着回去！”二哥慷慨激昂地煽动大家，表情十分严肃可说话又非常滑稽，话音一落便赢得大家的掌声笑声一片，二哥显然对这效果很满意，笑容满面地坐下了。

大姐夫第二个发言，他是村里的村支书，说话也显得理智很多，“本来这种事情我们不好多管，但隋杰把果果这孩子看得很重，咱们就得帮他。我的意见是把果果送到县城的全托幼儿园去，四嫂不是有个在县城幼儿园上班的侄女吗？去那里就可以的嘛。不让他妈找着就行了，他妈要是来要人咱就说不知道，别把事情搞得太大……”

大姐夫还没把话说完，大姐啪的一巴掌打在了他背上，“你个没良心的狗东西！不是小杰你能当上这个破官吗？你别忘了上次那笔高利贷到现在还没地方追呢！少给我在这里放狗屁！莫莉来了又怎么样？来了也不给，谁也别想把果果带走！怕他个球——”

“大姐夫说得没错，先让果果在我侄女那边寄读几天吧，这么大的孩子不给他上学不好。”四嫂肯定了大姐夫的主意。

大姐见沈小荻始终一言不发，刚才对大姐夫那股凶狠劲全没了，“老弟嫂你别见怪，咱们农村人不惹事但也不怕事，这里一屋人都受过隋杰的恩惠，我们死也不会让人抢走果果的。”

沈小荻扯着嘴角笑了笑。

“弟嫂，这一屋人都等着你发话呢，隋杰还要我们做什么？”

“既然大家都问我，我就代替隋杰发表下意见了。拜托哥姐把爸妈照顾好，果果安排先上幼儿园，隋杰也就放心多了，千万不要把事情闹大，万一有人来找果果麻烦，你们就第一时间通知我……”

沈小荻眼前浮现出一帮拿着锄头扁担的农民跟警察武斗的场面，不由得暗地出了一头冷汗。她能看出来，隋家的确是团结、热情的一家人，沈小荻相信，如果她有什么事，隋家人一样会赴汤蹈火的。一想到这个假设的情景，她眼睛就有点发潮，眼里的隋家人每个都那么亲。可在对待果果的问题上，沈小荻还是觉得郁闷。隋杰把果果看成了自己的私有品，隋家兄弟却把帮隋杰留住果果当成了报恩，就是没有人想过果果的感受。

堂屋里的讨论还在热闹地继续着，沈小荻却在人群中看不见果果了。她赶紧进屋去找，穿过架着烤火炉的暖洋洋的里屋，在后院的摇水井旁，她发现果果孤零零地坐在一条小板凳上，低头摆弄着他的汽车。

“果果，你怎么坐在这里呢？这里很冷哦！”沈小荻蹲下去搓着果果冰冷的小手，想快点把自己的温度传给他。

“奶奶说我是小孩子，不让我听大人们说话，我没有地方可以去。”

“宝贝乖，听奶奶的话。”一时间沈小荻也不知道说什么，只是觉得眼前这个孩子很可怜。

果果仰着头，忧郁地看着沈小荻，“荻姨，你带我回家好吗？我不要在这里上幼儿园，这里的小朋友说话跟我不一样，没有人跟我玩，我想海海哥哥。”

“荻姨会来带你回家的，你只是跟爷爷奶奶在老家住几天，很快就可以回家。”

“真的吗？你跟我拉钩吧！一定要来接我哦！”

“嗯，荻姨说话算话！果果，你告诉我，你长大想做什么呀？”

“我想当法官，让爸爸妈妈再也不要吵架了。”

“好孩子，真有理想！那你从现在开始就要好好努力哦，这段时间你暂时在这里的幼儿园上几天课，要听老师话，等我回来接你的时候要看到你得的红花，好吗？”

“好！老师会奖我好多好多的红花！”

沈小荻的承诺是认真的。到隋家村的第一瞬间她就喜欢上了这个宁静的山村，喜欢上了这淳朴热情、知恩图报的一大家子，但是对于年幼的果果，回到城市去上学应该是最好的选择。隋杰这么辛苦才从山村走出去，难道还要让下一代重新经历一次奋斗的过程吗？是的，穷人的孩子早当家，农村的孩子未必输给城里人，可是当隋杰已经站在一个高度的时候，为什么不让孩子的起点更高一些呢？

沈小荻不知道到底哪种选择是对的，但她知道，应该听听孩子的心怎么说，那是最真实的愿望。

为了这个愿望，沈小荻愿意做一些牺牲。

6

老黑的律师楼里来了个客人。

看到文员几次走到他办公室欲语又止，老黑奇怪地问怎么回事。

文员如释重负地说："外面有个小姐找您，我说她没有跟贺律师预约不能安排，可她一定要见您。"

"她叫什么名字。"老黑看着桌面的文件，漫不经心地问着。

"她姓沈。"

沈小荻？老黑停了下来，"请她进来。"

果然是沈小荻，她清瘦的身子藏在一件鼓鼓囊囊的大棉褛里，只露出一张被冷风吹得红红的脸，她吃力地拎着一大包东西卸到了墙角，"从你们老家拎了些吃的给你，样子不是很好看，能放在这里吗？"

从第一次见面那个幸福的小女人模样到今天一副可怜兮兮的家庭主妇样，沈小荻跟着隋杰可真是吃了不少苦头。虽然有求于他，也难得她大老远地从老家提东西来，老黑心里暖暖的，赶紧点头，"谢谢你了，你就搁那里吧……怎么隋杰没跟你一起来"

沈小荻低下头打开她的提包，摸摸索索地从包里拿出一个塑料袋，解开塑料袋，里面是一层报纸包裹的书模样的东西，再解开那层报纸，这才露出一个大红的软皮本本。她把它郑重地推到老黑面前，"今天我来是想找你帮忙的……"

老黑接过来一看，这是一个房产证，沈小荻名下一套百分百产权的房子。"你这是——？"

"我想让你帮我办个手续，把我的房子给隋杰一半，"沈小荻的脸红彤彤的，声音有些激动，显然这对她是个不小的决定，"隋杰有房产了，争到果果的可能性就会很大了。"

老黑吃惊地问："隋杰知道这件事吗？"

"不知道，我想先不要让他知道，否则他一定会反对的。你应该很了解他，他自尊心很强，我不想看到他因为这件事背上包袱。"

老黑拿着这个沉甸甸的房产证，思考着怎么处理这件事才能最大限度地保护沈小荻，他真怕她只是一时冲动，要知道这可是价值一百多万的房子。“我知道你是为隋杰好，不过我还是建议你慎重考虑下这件事情。如果你想在房产证上加上隋杰的名字，那手续相当复杂。现在你的目的只是为了争取果果的抚养权，可以去办个赠予公证手续，可是想瞒着隋杰去办公证是不行的，他本人必须在场，否则公证处不给办理。”

沈小荻着急了，她没想到自己下了那么大决心却想出了一个无法实施的主意。

“就没有一个咱们能够私下处理的办法吗？老黑，你一定要帮帮隋杰啊！没有果果我简直不能想象隋杰会做出什么事情来——”

“隋杰不理智你也要跟着他不理智吗？你要想清楚啊！这房子是属于你个人的婚前财产，你现在就把自己的底牌拿出来给隋杰了，值得吗？”

沈小荻从老黑的话语里听出了有转机，马上接口：“当然值得，隋杰是我丈夫，我的就是他的，有什么不值得呢？”

“我接了这么多案子，每桩都是一家人为争财产打得头破血流，还没见过你这种主动把自己的财产给别人的……”老黑感慨着，也苦口婆心地劝着，“你真的要想清楚啊！现在你跟隋杰是感情很好，觉得为他做什么都无所谓，万一你们将来不好了呢？或者将来你的儿子长大了，他会愿意这样吗？他会不会怪你？”

说到儿子，显然击中了沈小荻的心，她咬了咬自己的嘴唇，下决心地说着：“儿子的事现在顾不上了，先解决眼下的困难再说！就算，就算……不管将来怎么样，我都不后悔！”

对于这样的一个女人，不帮她都有点不忍心了。老黑帮她做了份鉴证书，鉴证沈小荻愿意将自己的房产分给隋杰一半。因为隋杰没有在场，老黑要承担一些风险，毕竟这有点律师伪证的嫌疑。但是，老黑不想沈小荻不开心。当沈小荻欢天喜地地看着那份鉴证书时，老黑突然有些久违的感动。

被这份难得的感动推动着，老黑晚上去了酒吧。他独自坐在一个黑暗的角落，静静地喝着酒，听着歌手在台上一曲又一曲唱着情歌。法庭上那个雄辩滔滔、冷漠理智的老黑不见了，此刻他的心很柔软，柔软得像刚出生的婴儿。不知什么时候开始，他变得不再相信感情，也不会被情绪左右去做些冒昧的事了，虽然避免了磕磕碰碰，波澜不惊的生活却渐渐变成了一潭死水。有时他真羡慕隋杰，有沈小荻这么好的女人为他出生入死。而他，已经忘记激情激烧是何年何月的事了，他有不少女朋友，可大都是与寂寞有染，与真情无关。看着这个世界，从泪眼、醉眼到冷眼，岁月如流水蹉跎而去。

“怎么这么好兴致一个人喝酒？”一个穿吊带裙的女人带着几分醉意跌进老黑对面的沙发。

老黑不答理她把头偏到一边。尽管泡吧是他生活的一部分，但他对爱泡酒吧且主动跟男人搭讪的女人向来没好感，觉得这些人不是酒托就是放荡女，只可以在最寂寞的时候来消遣一下。她们就像他的鸦片，瘾发的时候难免饥不择食，可只要一饱了就会立刻厌倦。今天他正在找青春的感觉，根本没心思答理这些人。

“怎么了，贺大律师？这么快就不认识我了？我是沈小荻的朋友宣萱！”女人的指尖沿着蜡烛杯轻轻画着圈，声音有几分幽怨。

一听沈小荻的名字，老黑赶紧定睛一看，老天，真是第一次见沈小荻时，和她一起来的宣萱，在隋杰的婚礼上又见过，隋杰一直极力怂恿他去追她呢。老黑笑着赔罪，“对不起啊，刚才在想点事没看到你。你也是一个人来的？一起喝一杯吧？”

“贺大律师也会有心事吗？是不是为了隋杰的事情伤神？”宣萱歪头看着老黑，伸出一个指头绞自己的头发。

“你说对了，隋杰这个案子是挺棘手的，我们没有把握能够胜诉。”

“真没见过隋杰这种人，为一个孩子折腾这么大动静干吗呢？偏偏沈小荻还那么死心眼儿地跟着他……唉，这一个痴一个傻，怎么两人就碰到一堆去了呢？”

对这个话题恰好两个人都有共鸣，老黑突然很想了解下沈小荻，“听说你和沈小荻是大学同学？她是对谁都这样还是只对隋杰这么好？”

“她这个人平时没什么问题，可在感情上总是会突然做些让你吓一大跳的事情。”

“比如说——”老黑饶有兴趣地追问着。

“比如跟她那个又帅又有钱的老公硬要离婚，比如鬼迷了心窍一样非要嫁给隋杰，你很难想象她会这么有勇气……怎么，你对沈小荻很感兴趣吗？”

老黑正听得入神，没想到宣萱突然问了这么一句，赶紧掩饰地说:“我必须了解我的当事人啊，否则怎么帮他们打这场官司呢？”

还好宣萱并没有在意，反而问起了自己感兴趣的话题，“总之沈小荻就是这么一个有点冒傻气的人……你跟隋杰从小玩到大，一定很了解他吧？他跟他前妻有什么不共戴天之仇啊？干吗非要争这个孩子？”

“你说沈小荻的做法让人难理解，就像隋杰的想法也挺让人纳闷一样……隋杰和我，都是农村出来的孩子，能在这个城市站稳脚跟，都是吃过很多苦头的人。对我们来说，有些东西是不那么重要的，比如钱、所谓的面子。但会把一些东西看得比命还重要，对隋杰来说就是他的孩子了。”

“那什么对你是很重要的呢？”

“现在来说，应该是朋友之间的情分吧，比如我跟隋杰的。当年读高中的时候，我跟隋杰是同桌，我当时成绩很差人却很调皮，隋杰是尖子生又很乖，老师让他来带我，结果没想到我把他给带坏了，哈哈！有段时间很流行练气功，我去书摊上买了本气功秘笈自己偷偷练，后来把隋杰也拖下了水，我俩常常在早自习之前跑到河边去练会儿功。现在想起来还真后怕，幸好没有走火入魔，我和他的交情也就是那时候结下的。”老黑回忆着他和隋杰的往事，脸上露出温暖的笑容。

宣萱听得入了神，不由也回忆起来，“我和沈小荻大学四年都是睡的上下铺，你不知道沈小荻这个独生女有多笨，没上大学前她什么家务活都没做过，连洗双袜子都不会，她家条件其实也一般，可她妈简直把她当公主养，她命好旺夫，前任老公跟她一结婚就环境好了起来，人家都说她有富贵命……可是没想到，那个娇滴滴的沈小荻放着好日子不过，居然能为隋杰变成这个样子，真是卤水点豆腐，一物降一物啊！……听说你也离过婚，为什么一直这样晃着？”

“你不也离过吗？为什么也还晃着？对女人来说，身边有个人总比没有强。”

“你们老觉得穿鞋总比光脚好，可是如果我光脚站在草地上，为什么还要去穿一双不适合的鞋来折磨自己呢？”

“说得好，为我们光脚踩草地干杯！”

这是个很愉快的夜晚，他们像久别的知己一样聊得十分投机，说到底是因为大家有共同关心的人。聊得开心了，喝得自然也多了。早上起来时，老黑发现自己躺在了家里，二十平方米的卧室里，床上、地上、椅子上到处是衣服，而缠绕着他的一个光洁胴体，俨然是昨晚把酒言欢的宣萱。老黑隐隐还记得昨晚的疯狂，记得她高潮时的痉挛和眼泪，这是一个和他一样孤独的人。此刻她搂着他的脖子，像个小猫一样蜷着，美梦正酣。这是老黑第一次如此近距离地看到宣萱没有化妆的样子，她和平时不同了，卸下了她努力扮演的都市女人角色，回归到最真实的自己，其实她还是有几分可人的。

老黑轻轻地挪开她的手，坐起身来转动有些落枕的脖子。

宣萱被惊醒了。昨晚老黑比她喝得多，虽然她也醉了，仍然清晰地记得老黑在酒吧里吻了她，然后醉醺醺地把她带回了家。当时她有过一阵挣扎，为什么要和一个不爱的男人上床呢？可是她真的太寂寞了，寂寞得像被困在大海中央，最初那海阔天空的自由已经变成筋疲力尽的疲惫，她需要爱、需要男人、需要家庭，就像需要救生圈。哪怕只是一点点安慰也好，她已经不再奢望还会有谁来救赎。

看着老黑一言不发，宣萱感到了一种莫名的痛，他平时也一定是这么随便和放荡吧！她有些受伤，从被窝里蹿出来，快速地穿好衣服，“我走了。”

老黑心里有些愧疚，“我……”

“大家都是成年人，你不必在意什么，我不会要你负责任。”宣萱不敢回头，假装潇洒地说着，其实心里很懊悔，她为自己莫名其妙的放纵而难受，大家都是熟人，将来还怎么面对呢？如果给隋杰知道这事，他会怎么看她？一定庆幸没有选择她吧！

就在她要拧开卧室门的瞬间，老黑的大手捉住了她，老黑看着她，慢慢地，一字一句地说着：“我知道，这个开始可能不是很完美，但你愿意给我一个机会吗？尝试下，看能不能做我的女朋友。”

宣萱转过头来看着老黑，惊喜写满她的眼睛。虽然老黑并不是她一眼就喜欢的男人，但作为一个交往对象，他已经是很理想的人选了。离婚大龄的她，还能有多少选择呢？隋杰已经结婚了，得不到隋杰得到他的朋友也算是一种补偿吧！

“你知道，我离婚好几年了，我也想找个好女人重新开始，只是我有很多毛病需要改，希望你可以包容，也可以帮助我。”老黑显然是认真的，只是一夜之间，他彻底厌倦了过去的生活，他想像隋杰那样鼓起勇气去尝试下，沈小荻那样的女人是可遇不可求的，但愿她的朋友能给他绝望的心一点惊喜。

平时伶牙俐齿的宣萱此时真不知说什么好了，她低下头握着老黑的大手，轻轻地摇晃着，快乐的感觉像突然放飞的鸽子一样，在她心头扑腾着。

窗外的阳光照了进来，洒满这个寒凉而又温暖的早晨。

7

沈小荻感到家里冷清了很多。

父母和果果在家时，因为父亲耳朵背，两个孩子又喜欢叽叽喳喳，多少有点让人嫌嘈杂。眼下家里清静多了，卫生也容易收拾了，平时拥挤的房间也宽敞明亮了许多，可这样干净爽利的日子没过两天沈小荻就感到了寂寞。

隋杰早出晚归，在家时也没什么心思跟沈小荻交谈，有时想到冷落了妻子时他会过来给一个拥抱。两人静静地抱一会儿，能感到彼此的脆弱和无助，可要替对方搬开心上的那块大石头，彼此都束手无策。海海落了单之后，虽然少了照看果果的烦恼，可他总提不起精神来，出去运动的时间少了，泡在电脑前的时候多了，他每天都要追问沈小荻："弟弟什么时候回来？他会不会被坏人欺负？"

"快了，快了。"

"为什么要把弟弟送到乡下去呢？是我表现不好吗？"

"没有，你很乖，自从你和弟弟一起生活后，妈妈觉得你已经是个男子汉了，已经会照顾弟弟，让着弟弟了，妈妈真的好高兴。"

得到沈小荻的鼓励，海海高兴地笑了。这段时间海海懂事了很多，自己的事情能够主动去做了，有时还能给沈小荻帮把手。以前哄着他照顾果果多少有点利用他喜欢当大佬的感觉，而现在海海是真的对这个弱小的弟弟有了感情，有了责任感，他觉得自己是大人了。沈小荻很欣慰，这就是兄弟俩一起生活的好处，独生子女很难学到的东西。谁说组合家庭只有问题没有好处呢？

就在沈小荻回到家的第三天，一个不速之客登了门。

当时她正赶着海海上床睡觉，家里连通楼下的门禁系统响了。沈小荻以为是隋杰没带钥匙，也没问是谁就点了开门。过了一会儿，家里大门被敲得嘭嘭响，沈小荻开了里门一看，老天，是莫莉。隔着一道铁门，莫莉身上的香水味张扬地飘了过来，刺得沈小荻鼻子痒痒地连打几个喷嚏。比起短裙长靴的莫莉来，一身皱巴巴长袖睡衣裤的沈小荻简直有点土得掉渣。

莫莉嘴角挂着一丝不屑的冷笑，她不看眼前的沈小荻，却不停向门里张望着，“开门啊，我来接我儿子！”

沈小荻已经很后悔自己没问清楚就开了楼下大门了，这会儿哪敢再开门，明白莫莉是冲果果来的，隋杰现在不在家，她既不敢惹怒莫莉也不敢让她看出果果已经转移了，便含糊其辞地想蒙混过去。

“你要见果果还是等二审结果下来再说吧，这个时候好像不合适。”

“有什么不合适？当妈的要见自己的儿子，天经地义的事！”被沈小荻惹毛了，莫莉的嗓音提高了一个八度。

“是的，可是我真的没办法。我们要休息了，你回去吧。”沈小荻不想跟她多说，想关上门。

“等等！——你知不知道你很蠢？你只不过是隋杰利用的一颗棋子，知道吗？哪天你没有利用价值了，他就会一脚踹开你。”

沈小荻深吸了一口气，以平复莫莉的话带来的一丝刺痛，“那是我和他之间的事情，不用你操心了。”

“好，我不管你们的事，果果是我的儿子，你再怎么带也带不亲的，你图个什么呢？为什么要跟我作对？你劝劝隋杰，把孩子还给我吧！”

“如果把果果还给你，你能保证让孩子过得很安稳很开心吗？你能保证不再跟隋杰怄气吗？你能保证不再拿孩子报复隋杰吗？”

莫莉想了半天，硬硬地丢出一句：“那是我们一家三口的事。”

这话一出口，两个女人都怔住了。莫莉说的“一家三口”暴露了她内心最真实的想法，尽管隋杰已经和沈小荻结婚了，莫莉还是对隋杰抱有幻想，觉得他们不过是赌赌气吵吵架，隋杰是一时糊涂，等想明白了就会回到她身边。莫莉现在所做的一切，不过是借着果果逼隋杰，她觉得，只要还掐得到隋杰的死穴，复合就还有希望，最起码，比眼睁睁由得他和别的女人双宿双飞强。

沈小荻心里有点发慌，她语气诚恳地劝莫莉，“其实你条件很好，又漂亮又聪明，再找个男人很容易，为什么要在隋杰一棵树上拴死呢？你们的缘分已经尽了，何必再苦苦强求。”

莫莉笑了，笑容里有一丝凄凉，也有一丝怨恨，“我和他的缘分怎么可能尽呢？我们有一个孩子，我们的关系永远都断不了。只要我日子不好过，我就会跟他一直纠缠下去，我劝你趁早回头吧！”

沈小荻什么话也不再说，轻轻地带上了里门，门外的莫莉也没再敲门。过了一会儿，楼梯间响起了清脆的高跟鞋声，由近及远，随着楼下大门“哐”的一响，一直贴在门背的沈小荻吁了一口长气，已经按了隋杰电话的手指终于没有拨呼号键。莫莉走了，警报暂时解除。

她明白，带果果走并不是莫莉的目的，莫莉就是来打击她的，不让他们安静地过日子。沈小荻知道自己不应该受她影响，莫莉和隋杰早就是过去时了，可她心里还是慌极了，她觉得自己在莫莉面前很自卑，她的美貌，她的强势，她层出不穷的新招式，她还有果果这个致命的筹码。沈小荻自认根本不是莫莉的对手。

晚上隋杰回到家时已经快十二点了，今天他有一个重要的客户要应酬，喝了不少酒，一到家就扑倒在床上。一直心事重重的沈小荻一把抱住了隋杰。

“老公，我有话要问你。”

“嗯。”隋杰半梦半醒地应着。

“你没觉得莫莉就是利用果果想跟你和好吗？”

“你怎么又来了？她要是想跟我和好至于上法院告我吗？”隋杰有气无力地摆着手，这段时间他太困也太累了，很久没有睡过踏实觉了，今天本想借着酒精沉睡一晚，不去想那些烦心的事，怎么沈小荻偏偏不放过他呢？

“我感觉她还是很在乎你，可又不知道怎么才能逼你回头，她知道果果是你的死穴，只有抓住这个不放。”

“我知道莫莉让你很烦，我也很烦很烦她，但现在她的焦点都在孩子身上，没有别的意思。”隋杰已经解释得有点烦躁了。

“可是……”

“老婆，你饶了我好吗？我们已经结婚了，她要想什么是她自己的事情，跟我没关系。我隋杰下半辈子只会有一个老婆，那就是你。”

沈小荻心头一松，喜悦像长了翅膀的小鸟一样飞上眉梢，她为自己的胡思乱想和不信任感到了惭愧，赶紧去洗手间拿毛巾来给隋杰擦脸。等她折回来的时候隋杰已经发出了鼾声。沈小荻轻手轻脚地给他擦脸脱衣，侍候着这个像大孩子一样的男人。她一点也没感到厌烦，他刚才说的话像给她吃了个定心丸，让她美滋滋地一遍遍回味着。

二审很快开庭了。

莫莉这次没有再打苦情牌，她知道上次自己当律师的招已经用过一次，不可能再奏效了，这次她咬牙花了大价钱请了一个出了名擅长打离婚官司的律师，当时离婚和一审都是经他指点才得胜的，这次让律师亲自上阵，她要确保有胜无败。一想到宣布二审结果的情景，想到隋杰那副斗败了的公鸡的模样，想到隋家鸡飞狗跳，莫莉就像三伏天吃了个冰西瓜一样爽。

而最紧张这场官司的人是沈小荻，今天她是果果监护权一案的第三人，而且她还将以第三人的身份来帮丈夫力挽狂澜。为这天，她已经暗地里准备很久了。

莫莉请的律师果然厉害，把莫莉一审胜诉的理由又再扩大一倍。于情理上，孩子偏向给母亲抚养；于经济条件上，莫莉也比隋杰强，哪方面都有利于孩子的成长。律师那精确的发言就像一道道利剑，正中本就落了下风的隋杰，这场官司看起来莫莉是赢定了。

关于继母可能带来的问题，律师的措辞很尖刻，“现在上诉人已经再婚了，他的妻子，也就是孩子的继母，她本人带来了一个快九岁的男孩，而我当事人的孩子才四岁，两个没有血缘关系的男孩在一起很容易有家庭矛盾，到时年幼体弱的孩子肯定不是大孩子的对手，那继母这个时候还能一碗水端平吗？她能保证照看好继子吗？谁来对这个四岁的孩子负责？当然只有他的亲生母亲！”

轮到沈小荻上庭的时候她很紧张，做了几次深呼吸之后稍微平静了一点，可还是嗓子发干，肌肉绷紧。她求助地看向老黑，老黑用手指偷偷地做了个“OK”的姿势。刚才老黑出示了她的房产证，她和隋杰的收入证明，以证明她和隋杰有能力给孩子安家。现在她需要补充一份资料。

“我想我现在说我有多么爱这个孩子，绝不会伤害他之类的话，可能不会有人相信。所以我想补充一份材料，这是一份鉴证书，这是鉴证我的婚前财产——这套四居室的房子是属于我和现在的丈夫隋杰共同所有的。既然是我和隋杰的，也就是孩子的。孩子没有失去他的家，只是多了一个妈妈。”沈小荻有些磕巴地说着自己背了无数遍的话。在这么重要的场合发言，她紧张得心跳都快赶上百米冲刺了，小腿也一直在哆嗦。但还好，她想说的话都一字一句表达清楚了。

这份鉴证书无疑是个重磅炸弹，莫莉惊得脸色变了，隋杰也瞠目结舌。莫莉嫉恨地看着沈小荻，这个女人怎么这么傻呢？这么做到底图个啥啊！隋杰总说她疯，她看这个沈小荻比她还疯，只怕隋杰从此之后很难离开这个女人了，莫莉心底那点想重修旧好的幻想彻底落空了，她感到了透心的绝望。隋杰又困惑又感动地看着沈小荻，沈小荻却像做错了事一样不敢与他对视。今天在法庭上拿出鉴证书，是因为已经到了最关键的时候了，这时候帮丈夫一把，等于是在救全家。隋杰眼圈红了，他赶紧把目光转向天花板，控制住一阵阵往上冲的百感交集。

老黑拿着鉴证书乘胜追击，“我想第三人已经说得很清楚了，她愿意把属于她个人的婚前财产拿出来鉴证给被告一半，足以证明她非常爱这个家，非常爱这个孩子。像这样一个无私的继母，难道还用得着怀疑她会伤害孩子吗？所以，原告以继母可能对孩子的成长造成损害为由，请求法庭变更孩子的监护权，这个理由是完全站不住脚的！”

法庭内一片嗡嗡的议论声。沈小荻这招出共不意地搅乱了看似已成定局的二审。

法院二审的判决是：孩子的监护权归上诉人，被上诉人享有每两周一次的探视权，上诉人应予以协助。

这也就是说，果果的监护权归隋杰，今后莫莉只能探视孩子，如果她想闹点什么事出来，隋家可以名正言顺地申请暂时中止探视权，甚至可以报警。

听完判决，沈小荻第一个念头是，她可以接果果回家了，她可以兑现她的承诺了。一种巨大的成就感从头贯穿到脚，她高兴得快要飘起来了。

散庭后，隋杰当众给了沈小荻一个大大的拥抱。千言万语，千恩万谢也比不上这个紧得透不过气的拥抱，只有这样才能表达隋杰的心情。就在沈小荻还没从胜利的喜悦中回过神时，她从隋杰的肩头看过去，看到了站在角落的莫莉。莫莉的眼神冷得像冰，她远远地看着他们，当看到沈小荻注意到了她，莫莉举手在空中画了一个符号。

很简单的一个符号——×。

沈小荻打了个冷战，一股杀气透骨而来。

Second Marriage

2婚

第四章

儿女双全一枝花？

千万不要随便许愿，那个你觉得最不可能的愿望没准哪天就会变成真的。和夏明皓离婚后，沈小荻曾经想找一个有女儿的离异男士，这样就可以过上《家有儿女》那种幸福生活了。命运的邪性在于你越想要的越不会给你，就算满足你的愿望也要以另外一个面目硬塞过来。

1

胜了诉，心里的大山搬开了，沈小荻和隋杰的婚姻这才进入了真正的新婚蜜月。

这场官司之所以能赢，应该说沈小荻把房子鉴证给隋杰一半起到了关键作用。隋杰一出法庭就问沈小荻："你为什么这么傻？房子是你自己的，你不应该给任何人。"

"我的不就是你的吗？我们是夫妻啊！"

"可是，我什么都没为你做过，你让我怎么承受得起呢？"

"傻瓜，我们不是还有一辈子吗？你怕没有机会对我好吗？"沈小荻故意说笑岔开话题，"告诉你，我老了之后会很烦的，到时候我又肥又老，又唠叨又眼花，你要照顾我很久很久呢！"

"我不怕你肥，最好肥到没别的男人抢你才好，正好达到我长期霸占的目的。"

"好啊！"沈小荻生气地来打隋杰，"难怪你平时总是逼我吃东西，原来安的全是坏心眼儿！"

在人流如织的大街上，隋杰也不管别人怎么看，一把把沈小荻抱进了怀里。

"和你结婚几个月了，一直在为果果的事忙活，也没带你去度过蜜月，趁着爸妈和果果还没回来，我去请几天假，咱们带海海去普吉岛玩玩好吗？"

“啊？你不是说普吉岛是小资装B圣地吗?!”

“为了我心爱的老婆，装回B算什么，就是装狗装猪都行！”

“讨厌！这么粗鲁！”嘴上骂着隋杰，其实沈小荻心里很高兴，她盼着这个旅游计划已经很久了。

不过隋杰的旅游计划并不止他们一家三口，还邀请了老黑，隋杰说这次的官司要好好感谢他。因为怕老黑一个大男人跟着他们一家人尴尬，沈小荻又叫上了宣萱。隋杰和沈小荻还不知道他们曾经撮合不成的这一对已经悄悄拍拖了。

普吉岛很美丽，可隋杰真是个杀风景的家伙，解决了一直以来让他焦头烂额的问题，他的心彻底放了大假，坐飞机他睡觉，晒太阳他睡觉，做SPA他还在睡觉，别人在看风景游玩，他却困得一路打哈欠。第一晚拿到酒店的钥匙时，他迫不及待地就拉着海海往房间走。沈小荻叫住了他，“老公，你今晚带海海跟老黑住，我陪宣萱住。”

宣萱敏感地看了一眼老黑，老黑正若无其事地在逗海海，“帅哥，给你选，跟你杰叔叔睡一个床还是跟黑叔叔睡一个床？”

“你睡觉打不打鼾的？”

“我啊，当然打鼾了……不过我有游戏玩哦！”老黑变戏法似的从兜里掏出一个崭新的PSP，这是他来之前就给海海买好的游戏机，就是为了哄孩子开心。

“啊！我要玩游戏！我要跟你睡！”海海兴奋地大叫着，拉着老黑就往房间里跑。

“老婆，那我去睡觉了，好困啊！”隋杰打着长长的哈欠跟着他们走了。

眼见着三个大小男人头也不回地进了房，宣萱自然是闷闷不乐。

“哈哈，甩掉男人们我们就可以自己方便啦！宣萱，咱们去海滩走走吧，去看看月亮，吹吹海风！或者是去游泳池看帅哥！”沈小荻兴冲冲地给宣萱提议。

要是平时，宣萱一定早跳起来了，今天却埋在枕头里不肯起来。自从那晚跟老黑好了之后，也算是跟老黑开始正式交往了，可老黑有很多莫名其妙的约定要她遵守，不仅不肯在隋杰两口子面前公开他们的关系，也不带她跟亲戚朋友见面。虽说交往时间不长，但宣萱的心都放在老黑身上了啊。为了俘获这个理想的结婚对象，她认真地在掏心窝子，可她越来越熟悉的是老黑的身体，越来越看不清的是老黑的心。

沈小荻和她这么多年朋友，一看就知道她有情绪。

“宣萱，你是不是生我气了？”

“行了，不关你的事！你千万别理我！”

“肯定是我们没接待好，不然这么好的地方你怎么来了不开心呢？好了宣萱，我给你赔罪了，开心一点好吗？”

“都说了不关你的事了……你说，一个男人和你拍拖了，可是不肯带你见任何朋友，不肯公开和你的关系，这种人是不是就想玩玩你？”

“你不是爱情专家吗？怎么问上我了？就我那两把刷子还不把你的事搞砸啊！”

“别闹了，我现在烦死了，我决定这次回去就跟他分手，我要告诉他，我不要做这种地下女朋友！”

“这个他是谁？你拍拖了吗？太好了！怎么没听你说过？”

“这个人……你听过就算了，千万不要跟别人说，特别是隋杰……他是老黑。”

“老黑！……你不是不喜欢他吗？什么时候跟他好上的？”

宣萱却没有心思再聊下去了，又把头蒙进了枕头，她有些后悔自己不该告诉沈小荻。分手的话也就是赌气说说，真的要做这个决定是不容易的，毕竟她并没有找到可以替代的目标，除了不公开恋情，老黑不好不坏也挑不出大刺来，她对他还是抱着很大希望的。

被冷落在一边的沈小荻发了一会儿呆，独自出了门。她敲响了隋杰房间的门，开门的是穿着沙滩裤的老黑。见是沈小荻，老黑笑了，“隋杰已经在打呼了，海海玩累了也睡了，怎么你还不睡觉？”

“我想去沙滩走走，你能陪我去吗？”

老黑有些意外，他回头看了一眼房里，但还是很乐意地陪沈小荻出门了。

两人沿着木制长廊慢慢踱步去海滩，海风把沈小荻的裙裾吹得轻轻飞扬，沙子细腻得好像女人的肌肤一般，沈小荻干脆脱下了鞋赤脚走着。月光将海滩镀上一层银白，又在海面洒得星星点点，白色衣裙的沈小荻与这银白色的夜景溶为一片，再粗糙的心搁在这情景里也会变得温柔起来。老黑惬意地深呼吸着，突然间童心大起，飞快地冲进海水里去，海浪一波波向他涌来，他一次次高高跳起跃过浪花，兴奋地大叫着。这一刻，他忘了自己的律师身份，忘了过去和将来。

"黑哥，你觉得开心吗？"

老黑肯定地点点头，"很开心，很久没有这么开心过了。你呢？"

"我也是，自从碰到隋杰之后，我的人生完全是另一个样子了，虽然有很多麻烦事，但是我的心始终都很快乐。我总是在想，很多人一生一世都没有真正爱过一个人，不知道相爱的幸福和快乐，他们结婚、生子、老去、死去，也许想爱，但始终没有爱。"沈小荻的声音很轻，但每一句都钻到老黑的心里。

"不是他们不想爱，只是他想爱的那个人，可能永远都得不到，又或者他已经失去了爱的能力，何必再去伤害别人呢？"

"他锁着自己的心，又怎么知道自己还能不能爱呢？他那么辛苦地想着那个得不到的人，有没有在意过身边同样有人在等待着他呢？一个让他这么痛苦的人，真的那么值得爱吗？真正值得爱的人应该是给他快乐和幸福的人，根本不会让他在痛苦里挣扎。人生这么短暂，为什么不快乐一点呢？"

老黑凝视着沈小荻。月色给她的面容镀上一层皎洁的光芒，她明媚的笑容是清澈的大海，她温柔的眼睛是闪烁的月光，让人徜徉其中不愿醒来。他禁不住心里一荡，赶紧继续话题，"一个人孤单久了，真的很渴望有个贴心的人陪伴，可真的两个人在一起了，很快又觉得窒息和恐惧。你觉得我是不是有问题呢？"

"你在害怕什么呢？"

"害怕被人欺骗，害怕婚姻的捆绑……可能都有。"

"说到底你是害怕被人伤害，害怕你的付出得不到同样的回报，害怕你爱的人会辜负你……你是不是还在为以前那次婚姻觉得心里不平衡？"

"是的，我认识前妻半个月就拿结婚证了，那时我真是很喜欢她，觉得她是非常特别的一个女人，很疯狂地想得到她，但我没想到她居然不喜欢男人，她要我们这个婚姻只是想给父母一个交代。婚宴当晚，她告诉我她可以给我生个孩子但以后不要再碰她，她说以后随我干什么绝不管我……真是可笑，我挑来挑去挑花了眼，居然挑了个同性恋结婚。"面对沈小荻，不知为什么，老黑这些很私密的话轻易地就说出了口。

"你还不肯原谅她是吗？当时你和她结婚的时候，是不是也想过给她一切，要为她做任何事情？那时的你开心吗？"

"说实话，那时的确很开心，我很难才找到一个自己这么想要的人……不过那是很冲动的想法，为她做任何事不包括被她利用和欺骗。"

"为什么是利用和欺骗呢？是你自愿要娶她的，她也需要你的帮助……你爱她娶她，你为她所做的一切，都是为了让你自己快乐，都是对你自己的爱负责的，她只不过是有幸当了这份爱的载体，你对得住自己的爱和良心，为什么还要心里不平衡呢？"

老黑心头在剧烈地震撼着，这些年从来没人跟他聊过这些，他强撑着做一个伟岸的男人，内心其实一直暗暗纠结着，可今天仿佛终于开始溶解了。他突然很感激眼前这个温柔的女人。

"那你呢？当年你为你的前夫也付出了很多，没有得到他同样的爱，你心里又是怎么平衡的？"

"我也有过非常不平衡的时候，可是再怨恨他又有什么用呢？他不会因为我的怨恨回到我身边，也不会因为我的付出爱上我，因为他并不需要这些。有一天突然我想开了，不管是爱还是恨，他根本就不乎，折磨的只是我自己。放下爱恨，我失去的是一个不爱我的人，而他，失去的可能是最爱他的人。他的损失比我大……"沈小荻大声笑了出来，"哈哈，我是不是很阿Q啊？"

"不，你非常……非常智慧……"

老黑很有种说些什么的冲动，可隋杰的影子突然浮了起来，他理智地压下了内心的波澜。眼前这个女人，是值得仰慕和尊敬的人，但永远要放在心里。

这个晚上真有意思，陪伴沈小荻的应该是隋杰，而他应该也去搂着宣萱睡觉，可沈小荻怎么会给了他这么美丽的一个夜晚呢？他微微笑了，仿佛一下从梦境回到了现实。

沈小荻没有察觉老黑的异样，她留恋地看看天空的月亮，"谢谢你陪我聊了这么久，很晚了，我们回去吧！"

沈小荻什么也没说，可她说的话让老黑翻来覆去一整晚没睡。早上他们去吃早餐的时候，沈小荻和宣萱已经坐在餐厅了。沈小荻穿了件白色T恤，愈发衬得肌肤白得透明，而宣萱则是抹胸热裤，热辣逼人，只是粉底掩饰不住宣萱黑黑的眼圈，显然昨天她和老黑一样没睡好。几乎整个晚上，她都在为要不要和老黑分手而挣扎。看到老黑过来，本来在说笑的她略微凝结了一下，赶紧把脸转向窗外，装成看风景。

老黑走过去，直接坐在了宣萱身边，他把手搭在了宣萱的肩膀上，冲着隋杰说："哥们儿，今晚我们要换房间了，你们一家三口去挤，我要跟宣萱住。"

隋杰吃惊地瞪大了眼,“你们俩——?”

“男生跟女生睡,羞羞脸!”海海刮着小脸蛋冲老黑喊。

“小兔崽子!她是我女朋友,将来你还要改口叫婶婶!”老黑笑着拍了海海一下。

这一切来得太突然了,宣萱被老黑搂得羞红了脸,心里说不出是喜悦还是尴尬,这个老黑,不是说不让把他们的关系告诉隋杰两口子吗?怎么现在又来这一出?是什么让他突然想通了?

“好小子,那阵子我们那么卖力地撮合你们两个,你们不领情,现在偷偷摸摸怎么又好上了?快点说是不是昨晚趁我睡着,你溜出去干坏事了?”隋杰惊喜地打趣着。

“我俩啥时候好的干吗要跟你汇报啊?总之你准备一个大红包就好了,你们俩骗了我和宣萱多少次红包啊,我可要连本带利一起收回来!”

几个人当中只有沈小荻很平静,她好像早就料到了这一幕,笑眯眯地看着他们打闹。

2

从普吉岛回来之后,小表弟建设带着他的未婚妻过来了。

隋杰这个小表弟,是个挺让沈小荻同情的人。建设的父亲,也就是隋杰的舅舅年轻时候得了精神病,时好时坏的,基本上丧失了劳动力,家里穷得常常揭不开锅。在建设两岁这年,舅妈终于无法再忍受这个没有希望的家了,她跟一个拾破烂的外乡人走了,撇下了年幼的建设两兄弟。舅舅受了刺激,稀里糊涂地跳河走了。好心的父母接过了这个担子,建设两兄弟就是跟着隋家的孩子一起长大的。隋家环境不好,建设读书也不上路,只勉强读完了初中。建设毕业后一直在南方打工,听隋杰说一直不太稳定,打了这么多年工也没能盖上新房,这在农村是很难有姑娘上门的,最近在母亲的极力撮合下说了个媳妇。这不,刚对上眼建设就把姑娘带到隋杰这边来玩了,建设欢天喜地地说:“我带她来给哥嫂见个面,玩几天,到时就从这里回老家去领结婚证。”

家里来了客人,回去接果果和父母的事只能往后拖几天,沈小荻高高兴兴地接待了建设两口子。她刚在老家享受过家里人的隆重接待,尽管那次没见着建设,但沈小荻不想失了礼数,到时建设回去跟家里人要一埋怨那她可丢不起人。

建设瘦瘦高高,五官端正,依稀有些隋杰的影子,在农村男人当中也算是一表人才了。他总是穿得整整齐齐的,连衬衣的第一粒扣子也要扣好,擦皮鞋更是每天早上必做的一件事。他一边擦鞋还一边呵气,不把鞋擦得锃亮绝不罢休。沈小荻有时跟他抢着擦,他死活不让人帮忙。沈小荻夸建设勤快,隋杰却说他是个驴脾气,顺着来还好,要是拧上了就倔得很。建设的未婚妻细芬是个细眉细眼的姑娘,挺时髦地染着一头黄发,打扮得挺像个城里姑娘的,或者说她努力想把自己变成城里姑娘,只可惜粗糙的双手第一个暴露了秘密。虽然小两口的相貌看起来很般配,沈小荻却对这未来弟媳的印象有点怪怪的,感觉不对劲的地方还挺多。

首先是这小两口发展太快了点。在他们来之前,沈小荻就收拾好了床铺,本来打算安排细芬跟自己睡,隋杰跟建设睡。哪晓得建设和细芬头一晚就主动睡到了父母的房间。几乎一整晚,沈小荻上洗手间时,都能隐约听到他俩的动静。早上小两口起不来, 一睡就睡到十二点起床。等沈小荻进房收拾屋子时可吓了一大跳,满地都是用过的纸巾团,可以想象晚上的世界大战有多激烈。沈小荻胃不好,一见这情景差点吐出来,可还得忍着恶心收拾干净,回头便跟隋杰说道,"他们才刚认识没几天啊?怎么能这么快就上床……"隋杰不以为然地说:"现在都什么年代了,对上眼了当然要做点爱做的事了。农村人不像城里那么多弯弯道道,相了亲就是奔着结婚去的。再说了,就许咱们好,不兴人家年轻人好了?"说完隋杰坏坏地来抓沈小荻,惹得她哈哈笑个不停。

第二点让沈小荻感觉不对的,是细芬不像个大山里走出来的姑娘。细芬跟隋杰沈小荻说话一点也不怯场,隋家的生活用品用得也很熟练,电视、微波炉、空调、热水器……复杂的电器在细芬手下根本不是难题,本来这些沈小荻准备先给细芬上堂培训课的,结果细芬用得比她还熟,倒是笨手笨脚又没记性的建设,总得让沈小荻跟在后头教。细芬早晚要各洗一次澡,有一次进浴室前还大喊沈小荻,"嫂子,沐浴露没了!"沈小荻真有点想不明白,这哪是农村姑娘的生活习惯啊!听隋杰说细芬也就出来打了三四年工,还一直待在工厂流水线上工作,目前也就是在厂里当了个拉长而已,听说一直都是住集体宿舍的。可为什么细芬对城里人的生活这么应对自如呢？如果她不是有超强的适应能力，那就是她平时的生活水准也差不多。可想想细芬也就是一普普通通的农村姑娘、工厂女工，她又从哪里拥有城里人的生活呢？

第三点让人感觉不好的，是建设还没跟她正式结婚，他的钱现在就已经全在细芬手里控制了，存折交给她保管不说，建设身上连一分钱现金都没有，要花钱的时候不是建设伸手找隋杰要，就是只有觍着脸找细芬拿。用细芬的话说："不让他瞎花钱，好逼着他戒烟。"沈小荻不喜欢大男人主义，但对妻管严也很反感，现在建设和细芬还没领结婚证呢，这情形看起来日后细芬一定是建设的领导了。对这点，隋杰反而说好，"就得让女人管管建设，可能还能逼他上进点。再说了，他存了多少钱我还不清楚啊！就他那点钱，细芬愿意帮他管是好事！"

感觉归感觉，接待还是要到位的，沈小荻陪小两口去了几个著名的人工景点，又例常地去海滨浴场。每个老家来的亲戚朋友都免不了有这趟过场了，沈小荻自嘲是内地驻深办的接待处主任，每年总是免不了要陪人去上几次，对这些地方实在是深恶痛绝。她曾经和宣萱恶作剧地讨论过，全世界最可恶的设计师是搞微缩景观的，他一定是同时还开着火锅店，不然怎么能把好好的公园做成大杂烩呢？

陪着建设和细芬到处逛，其实沈小荻就是一个导游和跟班，除了景点介绍，就是屁颠屁颠地跟在他们后面埋单。他们看风景，沈小荻就看他们，起初还为自己当了电灯泡自觉地走开一点，渐渐地越发觉得这两人关系有点不对头。

看得出来建设很喜欢细芬，走到哪里都要牵着细芬的手，打伞擦汗递水十分殷勤。不但看不出隋杰说他的驴脾气，对细芬简直有点死心塌地的好，也难怪，快三十的人了，突然得到了这么漂亮的一个媳妇，难怪建设要把细芬捧在手心。可细芬对建设却明显要冷淡很多，人多的地方建设来牵她的手，她总是佯装做别的事甩开，和建设在一起时她总有点心不在焉，逛景点也提不起劲来。可手机一响她就立刻精神起来，总是远远地走到一边去接，有时沈小荻注意到她和电话那头的人聊得很高兴，脸上的表情十分娇嗲，简直有点像在跟男朋友说话的样子，可建设这小子还在毫不在意地闷头玩着他的手机游戏。那细芬会是在跟谁通话呢？

建设是个穷小子，除了能给姑娘一个名分再没有别的东西了，细芬长得不错处事也挺老练，明显比同龄的建设要懂事得多，她完全可以找个条件更好的对象啊！听说建设是第一次正式谈朋友，眼下又是奔着结婚去的，凭着女人的直觉，沈小荻隐隐感到了一点担忧。

沈小荻把这件事上了心，晚上便找细芬聊天，想了解下这姑娘的心思。“细芬，听说你家离隋杰家隔着几座山头是吧？”

细芬点点头，“是的嫂子，我们是一个乡的。”

“我还听说你家有四姐弟，你是老大，担子应该很重吧？你也挺不容易的啊……”

沈小荻的话让细芬找到了共鸣，细芬重重地叹着气，“没办法，我就是这个命，谁让我上辈子没做好事，不能投个好胎！”

“建设目前是不太富裕，可他人年轻又勤快，家里没有老人要负担，我们有能力的时候还会帮你们，你们小两口只要一心过自己的日子就好了，很多人羡慕你呢！”沈小荻想替建设说几句好话，宽宽细芬的心。

然而细芬只是苦笑，“嫂子，建设比不得隋杰哥，他没什么文化，要指望他发财，只怕比登天还难。”

沈小荻反驳：“你这话就不对了，平常老百姓又有几个能发财的呢？一家人不挨饿受冻，平平安安的，就是好日子，就比什么都强啊！”

“在外面打工赚点糊口的钱，老了没人要了再回家去刨地，你以为就叫好日子吗？我们现在连个安身的房子都没有，我爸妈带大我们四姐弟已经够累了，他们不会再管我们的小孩，我将来要生了孩子只能辞工，建设他养得起我吗？如果老天保佑我们没病没灾的还好，要是有点什么三病两痛的，我们连医院都不敢去。这样的日子能平安吗？能好过吗？”细芬打开了话匣子，可每句话都怨气冲天，让沈小荻听得心直往下沉。

“细芬，你应该凡事都往好处想，只要两个人齐心协力，将来生活会一天比一天好的。”沈小荻极力劝着细芬，可她说出来的话自己都觉得没有力量。每个人都有自己期望的生活底限，不能说细芬的要求高，但建设眼下真的给不了她保障。

“嫂子，你是不了解建设，他脾气很不好的，他现在是图新鲜能听我的话，将来时间一长肯定就不把我当回事了，日子又这么穷，我可是一点指望都没有。”细芬越说越忧虑，眉头紧锁着。

沈小荻终于找到了一句可以驳倒细芬的话，“你这就不对了，建设不是对你百依百顺吗？我看他很喜欢你呢！”

“顺着我有什么用，一点实惠都没有……”细芬低下头玩起自己的衣角。

“细芬，我是过来人，有钱人是好，可他的钱是他自己的，跟你没关系，你越想就越够不着。女人找老公，千好万好也不如他对你上心的好，千挑万挑就是要挑个自己喜欢的人。”沈小荻苦口婆心地劝着细芬。

“可要是自己也不觉得有多喜欢呢？”细芬冷不丁地扔出一句实话。

沈小荻怔住了，一时不知如何接话。

“嫂子，我要是有你这个命就好了，又有钱又有情，你是什么都全了。”细芬自知失言，赶紧岔开了话题。

入夜后，沈小荻睡在床上，不知怎的越想越不安，不由摇醒隋杰问：“你觉不觉得细芬这姑娘心气儿挺高的？”

自从果果的事尘埃落定后，隋杰的睡眠质量空前地好，这不，头刚沾上枕头又已经迷迷瞪瞪了，“她怎么了？”

“她这姑娘把钱看得蛮重的，只怕建设抓不住细芬呢！”

隋杰清醒了一点，笑出声来，“你胡说什么呀，不是好好的吗？他们说再过几天就回去领结婚证了。”

“你不觉得细芬的条件比建设好吗？难道她不想在城里找个人啊？”

“她的条件有什么好的，她也二十好几了，在我们农村算老姑娘了，兄弟姐妹一大堆，也是穷得响叮当的，条件好的农村男人都不愿找她，何况是城里人呢？”隋杰点点沈小荻的脑袋，无可奈何地批评着她，“你呀，整天喜欢胡思乱想，别管那么多闲事行不行，他们再住几天就走了，你就忍忍吧，好老婆！”

沈小荻郁闷地嘟起了嘴，“我又不是嫌他们住在这里烦，我是为建设担心啊！”不过隋杰几句话一分析，她的担心已经去掉一大半了，男女之事不应该比条件论婚嫁的吧，人家还说沈小荻的条件比隋杰强得多呢，不是也一样嫁了吗？想到自己，沈小荻顿时豁然开朗了，她想她是杞人忧天了。

然而第二天一清早，睡得正香的沈小荻和隋杰被一阵急促的捶门声惊醒了。“哥！嫂子！”是建设急得带哭腔的声音。

沈小荻赶紧穿衣服开门，建设一见她就大声吼：“你昨晚跟我老婆说什么了？”建设举着拳头乱舞着，眼睛红彤彤的，对沈小荻吼的时候脸上青筋直跳，样子很是吓人。

“我，我什么也没说啊！”沈小荻被建设的样子吓坏了，她本能地护着头，生怕建设的拳头一把挥过来。

“她跑了！”建设把一张纸扔到沈小荻脸上，蹲下去呜呜地哭了。

隋杰捡起那张纸一看，上面歪歪斜斜地写着一行字：我走了，不能和你结婚了，不要来找我。

3

在到隋家来玩的第五天，细芬半夜悄悄地走了，给她的未婚夫，隋杰的表弟建设留了一张纸条，说不想和他结婚了。同时留下的，还有建设的存折，上面建设存的一万块钱分文未取。看样子细芬是真的下决心要跟建设断。在农村，姑娘如果要跟小伙悔婚，是要把小伙为她花的钱全部还掉的，沈小荻曾听隋杰说过，村里有对小青年分手，连哪年哪月哪日帮丈母娘家买了瓶酱油都算得清清楚楚。细芬没有拿走建设的积蓄，证明她不是个坏人，可跟建设结婚的可能也已经很渺茫了。

沈小荻好心办了坏事，无意间捅了一个天大的马蜂窝。因为前晚她跟细芬有过一会儿谈话，在建设心里，一定是沈小荻鼓动细芬出走的，要不然好好的细芬怎么说变就变了呢？细芬一声也不吭地走了，建设完全没了主意，他不回老家找老婆，也不去老婆工厂找，倒是从早到晚揪着沈小荻，硬说是嫂子把细芬逼走了。

沈小荻翻来覆去地解释着：“我前晚和她说过的每一句话都告诉你了，我绝不可能有半点拆你们台的意思，你是自家兄弟，我怎么可能跟自己过不去呢？”

建设的驴脾气这次真的犯了，“我不管，就是你逼走细芬的，你把我老婆还给我！”

隋杰生气地把脸一拉，“建设，你别瞎说！你嫂子一心想着你们两口子好，就算她不该问也是细芬本身就有问题！昨晚你嫂子就跟我说过了细芬的事，是我当时没有引起重视，现在想起来这姑娘真是挺不对劲的。”

“她有什么不对劲？她答应了我要回去领结婚证的，我不管，人是在你家走丢的，你们把人还给我！”

“好了，先别吵，现在我们一起想办法！”关键时候隋杰的态度还是很清楚的，他没有站到建设那边去，让沈小荻满心的委屈得到了平衡。

找一个自己走掉的大姑娘，还真不是件容易事。细芬的电话关机了，分明就是怕建设找到她。这可怎么办呢？

先是拜托尚在老家的父母去趟细芬娘家，母亲一听就在电话里大叫："怎么可能走了？昨天你二哥还去人家家里谈聘礼的事！她父母还说得好好的！"

隋杰一听也百思不得其解，"那就怪了，既然两家人都谈到婚嫁了，细芬怎么说不结婚就不结婚了呢？至少应该跟家里商量下啊！"

事实上细芬离开建设之后，根本没有回家，甚至没有和家里人打招呼，她就这么没有交代地失踪了。细芬父母一听细芬失踪了，比跑了老婆的建设还着急，求着隋家别的事情后面再说，一定要先把人找到，可别让细芬出什么意外。母亲在电话里打着包票，说细芬一家都是很忠厚老实的人，细芬走掉一定是有别的原因，不可能看不上建设。

隋杰和沈小荻急得班也没上，带上建设跑了趟东莞，去细芬打工的工厂找人。接待他们的是细芬的主管，也是她的老乡，一见面她就说："细芬不是回家结婚去了吗？她请的假都到期了，我也着急等她回来呢，手头几个顶她班的人都转不过来了。"

建设一听就急了，"一定是你们工厂把她藏起来了，你让我进车间去找找！"

隋杰狠狠地拍了建设一巴掌，不让他在这里犯浑。

沈小荻想到了细芬时常接的神秘电话，建议去细芬宿舍找人问问，或许能知道细芬平时都跟什么人交往。在细芬主管的带领下，隋杰一行三人七拐八拐地到了一间大教室般的超大宿舍。别看这间宿舍超级大，住的人更是多到令人震惊。这里全是上、中、下的三层铺位，每个铺位有一米二宽，住两个人，铺位之间的过道，只有一个手臂的距离，就这点距离还被姑娘们拉着绳索晾衣服。从门口到细芬的床位，隋杰他们就在姑娘们的内裤和胸罩下穿行，不时有湿答答不知所然的水珠滴下来，令人起腻地掉在他们脖子里。

细芬和一个足有130斤重的姑娘挤在一个下铺里，上铺常年被日光灯烤着刺着，下铺则常年阴暗潮湿，终日见不着光亮。想到细芬平时就在这样的环境里生活，沈小荻的心简直像掉在泥坑一样难过，她突然理解了细芬那种想过好一点日子的心情。

和细芬同床的姑娘对她也是一无所知，"她回老家相亲就没回来过啊，我们俩是对班倒的，每天工作最少十小时，每天我们也就是碰个面，偶尔有一天休息我就忙着补觉，她喜欢逛街。虽然我们睡一个床，可没什么时间说上话。”

“细芬平时经常外出吗？”沈小荻疑惑地问。

“你也看到了，我们这个鬼地方根本不是人待的，除了上班睡觉，细芬只要有一点时间就会跑出去。”

“那平时有什么朋友来找她吗？”沈小荻问。

“没有啊，我们一天到晚都在工厂里，这个鬼地方都不好意思让人来。”

“我的意思是……”沈小荻犹豫地看了一眼建设，还是小声地问了出来，“你知不知道有没男孩子在追她？”

胖姑娘唉声叹气，“厂里做工的人百分之九十五都是女的，连飞过一只苍蝇都是母的，上哪里有男人追啊？要是有人追，我看细芬用不着回家相亲了。”

在建设的坚持下，他们到当地派出所报了案。细芬就像风吹起的一阵沙粒，硌痛了建设的眼睛和心，无论用清水冲还是用手指揉，就是找不出病源所在来。几天前还有说有笑，对细芬千依百顺的建设变得暴躁得很，怒火冲天的，谁也不敢惹他。出事后他对沈小荻一直怒目以对，如果不是碍着隋杰在场，恐怕他的拳头早就挥过去了。

最内疚又最冤枉的罪人就是沈小荻了，她私下跟隋杰说：“女儿家的心事本来就很难捉摸，何况细芬从小日子穷苦，现在见识了城市浮华，男耕女织的生活已经不能满足细芬的需要了。建设以为细芬答应结婚就是一辈子，其实细芬当时一直在犹豫啊！”

“老婆，你别难过，不关你的事，细芬和建设本来就不是一路人，她想过好一点的日子不跟建设结婚，这很正常。”

“可现在的问题不是细芬能不能找到，而是怎么让跑了老婆的建设死心。”

“我来想办法，你别急。”

建设不肯回去上班，他整天猫在细芬工厂附近，说要守在这里等细芬，毕竟细芬还有些衣服用品没拿走，她不可能不回来拿。建设吃不下东西也不肯睡觉，他迅速地瘦下去了，脸上凹进去两大块，胡子拉碴脸色发青，像个无家可归的流浪汉。他从早到晚猫在工厂门口的一角，像焊在了地上一样一动不动。他死死地盯着进进出出的女工们，只要有长得像细芬的女人他就立刻跳起来，追上去拉住人家求：“老婆，老婆！你跟我回去吧！”

被他拉住的人都会条件反射地大叫:“你神经病！”

当建设看清楚不是细芬后，会马上松手退回原地，继续当他的猫王，丝毫不理会别人异样的眼光。

陪着建设猫到第二天之后，隋杰急得不行了，公司的电话催了一个又一个，建设不上班他还要上班呢，可怎么劝也劝不动这个驴脾气的表弟，隋杰不由得火了，“你看看你像个什么样子！为个女人你把自己折磨成什么样子了？你还是不是个男人？”

沈小荻把隋杰拉到一边，“你发火也没用，不如想个办法先把他骗回去，不能让他在这里出什么事。”

隋杰一想也是，他和沈小荻商量了一下，让沈小荻先走远一点拨通他的电话，然后他佯装惊喜地在电话这头喊:“什么？细芬回来了？行，我马上带建设回来。”

隋杰的电话还没说完，建设已经听到了细芬的名字，像打了兴奋剂一样从地上跳起来，“我老婆找到了？在哪里？我赶紧去接她！”

隋杰搂着建设，佯装高兴地说着:“她回深圳了，咱们赶紧吃点东西回去。你想吃点什么？我们先去吃顿好的，回头让细芬看到你精精神神的！”

建设露出他的大白牙高兴地笑了，一点也不去追究隋杰说话的真假，他开始认真地想他吃过的最好的东西，隔了好一会儿才说:“哥，我想吃桂林米粉，我要吃三大碗！”

隋杰心一酸，可怜的建设，桂林米粉对他已经是最好吃的东西了。

建设狼吞虎咽地吃了三大碗桂林米粉，一上回深圳的大巴他就睡着了，他靠在椅背上歪歪倒倒的，随着车辆的颠簸而不停晃动，可睡着的脸上始终挂着一丝幸福的微笑。他梦见了细芬。同样疲惫不堪的沈小荻和隋杰却毫无睡意，他们不时对视一下，两人心里都挺发愁，建设是骗回家了，可回到家时他找不到细芬又会怎么样呢？

同样心急火燎的还有隋杰的母亲。对于建设这个没爹没妈的孩子，做舅妈的她尽到了抚养他成人的责任，心里早把他当成了自己的孩子看，眼下孩子遭了罪，当妈的是最心疼的。本来还想在老家住一段时间的她第一时间赶回深圳了，只有她在建设犯倔的时候还能控制下局面。

当建设满怀欢喜地等到了门开，他没有看到心上人的倩影，而是满脸褶子的老舅妈。建设也不跟老人打招呼，把她往旁边一推，急匆匆地进了家门，这个房间找找那个房间看看，连柜门床底都打开看了几遍，嘴里一直高喊着："老婆！老婆！"哪里有细芬的身影！

建设停了寻找和叫喊，一声不吭地在客厅沙发上坐下了。隋杰和母亲都不敢做声，沈小荻不知就里，一进门就给建设倒了一杯水送过去。隋杰去拉沈小荻时已经晚了，建设阴沉着脸，一把抢过沈小荻手里的水杯，狠狠地往地下一砸。"啪——"玻璃杯惨烈地碎成无数细片。和玻璃杯一起爆发出来的，是建设歇斯底里的叫喊："你骗我！是你逼走了细芬现在又骗我，你不是人！"

母亲怔了一怔，大声呵斥建设："你个不知好歹的东西，你还有没有良心啊？你嫂子为你的事操了多少心！腿长在细芬自己身上，谁能替你拴得住她？要怪就怪你自己没本事，连个老婆都留不住！"

建设阴沉的五官渐渐扭曲到一起，他从沙发上滑到地下，像个孩子似的号啕大哭起来。

母亲的一句话牵动了沈小荻数日来一直忍着憋着的委屈，她的鼻子发酸了，隋杰心疼地把她搂在怀里，推着她往卧室走。

"对不起，对不起，都是我不好，那晚我要是听你的话去提醒下建设就好了，也不会让你在建设面前担着这个罪名了……"

隋杰越说，沈小荻的心里就越委屈。

隋杰急得开始骂建设："这个浑小子真是太不像话了，这么一个不明事理的性格，难怪人家细芬不肯要他！"

沈小荻挣脱隋杰的怀抱，把头埋进了枕头里。

这客厅里一个痛不欲生，卧室里一个伤心欲绝，真把隋杰急得直挠脑袋。

这时家里的电话响了，母亲接了起来。是细芬的父母打过来的，细芬终于跟家里联系了，她说已经跟别人在一起了，不可能再跟建设结婚了。细芬父母都是忠厚老实的人，乡里乡亲的也不愿被人指着脊梁骂，可又拿在外面的细芬没办法，只好打电话来向母亲请罪，说愿意赔三千块钱给建设，当做是悔婚钱。

这个时候的建设只要细芬回来，别说三千块钱，就是给他三十万他也不肯啊！母亲不敢跟建设说，把这事偷偷告诉了隋杰和沈小荻，"细芬还在东莞。"

原来细芬真的在东莞，现在怎么办？

沈小荻抬起头来，与隋杰面面相觑。

4

求爷爷告奶奶的，隋家终于从细芬父母那里要到了细芬的电话，条件是绝不让建设过去找她闹事。

拿到细芬的电话，隋家并没有冲动地马上就拨通，而是商量怎么处理。隋杰这几天有个重要的招标会，根本走不开；而建设情绪这么不稳定，估计还没见到细芬就会把事情弄得更糟糕；母亲作为一个长辈，去找细芬求她回家似乎更不妥。唯一有把握能跟细芬说得上话的就是沈小荻了，可沈小荻这还憋着一肚子委屈呢，隋杰只是想想又不好开口跟老婆说。

最后还是沈小荻自己发话了，“我可以去找细芬试试，可能不能把她劝回家我是一点信心都没有，要是她不回来建设再怪我怎么办？”

“好老婆，明白明白。”隋杰忙不迭地回答着，“其实我也觉得细芬不会回来了，只是死马当活马医一下，就算她要走也给建设一个说法才行，不然建设这么闹下去，我们真的要顶不住了。”

没有办法，沈小荻只得再一次登上了去东莞的车。虽然有细芬的电话，沈小荻还是一直都不敢打，她怕细芬不肯见她，到时再换一个电话就更头疼了。她想到了上次建设在东莞报过案，于是找到派出所说要找的人现在有了下落，请他们帮忙打个电话问清她现在的住址。警察很爽快地帮了沈小荻这个忙，一听是派出所打来的电话，细芬果然配合地回答了所有问题。

现在细芬的住址就攥在沈小荻手里了，没想到这个让建设急得要发狂的问题就这样轻松地解决了。

细芬住在一个住宅小区里，离她以前上班的工厂不远。沈小荻很快找着了地方，再没有一丝犹豫，她直奔细芬住的三楼。

门开了，穿着丝质睡袍的细芬开了门，一见是沈小荻，笑容凝结在细芬脸上，她慌得赶紧去关门。这时沈小荻已经迅速地把半个身子挤进了门里，细芬一关门她就被夹得大叫，细芬只得又松开了，皱着眉看着沈小荻，“嫂子，你这是何苦呢？”

沈小荻擦擦脸上的汗，吁了口气，“既然你还叫我嫂子，那我就讨口水喝吧！”

进了门，沈小荻发现这是一个布置得很舒适的两居室，沙发上乱七八糟地堆着一堆刚从衣架上取下来的衣服，眼尖的沈小荻一眼便看出里面大都是男人的衣服。

细芬给沈小荻端来水杯，一言不发地等着沈小荻开骂。然而沈小荻并没有破口大骂，而是愁眉苦脸地告诉细芬："细芬，你走了可把我害惨了，你家建设没完没了地揪着我要人，说一定是那晚我跟你说了什么才把你逼走了，我真是两头不是人啊！"

"对不起，嫂子。"细芬低着头道歉。

"我没事，可是建设真的急疯掉了，细芬你为什么要这么对他呢？"沈小荻看着茶几上放着的一个男式电动剃须刀，心里已经明白了七八分。

"如果我不这样走掉，建设是不可能放我走的。"细芬无奈地叹着气，"都怪我自己没想明白，在工厂做工没什么盼头，年龄一天天大了，家里天天催我回去相亲结婚，当时看着建设长得还不错，自己想就结婚算了，可跟建设处了几天，觉得跟他结婚比我自己一个人过还要没盼头。"

"那你现在跟别人结婚了？"

细芬的脸涨红了，"说实话，我没有结婚，我男人……他是我们经理，他是台湾人，在台湾有老婆……他追了我很久了，我一直在犹豫，知道走了这条路就没得回头路，所以这才回去相亲，可是……我对不起建设……"

听着细芬吞吞吐吐的表述，沈小荻并没有丝毫惊讶，这个结果在来之前她就已经猜到了，但她仍然轻声劝着："你可要想清楚啊！建设是穷，可他能给你名分，能跟你一起过日子，能跟你生孩子，能陪你白头到老……你当人家二奶，只怕是有今天没明天啊！"

细芬眼睛红了，沉默了好一会儿才说话，"我知道，这些我都知道，我男人说只要我给他生个儿子就保证管我一辈子。我是真的穷怕了，苦怕了。建设是对我好，可是我为什么宁愿做人家的二奶也不当建设的老婆呢？因为他这个人还是个孩子，跟他在一起我要操心一辈子，我是想找个男人，不是要个儿子。"

沈小荻不再勉强她，但提出了新要求，"你说的这些我都能理解，可是，你能见建设一面吗？把跟我说的这些话再跟他说一遍，让他死了这条心，今后也好重新开始过日子。"

"我不会再见建设的，如果嫂子你把建设带到这里来，就是逼我去死。我男人要是知道有建设，一定会不要我。”说着细芬拿起茶几上的水果刀，用刀刃抵住自己的手腕，眼睛直直地盯着沈小荻，要她给一个承诺。

沈小荻吓得脸色一变，慌忙说：“你别做傻事，我答应你，不会逼你的。”

细芬想了一会儿，“这样吧，人我是绝对不见的，你帮我捎封信给建设，让他以后忘了我吧。”

就这样，去找细芬时沈小荻攥着一张纸，出门还是攥着一张纸。只是去时是她的地址，回来却是捎给建设的绝交信。一路上，沈小荻不时要展开看看那封绝交信，这信是细芬用了一个小时时间才写成的，其实只有两句话。建设：你不要再找我了，我跟别人好了，他比你有钱，能让我过好日子。我对不起你，你再找个姑娘成家吧。

她理解细芬，可她也明白这封信就是一把刀子，现在她却要把这把刀子亲自捅到建设心上去。

回到家时，沈小荻一进门就发现家里静悄悄的，母亲迎上来给她拿拖鞋，连声追问细芬的情况。“细芬不肯跟你回来吗？她肯不肯再见建设一面？建设到外面去贴寻人启事了，我们还没把细芬的下落告诉他。”

沈小荻心情很沉重，什么也没说地直摇头。

绝交信是挑了所有人都在家的时候交给建设的。建设一听是细芬的信，激动得接信的手都在抖。哆哆嗦嗦地看了一遍，建设似乎没看懂，又看一遍，还是不明白，建设抬起茫然的眼睛问隋杰：“哥，细芬啥意思？”

隋杰不忍心却又不得不再点醒他，“细芬要跟你分手，她有别的男人了。”

“为啥要跟我分手？她走之前还好好的，她跟我说了要结婚的。”建设还在钻牛角尖。

“建设，哥求你了，你醒醒吧，细芬她根本不喜欢你，她喜欢有钱有势的男人，咱们把她忘了，再找个好姑娘，这世上好女人多得是。”

突然间，建设一下子冲到沈小荻面前，吓得母亲赶紧拦在她前面，生怕建设又犯浑。然而建设只是想问沈小荻：“昨天你不在家是不是去找细芬了？你见着细芬了吗？你是从哪里拿到的信？”

沈小荻和隋杰对视一眼，这个问题他们早就商量好了，一定得骗建设，免得给细芬带去麻烦，把事情弄大。沈小荻支吾着说：“昨天我是出差了啊！这封信是在我们家邮箱找到的，我们也不知道是谁送来的。”

"细芬会不会是让坏人控制了？对，她一定是被坏人抓走了，这信是坏人逼着她写的。不行，我要找到她，把她救出来。"建设旁若无人地自问自答着。可他的假设只停顿了一分钟，立刻又把矛头转向了沈小荻，"是你把细芬关起来了对不对？你为什么要关着细芬？你把细芬还给我！你还给我！"

建设推开年老体弱的母亲，用手去抓沈小荻。沈小荻吓得直往后躲，还好隋杰及时地钳住了建设的手臂。看着这个痴痴傻傻的表弟，隋杰气得快爆炸了，抬起手狠狠地抽了建设一耳光，同时大声地告诉他："告诉你吧，我们是已经找到了细芬，细芬现在当了一个台湾人的二奶，她的日子过得不知有多舒服。为这么个贱人你值得搞成这样吗？是咱隋家出来的男人就给我争气点，别在这里丢人现眼！"

建设被这个耳光抽得重重地晃了一圈，然后像放了气的皮球一样慢慢蔫了，摇摇晃晃地走进房间，蒙头盖住了被子。

建设这一睡就是两天，他不再跟家里人闹了，也不再去徒劳地贴寻人启事了，沈小荻尽量避免跟建设说话，以免又招来麻烦。就在大家以为他会慢慢好起来的时候，建设像个不散的冤魂一样又缠上了沈小荻，这次他不再怒目以对，也不再骂人打人，他只是哭丧着脸求沈小荻，"你告诉我细芬她在哪里。"

沈小荻只要一和他照面就精神高度紧张，"我不知道，我不知道。"

"你知道的，家里只有你出过门，肯定是你找到的细芬，你就告诉我细芬在哪里吧！我只是想看她一眼，就最后一眼。"建设前些日子的暴戾没了，只剩下一脸的哀求。

沈小荻心一酸，差点要把细芬的地址告诉他，可一想起对细芬的承诺，一想到建设这样牛皮癣一样可怕的性格，她宁愿建设在家里闹，也好过去毁掉细芬的生活。沈小荻只得向母亲求助，这时母亲就会跑过来救火，领走建设到一旁去训斥。

可建设的哀求还是孜孜不倦，有隋杰有母亲在场时他不敢有所动作，但隋杰毕竟工作很忙，母亲偶尔也要出门买菜，搞得沈小荻回自己的家就像进监狱一样难受，她开始天天盼着建设走，不然这日子哪里是头啊！

终于，这天建设又把沈小荻堵在了家里。当时隋杰和母亲都不在家，下了班的沈小荻一进家门就感觉形势不对，正想退出去的时候，建设从厨房闪出来，嘭地把大门关上了，而且顺手反锁上了门。

看着建设那张说不出是阴沉还是晦气的脸，沈小荻一步步往后退。建设一步步跟过来，沈小荻心里发毛了，伸手在身后的电视柜上乱抓着，突然间摸到了一个熨斗，她把它握在手里，心里感觉稍微定了一点。

他在离沈小荻还有一步远的地方停住了，像看西洋镜一样认真地看了沈小荻一会儿，突然间，扑通一下跪倒在沈小荻身前。“嫂子，我错了，求求你告诉我细芬在哪里吧！”

本来准备生死搏斗一番的，沈小荻没想到建设竟然来了这一招，简直让她哭笑不得，她只好拖着建设的衣服往上提，“你这是做什么？赶紧起来！”可瘦弱的沈小荻怎么能提得动这个年轻力壮的小伙子。

这时门锁已经响起钥匙的动静，是隋杰回来了，他怎么也拧不开反锁的门。沈小荻着急地想去开门，建设却拽着她不放。“嫂子，我都给你跪下了，你就告诉我吧，不见细芬一面，我死了都不甘心啊！”

沈小荻又急又气，“一个大老爷们儿为女人搞成这样，你真的很恶心！告诉你，细芬就在东莞，可她就算见了你也不会要你的，你照照镜子看看你自己什么模样！”

不知是沈小荻的话刺痛了建设，还是终于得知了细芬的下落，建设沮丧地松开了沈小荻。沈小荻逃出来打开门，扑进隋杰怀里惊魂未定。

刚才发现门被反锁，进来一看委屈的妻子和还跪在地上的建设，隋杰便明白了刚才屋里发生过什么，他再也忍无可忍了，从包里拿出一万块现金推到建设面前，“你走吧，我们帮不了你了！”

建设没有拿钱，只是低头回屋整理好了自己的行李。出门前，他恭恭敬敬地给隋杰和沈小荻鞠了一躬。

隋杰追出来，不放心地问：“你准备去做什么？”

“我自己还有点钱，我要去东莞买个摩托车拉客，赚钱。”看到隋杰没有反对，建设又补充了一句，“找细芬。”

隋杰对建设彻底死心了，厌恶地把手一摆，“没出息的东西，滚！别让我再看到你！”

建设走了之后，隋家终于回复了往日的平静。再得知建设的消息是在一个月之后，那天一家人正在热热闹闹地吃着饭，家里电话响了，是母亲去接的电话。听着电话，母亲的脸色变了，她喊了一声“建设！”然后眼泪喷涌而出。

5

建设死了。

离开隋家后，他真的去了东莞，买了辆二手摩托车，整天在大街上拉客载货，赚点小钱混生活，主要目的还是想找细芬。出事这天，他正好送一个客人去细芬做过工的工厂，在回来的路上他看到路边有一个女人长得很像细芬，他在摩托车上喊了一声“细芬”，那个女人惊讶地回了头，这次建设看准了，她真的是细芬。在极度的喜悦和痛苦中，建设与迎面开来的大货车对撞上了，建设像一片羽毛一样飞了起来，他飞到半空中翻了个跟斗重重地摔到地下，可他的眼睛一直没离开过细芬，他看到细芬在惊恐地尖叫，他听到自己说了一句：“老婆，别怕……”

建设终于找到了细芬，他笑着走了。

从得到建设出事的消息起，隋杰就没说过一句话，他沉默地抽着烟，后悔折磨着他。他恨自己为什么要赶建设走，他恨自己为什么不对建设多一点耐心，他恨自己打建设的那一巴掌……他们每个人都怕建设会做出一些伤害别人的事情，其实建设从来没伤害过任何人，他只伤害了自己。建设的死，隋杰觉得他要负最大的责任。

沈小荻也内疚极了，“为什么我不用刀架着细芬回来跟建设说清楚呢？为什么不说清楚细芬的住址，他们两口子的事情应该由他们自己解决，我不该跟着掺和，我只想着别让细芬出事，却没想到建设会出事……我明明知道他是个驴脾气，可没想到他会死心眼到这个程度啊！都怪我，都怪我……”她絮絮叨叨地跟隋杰说着，话说出来她是好过些了，隋杰的痛苦却加重了。

隋家弥漫着悲哀的气氛。

建设无父无母，只有一个在部队当兵的亲哥，因为军务在身没办法赶过来，所以建设的后事全权交给了隋杰。所谓后事，不过是去交警那里领回他的东西，由于是建设自己逆行撞上那辆倒霉的大货车，他又无牌无照，对方是无责的。不过隋杰也没想过要赔偿，他没有心情也没有时间去做无谓的追究。

在殡仪馆领骨灰的时候细芬来了，她哭得脸肿得像个烂桃子，看到隋家人，她一个劲地道歉：“对不起，我没想到事情会搞成这个样子的，我不想建设死的，我以为他过些日子就会把我给忘了……”

隋杰眼皮都不抬一下，他不想跟细芬说话，他从心底里憎恨这个女人，可建设已经死了，恨她骂她打她也没可能让建设活过来了。好在建设一直固执地认为细芬没有变心，这样的选择但愿他是甘心的吧。

建设死了，最难过的人是一直把他当儿子看的母亲。沈小荻原以为母亲多少要埋怨细芬埋怨他们几句，可母亲什么也没说，在大哭了一场后老人家便止了泪，反过来还劝隋杰和沈小荻，“这是建设的命，你们已经很对得住他了，死了的人就由他去吧，你们要宽宽心好好过日子。”

看着母亲像往常一样麻利地安排家务，沈小荻心想，母亲这辈子遭受过这么多打击，如果不是她想得开，只怕早就倒下了，比起老人家的坚强，建设这一辈人的心理素质实在是差太远了。

虽然建设的事给隋家留下了一道难以抹去的伤痕，但日子毕竟还要过下去，这时果果和隋杰的父亲已经回家了，孩子们忙着适应新学期，生活似乎回到了原来的轨道。只有沈小荻觉得，隋杰还没从建设事件的阴影中摆脱出来，因为笑容在他脸上总是一闪而逝，尽管有时他会照顾沈小荻的情绪说笑一下，但他似乎更喜欢一个人待着，好不用应付什么地发呆出神。

他的难过，他的自责，沈小荻感同身受，她也觉得还是让他自己想通比较好，尽量地给他多一点空间。从建设的事情上，她越来越觉得隋杰的脾气其实也挺驴的，如果想让他顺着你的意思走，就绝不能硬着干，莫莉就是犯了隋杰的倔脾气。再嫁的生活，她像个摸索前行的盲人，好在她有前妻这个导盲杖做指导，让她少走了很多弯路。在这一点上，沈小荻暗暗有些感谢莫莉。

就在这时，一件蹊跷的事情出现了。

最开始觉得蹊跷，是隋杰有天出门忘了拿手机，沈小荻看到手机追出去给他的时候来了个信息。沈小荻平时并没有查隋杰手机的习惯，只是这天不知怎的按了查看键，这一看吓了一大跳，那信息赫然写着：今天中午你一定要来哦！再不来宝贝生气啦！发信人是“宝贝”。

宝贝？好亲密的称呼，是哪个女人吗？就在沈小荻五雷轰顶地站在楼梯间发呆时，隋杰急急忙忙跑回来了，“我手机没拿……你送来了？太好了，我今天有重要事情，不跟你说了！”隋杰拍拍沈小荻的脸，三步并两步跑下了楼，并没有注意到沈小荻神情异常。

恍恍惚惚地在公司坐了一天，沈小荻还是没想清楚自己应该怎么办，回去直接拷问隋杰吗？不管怎么说，私看他手机是不对的，如果他有心隐瞒秘密，只怕问也问不出结果来。思前想后没个主意，沈小荻只好找宣萱求助。

闺密到底是闺密，宣萱就是沈小荻的消防员，一听有难就马上赶过来了。听着沈小荻的诉说，她半信半疑，“不会吧，隋杰这么快有小三了？他跟一般男人不一样啊，还是挺扛得住诱惑的。”宣萱想起了自己曾经追隋杰的事，那时的隋杰多坚定啊！

“会不会是我误会他了？他平时除了上班、出差就是在家，所有的行踪我都很清楚啊，哪有机会去偷情。”想着那个硌人的信息，那个亲密的称呼，沈小荻心乱如麻。

“你知道吗？很多男人跟老婆说在上班，所以他们在中午约会，你知不知道有种叫钟点房的东西？有时候，我们以为男人穷就不花，就一定有有钱男人身上没有的优点。呵，多傻，男人都是靠不住的。”

“我看今晚我还是直接问他吧，问问到底是什么意思，他要是有小三，我这就……”

“你能怎么样？再离一次婚吗？”

“离婚？我，我我我不想，绝对不想。”

“那你就忍着，反正男人都是一样的，夏明皓这样对你，隋杰也是一样。”

“不会，隋杰不是那种人……要不我试试忍着吧……”

“行了，人的忍受是有极限的，当超过极限的时候就只有爆发。沈小荻，你这种人一爆发就是决裂。明白吗？”

“我不想和隋杰决裂，现在只是发现了问题的苗头，希望能尽早排除尽早扼杀，不要再重蹈上次婚姻的覆辙。”

“这样吧，你还是不要打草惊蛇，咱们先暗地里查一下隋杰，抓点证据再说。”宣萱的声音里突然带了点神秘兮兮，“来，我给你看样东西。”说着宣萱从手袋里拿出一个小巧的笔记本电脑，开机后点开桌面一个软件，一个类似心电波的屏幕跳了出来，同时传出两个男人通话的声音。

“老黑，今晚订了房，过来玩几圈吧！”

“好啊，一会儿我给女朋友说加班！”

“你怎么老这样啊！还没结婚就让女人管成这样了?!”

“呵呵，我这不是少找点麻烦嘛，要是惹得她天天找我闹事，我哪还有心情跟你们玩。”

……

“这是什么？”

“这是个监控软件，我给老黑装了一个，不过没什么意思，他最多也就是跟人去偷偷打牌，现在我都懒得再监控了……”宣萱微笑着，脸上有掩饰不住的得意，显然为自己驭夫有方而自豪。

“有这么先进的软件吗？老黑不会发现？”

“要给他发现就不叫监控软件啦！你太落后啦！太低估高科技了！这样吧，只要你哪天把隋杰的手机弄出来，我找人给他装个监控软件，以后他的通话内容就全在你的掌握中了，有什么事也不怕他赖账。”一种想探知隋杰秘密的心态，促使宣萱兴奋地怂恿沈小荻。

“可是，这么做太过分了吧?！”

“有什么过分的?只有知己知彼，才能百战百胜！听我的，你现在一定要不动声色，找个机会把隋杰的手机偷出来，我们只要半个小时就能搞定！”

沈小荻心里乱极了，她对隋杰很失望，但宣萱的方法她接受不了。不行，晚上还是直接问隋杰去。

结果这晚隋杰十一点多才回家，沈小荻心里一直乱糟糟的，她按了一晚上的电视遥控，憋了一肚子要问的话，一见隋杰进房就立刻跳下床来准备发问。可隋杰一进来电话就响了，“喂？喂？——咦？是信号不好吗？今天怎么回事？”隋杰看了一眼自己的手机，随手搁到床头柜上，开始脱衣服准备去洗澡。

“小杰，我有事问你……”沈小荻尽量让自己的声音听起来比较平稳，她警告自己，要心平气和地说话，不要让隋杰觉得她无理取闹。

“我先冲凉，热死了！”

沈小荻满腔怒火不想却扑了个空，只好拿起他的电话，气呼呼地按了已接电话。果然，又是那个“宝贝”打来的电话。这下沈小荻更怀疑了，她相信隋杰刚才根本不是信号不好听不清电话，而是她在场不方便说话，这才故意装听不到的。一时间沈小荻心里万马奔腾，她决定了，马上就问隋杰，立刻！

隋杰今天心情很好，一冲完凉就出来抱沈小荻，把她往床上一扔就扑了上去，狠狠地亲起她来。沈小荻用力挣扎着，想和他严肃地坐着谈点事，“别闹！别闹！”

隋杰堵住了她的嘴，“乖老婆，让我好好亲下你，咱们好久没亲热了。”这是实话，建设出事后闹得大家都情绪不好，的确很久没亲热了。

沈小荻还想说什么，可满肚子的疑虑和怒火却在隋杰火热的亲吻中渐渐模糊，游离，飘远……一场畅快淋漓的爱做下来，沈小荻已经快忘了自己要跟隋杰算账的事了，她偎依在隋杰怀里，轻轻抚弄着他脖子上挂的绿幽灵吊坠，听着他尚未平静的心跳，脑子完全被刚才的剧烈运动清空了，变成一片空白。

隋杰突然想起沈小荻刚要问他话，“对了，你刚才要问什么？”

“我……你今天怎么这么高兴？”沈小荻换了一个问题，她突然想到，如果隋杰下午刚跟人约会过，晚上哪里还有这么好精力交公粮呢？也许，那个信息只是个误会，也许是她多心了。

“今天我签了一个大单！”隋杰兴奋地坐了起来。

“是吗？今天签的？是哪个客户啊？”沈小荻对这个问题自然很关心，这关系到隋杰今天的行踪和他中午跟谁见面了。

“我说了你可别生气。”

“你到底签的哪个客户？”

“我可是听说坦白从宽牢底坐穿，抗拒从严回家过年。”

“你到底说不说！”

“是康健医院。”

康健？那不是莫莉工作的医院吗？沈小荻心里一沉，莫非“宝贝”是莫莉？今天中午隋杰见的人是莫莉？她试探地问：“难道你是通过莫莉才拿到这个单的？”

“哈哈，那怎么可能！她一个护士能帮上我什么忙！我跟康健医院的院长可是很多年的关系了！今天签这个合同，我可跟他耗了一天，一直在磨价格……唉，你不知道老头子有多狠啊！把价格压到我的成本线上来了！”

“这么说中饭晚饭你都跟院长在一起吃的？”

“是啊，也不知道老头子怎么这么爱吃穿山甲，次次都要去一家偷卖穿山甲的餐馆，真是吃到我怕了！我还真想问问医生，穿山甲是不是有壮阳的功能啊？搞得我现在比二十多岁时还强，老头子还真关照我……”

沈小荻佯装生气，在隋杰鼻子上重重地刮了一下，其实她很高兴，放下了一块大石头。她想，也许是“宝贝”的称呼另有含义。

隋杰摸着鼻子反驳，“说说而已嘛，你老公根本不需要壮阳！你是身在福中不知福啊！”

沈小荻的谜团解开了，心情便特别好，主动钻进被窝里去牵隋杰，“好啊，原来你是在外面壮阳才这样！我要罚你！”

“好吧，我说漏嘴了，认罚！”

这是他们夫妻间常规的小游戏，隋杰顺从地让沈小荻牵着绕床一周，接下来可是惩罚沈小荻的时间了，隋杰又扑了上去。

沈小荻躲，隋杰闹，小小的阴云一扫而空。

6

令沈小荻困惑的是，蹊跷的事情还在继续出现。

隋杰这段时间几乎晚晚有应酬，可回到家沈小荻从他身上又闻不出酒味。而神秘的信息也一再出现，内容通常都是约隋杰中午或晚上见面。沈小荻偷偷检查发信人，还是那个“宝贝”。第三者出现的可能性越来越大了。

沈小荻几次要爆炸把事情弄个明白，可宣萱坚决反对她直接问，再一次提起那个监控软件，沈小荻这次心动了。不过她也没有像宣萱教的那样去偷手机，而是直接跟隋杰说：“我们俩换手机用一天吧！”

隋杰根本没有问为什么要换手机用，乖乖把电话卡卸下来给了沈小荻，本来沈小荻已经准备好了如果他追问现在就摊牌，没想到隋杰这么配合地把手机给了她，不由得让她犯了难，装？还是不装？

宣萱知道沈小荻拿到了隋杰的手机，比自己拿到了老黑的手机还兴奋，立刻带沈小荻把手机送去装监控软件。一路上，沈小荻像晒蔫了的黄瓜，一点也提不起精神来，她觉得现在自己龌龊得像个小偷，比男人偷情还恶心。宣萱笑她，“怎么了？还对隋杰将信将疑啊？事情到了这个地步，就算他没事，咱们调查一下还他一个清白好了。”

“为什么我不能直接问他呢？”

“第一，如果他有三儿，那问他也不会承认。第二，如果他没事，你都说隋杰很倔，如果他发现你怀疑他，那还不是惹他不高兴吗？相信我吧，我就是用这个法子对付老黑的，如果让我知道老黑背着我跟其他女人勾搭，我也可以早点做决断不要浪费青春，所以我现在心里踏实得很。”

“我总觉得这事可能另有原因……”

“行了！我和你都是被男人骗过的，你还想再栽一次跟头吗？如果你想，那现在就回去，今后我不管你了！”

见宣萱生了气，沈小荻便不敢多说了。

宣萱指挥着的士拐来拐去，停在了一个繁华的商业街边。然而这里还不是目的地，她们下了车，宣萱领着沈小荻穿大街走小巷，钻进了一间破旧的大厦，吱吱呀呀的电梯带着她俩到了七楼，在一间挂着“服饰有限公司”的招牌下，宣萱按响了门铃。沈小荻把她一拉，“你记错地方了吧？这不是做服饰的吗？”

“傻瓜！如果不挂羊头卖狗肉，人早就被抓光了！”

“什么？那我们来装软件会不会也被抓？”

“你到底去不去？人家敢卖我们还不敢买吗？”

这时门已经开了，一个年轻小伙子探出半个头，打量了宣萱一下，把头一偏，“进来吧！”

进了办公室，的确像是个服饰公司，准确地说像个服装厂的仓库，到处都堆满了满满的大纸箱，肢解的塑料模特和大堆的衣架。领路的小伙子跳跃式地在纸箱和塑料袋上飞过，推开另一张连通里间的门。沈小荻这才发现原来里头别有洞天。里面是一间小小的办公室，只放了三张办公桌，每台桌前放着一个电脑。可每间办公桌旁都挤满了高矮胖瘦不等的青年中年妇女。

她们正在七嘴八舌地议论着。

“这个软件真的有用吗？”

“当然有用了，你们交了钱之后马上就安装，一会儿可以现场演示给你们看，被监控人的通话内容就可以全部同步听得到了。”

“装上之后通话会有影响吗？会不会给我老公发现？”

“不会有任何影响，一般人是绝对不会发现的，除非他也干我们这行。”

“能不能连我老公的信息内容也一起监控了？”

“那就要再加个解码转换器，要多加五千块钱。”

……

看样子，这些都是来装软件的老婆们，怀疑老公有问题的不止沈小荻和宣萱。信任一个人容易，难就难在一辈子的信任。只要这世上有男人出轨，这监控软件就永远有销路，难怪他们能把一个冠上高科技的小把戏卖这么高价钱。

看着老婆们一副忧心忡忡的样子，真让人怀疑如今幸福的婚姻究竟还有多少。沈小荻突然觉得自己和她们一样可怜又可笑，用高科技监控了老公的电话又怎么样？如果他要出轨，能绑住他变心的翅膀吗？就算绑住了，那也不过是绑住了一颗僵死的心，她要来又有何用？夏明皓那样条件优越的结发夫妻她都可以放得下，就算是再嫁，就算是她深爱的隋杰，她就要失去人格和尊严吗？

“决定装了就先到财务交钱，一共三千块，一会儿装好了我们教你怎么用，保修三个月。”

还保修呢，只差没质量三包送货上门了。沈小荻突然扑哧一笑，“对不起，我决定不装了。”

“你有病吧?！”宣萱惊讶地看着沈小荻。

沈小荻强拉着她走了出去。回去的路上，宣萱一直在恨铁不成钢地骂沈小荻，“现在我明白了你为什么上次会离婚，你纯粹是蠢死的，自己把自己逼死的！唉，以后我不管你了，你有事也不要来找我！”

“顺顺气儿，顺顺气儿，我请你吃饭当赔罪。”

宣萱把沈小荻甩在了大街上，气冲冲地自己走了。这么多年朋友了，沈小荻知道她就这脾气，等火头过了她又会主动来找沈小荻的。虽然宣萱差点给沈小荻做了个会令她后悔的决定，但沈小荻还是很感谢宣萱每每有事便会挺身而出。人这一辈子，能碰上几个这样的朋友，那便是做人成功了。

想通了电话的事，沈小荻第一时间奔向了隋杰的办公室，她不是去闹事，她只是想快点弄明白他们之间出现了什么问题，她不能也不要再当忍者神龟。

隋杰正好在开会。透过会议室的玻璃窗，沈小荻看到隋杰正在给几个客户做讲解，虽然听不清他说话的内容，但可以清楚地看到他的样子。衬衫领带，短发根根直立，他眼睛闪亮，神采飞扬，妙语连珠，几个客户眼也不眨地倾听着他的讲解，不时颔首微笑，或是交头议论，最后隋杰话音一落，客户们齐齐鼓掌。男人的工作面其实更可爱，沈小荻不禁看得有点着迷了。她郁闷地发现，尽管对隋杰有着这样那样的怀疑，她还是这么爱慕和欣赏他。

女人的一生，找一个自己欣赏的男人，原来如此重要。

直到送完所有客户，隋杰才把沈小荻带到下面餐厅喝点东西。隋杰放松地靠在椅背上，脸上带着一丝大战过后的疲惫。

沈小荻把隋杰的手机推了过去,“手机还给你,我今天差点做了件错事。”

“怎么了老婆?”隋杰漫不经心地打开手机后盖换卡,“只陪你一会儿行不?公司还好多事呢。”

“我差点在你手机上装个监控软件。”

“啊?你为什么要监控我?”

“我在你手机上看到一些信息,约你中午和晚上见面。这些信息,都是一个叫‘宝贝’的发来的,你是不是有其他女人了?我不该偷看你电话,可我心里真的不好受,你给我解释清楚吧!”

“叫‘宝贝’的……女人?”隋杰睁大了眼,脸上的表情很奇怪,先是莫名其妙,然后恍然大悟,再变成沉吟片刻,最后拿定主意,“行,既然你已经知道了,那我带你去见她。”

果然是有小三了?沈小荻不知该为隋杰的坦白高兴还是为知道真相愤怒。

隋杰也不管公司的事了,带着沈小荻直奔一家小宾馆。隋杰熟悉地在宾馆过道里穿行着,沈小荻脚步飘浮地跟在后面。

302。隋杰敲了敲门。

一个十岁左右的小姑娘开了门,小姑娘精瘦精瘦的,长着一双似曾相识的大眼睛。她一看到隋杰就兴奋地叫着:“爸爸!——”

听到门口的声音,屋里一个女人也走了过来,女人个子娇小,淡眉细眼,“你来了?进来——”

“这是我女儿,隋蓓蓓,这是蓓蓓妈,婉玲——这是我老婆沈小荻。小荻,宝贝就是我的宝贝女儿蓓蓓,我已经有三年没见过她了,这次婉玲带着蓓蓓来深圳,玩几天就走……”

“都是我不好,没跟隋杰商量就直接来了,你别生气啊!蓓蓓,赶紧叫阿姨!”

蓓蓓盯着沈小荻看了一会儿,半丝笑容都没有,婉玲让她叫人,她却蹦出一句:“狐狸精!”说完把头一扭跑进房间去了,她把电视打开了,声音放得很大。

“这孩子,怎么这么没礼貌!不好意思啊!你们进来坐吧!”

见是婉玲母子,沈小荻就要崩溃的情绪顿时平静下来。原来隋杰不是有了第三者啊!可是隋杰也太不敞亮了,前妻和女儿来了为什么不告诉她呢?不是有什么见不得的事吧?她又紧张起来了。好在很快控制住了情绪,尴尬只在她脸上维持了几秒钟,很快换出了略带嗔怒的笑容,“隋杰也真是,婉玲和蓓蓓来了住宾馆多不方便，应该住到家里去啊！”

“老婆，家里让你烦心的事太多了，我就没有先跟你说，反正蓓蓓她们住几天就回去了……”

“咳，咳，来来，你们喝水。不好意思，孩子把屋里搞得挺乱的……”婉玲忙乱地收拾床上堆着的衣服。

沈小荻迅速扫视了下房间，这是个标准间，两张一米二的床并排摆着，两张床上都各自放着娘俩的衣物，没有隋杰住下的痕迹。看起来隋杰应该没有跟婉玲旧情复燃，毕竟父女连心，几年没见女儿陪陪她也是应该的。沈小荻心里略微踏实了点。

“呵，外面天气好热吧？”见他们沉默着，婉玲明显在没话找话，但她细弱的声音淹没在嘈杂的电视音响里几乎听不到，“蓓蓓，电视声音小点，有客人在呢！”

蓓蓓全神贯注盯着电视，充耳不闻。

“蓓蓓！妈妈叫你关小一点声音，听到没？”见婉玲说话无效，隋杰开始发话了。

“哦。无聊死了，那我睡觉了。”蓓蓓不情愿地关掉了电视，一下钻进被窝里。

沈小荻坐不住了，傻瓜也能看出蓓蓓对她的敌意。“这样吧，隋杰你留下好好陪陪她们，我就先回去了，家里还有两个小的得看着写作业呢！”她故意把“家里还有两个小的”咬得重了些，以提醒隋杰别犯错误。

隋杰赶紧也站起来，“我跟你一起回去。蓓蓓，把爸爸布置的作业写完哈！明天我要来检查的，做不好星期天就不带你去欢乐谷了！”

说是一起走，沈小荻已经走到门口了，隋杰还被婉玲扯住在说话。虽然婉玲声音很小，沈小荻还是听清楚了。

“那件事你跟她说了没？”

“有什么可说的！我的情况你又不是不知道，我帮不了你！”

……

回家的的士上，隋杰想来抱沈小荻，谁知她全身硬得像一块铁，他一抱过去就被反弹了回来。

“哎呀老婆，你怎么变成金刚了！”

“原来你的宝贝是婉玲！哼！”虽然在婉玲母子前沈小荻很给隋杰面子，一出门就再也控制不住火气了。

“不是啊，宝贝真的是蓓蓓啊！她常用她妈的电话跟我联系的，我自然就存了宝贝的名字。”

“反正在你嘴里怎么样都有理由！如果我不问你，你是不是根本不打算告诉我这件事了？”

“我是不敢说啊，我们这个家，一会儿莫莉闹，一会儿建设死，四个老人两个孩子，你已经够烦够累了，我要再不体谅你，我还是人吗？”

听着隋杰这么诚恳的道歉，沈小荻心里舒坦了一些，隋杰趁机搂住了她。这时沈小荻突然想起临别时婉玲的话，继续绷着脸追问：“说吧，这次她们到底要多少钱？”

“这次，这次……”

“说啊！是不是你和婉玲还在拉扯不清？你想把我逼成莫莉吗？”

隋杰支吾了半天，终于下了决心说出来，“这次她们不是要钱，是婉玲要嫁人了，她想把蓓蓓送回来给我带……”

“啊?！——”

的士里，沈小荻和隋杰大眼瞪小眼对视着。

7

千万不要随便许愿，那个你觉得最不可能的愿望没准哪天就会变成真的。

和夏明皓离婚后，沈小荻曾经想找一个有女儿的离异男士，这样就可以过上《家有儿女》那种幸福生活了。命运的邪性在于你越想要的越不会给你，就算满足你的愿望也要以另外一个面目硬塞过来。

关于留不留蓓蓓的家庭会议是在隋杰夫妇和老黑小两口之间开的。

宣萱先撕开话题，“隋杰，你能让小荻过几天省心日子吗？自从她嫁给你就开始和莫莉打官司，一家人费了老大劲儿，就是为了给你保全一个亲生孩子在身边。这下倒好，果果是抢下来了，你们这个组合家庭刚刚磨合上点轨道，你的前前妻又把一个天大的难题摆在了小荻面前——十岁的隋蓓蓓要加入这个组合家庭。也就是说，你们这个家将会有三个孩子，隋杰和婉玲生的蓓蓓，隋杰和莫莉生的果果，小荻和夏明皓生的海海——我的妈啊，这关系也太复杂了！幸好——”她差点说漏嘴，幸好当时隋杰拒绝了她，否则收拾这个烂摊子的就是她了。

沈小荻沮丧地说：“有什么办法呢？事情已经到这个地步了。”

宣萱凑到沈小荻耳边悄悄说：“现在的小女孩比男孩还难管教，你可千万别心软，不能让那个死丫头进门！我现在帮你做隋杰的工作，这事关键得男人顶住了！”

隋杰低着头抽烟，罪人似的听宣萱数落。

宣萱继续投反对票，“隋杰，你这两个前妻也真是极品，一个你想要孩子死活不给，另一个你不想要孩子硬塞过来……这次你可不能再为难小荻了，她已经为你牺牲很多了！”

“我知道我知道，所以一开始我就没打算要把婉玲母子来的事告诉小荻，我一直都态度明确，我没办法再照顾蓓蓓了，我一直在跟婉玲商量怎么解决这件事，只是现在还没做通她的工作。”

宣萱捅了老黑下，示意他也赶紧发表意见，老黑却看着沈小荻，“小荻，你自己怎么想？”

“我……按说隋杰的孩子也就是我的孩子，我们有责任照顾她，可是我和隋杰结婚的时候根本没想到蓓蓓要回来，一时之间还真没有心理准备再多照顾一个孩子……父母年纪这么大了，能料理下基本家务已经很吃力了，我和隋杰又要上班……小杰，你不会要我辞了工作帮你带孩子吧？”说到这里沈小荻警惕地看着隋杰。

“不不不，我怎么敢提这样过分的要求！退一万步就算蓓蓓要回来也不用你管的，把她往学校一送就是了。”

老黑听着很不顺耳，“隋杰，你这话就不对了，就像你当年一笔抚养费结不清你跟蓓蓓之间的关系一样，蓓蓓要不就不回来，只要进了这个家门，小荻就得多操一分当妈的心，她这个人你是知道的，再为你操心就要把她压垮了！”

“我知道，我欠小荻太多了……”

“那就好，你答应的事别再变卦了！男人说话要算数！”宣萱赶紧补上一句。

“老公，你说说你心里最真实的想法好吗？先不用管我，你心里到底是怎么想的，你告诉我。”

"我……蓓蓓是我心里的痛，我总觉得欠她的，不是为了帮婉玲，就是想蓓蓓有个好点的生活环境。你们都知道婉玲的爸妈是什么人，跟着他们蓓蓓的性格已经很差了。"

老黑插进话来，"隋杰，你没有欠任何人的！那是隋蓓蓓自己的命！是婉玲替她选择的命！你这个人太不爱自己了，所以才活得这么累！老觉得欠这个欠那个，谁的债都想还，哪一天你要是落魄潦倒了，你看这些人会有谁管你！"

宣萱也感叹，"唉，我算是明白了，难怪有人说，如果没教育好自己的儿子，就害自己全家；如果没教育好自己的女儿，就害别人全家。如果跟谁有仇，就教坏自己女儿嫁给对方儿子，害死他全家！"

大家都沉默了。

良久，沈小荻才慢慢地说："要不这样吧，先让蓓蓓跟家里人接触一下，看看他们能不能相处，你看行吗？"

"老婆！"隋杰大喜过望。

"小荻！你疯了！"宣萱着急地直拽沈小荻。

老黑半是敬佩半是同情地看着沈小荻。

于是隋家一家老小一起去逛欢乐谷。为了让蓓蓓跟隋家人建立感情，婉玲有意回避没来。可眼前这一家人多别扭啊！当父母高兴地去牵这个从没见过面的孙女时，蓓蓓把手一甩，"不要碰我！外公外婆说你们是坏人！"

"这！这！太不像话了！"父亲气得结巴了。

"蓓蓓，这是你亲爷爷奶奶，不可以这样没教养！"隋杰大声呵斥着蓓蓓，他知道女儿在外公外婆身边待了十年，两家仇恨如此深，她对爷爷奶奶自然没感情。隋杰替父母委屈，可是大人们的事情怎么能跟一个孩子说得清楚呢？要怪只能怪蓓蓓有这样可恶的外公外婆，要怪只能怪婉玲为了再嫁，要把蓓蓓这个大包袱在最不该的时候丢回来了。

"好了好了，蓓蓓还是小孩子呢。来，蓓蓓，荻姨给你买了冰淇淋。"

"我不要！外婆说你会毒死我！"

"你——"隋杰生气了，"小荻，这样真的不行，太难为你了，还是让婉玲自己想办法吧，大不了我多给点钱，让蓓蓓去读贵族学校，这样也不会妨碍她结婚了。"

蓓蓓哇哇大哭起来，"爸爸——爸爸你别不要我，爸爸你别不要我……"

母亲心软了，过来抱蓓蓓想安慰下她，蓓蓓却挣脱她的怀抱，扑到隋杰怀里哭起来。隋杰拍着蓓蓓以示安慰，心乱如麻地与沈小荻对视。怎么办呢？现在就是想留下蓓蓓也没办法啊！这样一个浑身长刺的问题少女，可不像海海和果果那样好哄。瞧，这边闹着别扭，那两兄弟根本没理会，还吵着要隋杰带着去玩激流勇进。

好不容易把蓓蓓送回宾馆时，哭闹了一天的蓓蓓很快睡着了。听说了蓓蓓今天的劣迹，婉玲除了哭还是哭。“都怪我把她惯坏了，她从小没在爸爸身边，没有人教她，太可怜了……”

这话像刀子一样剜在隋杰心上，可他看看沈小荻，硬起心肠说：“别怪我狠心，我和小荻是想留下蓓蓓来着，可你看她跟我们这一家人根本没办法一起生活。当初求你把蓓蓓给我你不肯给，现在我已经没有能力抚养她了，就当我绝情，蓓蓓没我这个爸吧！”

婉玲扑通一下跪倒在隋杰和沈小荻面前，“我也是没办法啊！隋杰，我等了你十年没有嫁，你结了离，离了又结，就是不肯原谅我，不肯再跟我在一起。我也得嫁人啊，我也要生活，蓓蓓在我身边我下半辈子就别想再结婚了……”

沈小荻再也忍不住了，“你太自私了，你有没有想过是谁害得隋杰结了离离了再结的？你要是真的在等隋杰，当初就应该抛开你那没天良的父母跟隋杰走了，不要把这些年你嫁不了人的问题推到隋杰和孩子身上！”

这番话勾起了隋杰的新仇旧恨，顿时像一桶冷水浇下来让他清醒了，即使他对蓓蓓再愧疚再有感情，他也不能抚养蓓蓓了，毕竟他已经结第三次婚了，不能让蓓蓓来破坏新婚的格局。隋杰叹了口气，做了个决定，“我现在就去给你们买票，你们回去自己另想办法……小荻，你放心，我不会再让你为我的过去埋单了。”

第二天早上，当隋杰来给婉玲母子送票时，却发现只有蓓蓓一个人在酣睡，婉玲把自己的东西收拾好走了。她留下了一张字条：杰，我把蓓蓓留给你了，女儿是你的，你要的话就好好培养，不要就把她送人吧！

隋杰如五雷轰顶地站在原地。

不管沈小荻有多么不情愿，隋蓓蓓还是住进隋家来了。

首先得解决住的问题，这个家只有三间房，隋杰夫妇一间，父母一间，海海和果果一间。十岁的女孩蓓蓓肯定不能跟两个弟弟去挤，怎么办？父亲先发了话:“让蓓蓓跟奶奶睡,我睡客厅沙发!”

“那怎么行,爸,让蓓蓓跟小荻睡,我睡沙发!”

“老公!”沈小荻委屈地看着隋杰。一想到要跟蓓蓓这个小祖宗睡一个床,沈小荻一千个一万个不愿意。

“别争了,就听你爸的,蓓蓓跟我睡!这可不是一天两天的事,隋杰你别开玩笑!”母亲也发表意见了。

这之后高大的父亲便窝在窄小的沙发上过夜了,听说最开始一晚要滚下来好几回。沈小荻心里怪不是滋味,想着还是尽快帮蓓蓓找个寄宿学校,好让她搬出去,偶尔回来一下总比长期顶心顶肺的好,大不了蓓蓓在家时他们多忍着点就是。

可是给蓓蓓找学校也是大难题。他们先是把蓓蓓带到了一家正规的学校,参加了校方的入学考试。这一考才知道,蓓蓓的成绩一塌糊涂,校方说:“这孩子成绩太差,对不起我们不能收。”

隋杰一听急了,“帮帮忙,孩子一定要有书读,你们不是民营学校吗?干吗有生源还不要?”

“我们虽然是民营学校,可教学质量在全省都是有名的,不能为了一两个生源拉低整体水平。”

他们只好带着蓓蓓再跑一家学校,那家学校的入学考试蓓蓓还是考得很差,这次人家说:“不能直接读五年级,只有留一级入学,读四年级,而且还得是试读,跟不上班的话我们也收不了。”

隋杰和沈小荻松了一口气,可蓓蓓一听要留级就哇哇大哭,“我不留级,我不要在这里读书!”

“蓓蓓,你不留级就没书读了!”

“你们硬要我留级,我就离家出走!”

校方大惊失色,“这孩子我们不能收了,你们赶紧带走吧!”

没办法,隋杰夫妇只能带着蓓蓓回家了。一回到家,蓓蓓就趴在窗台看风景,嘴里悠闲地唱起一首情歌:“你身上有她的香水味,是我鼻子犯的罪,不该嗅到她的美,擦干眼泪陪你睡……”

“你——”听着十岁的小姑娘唱这种歌,隋杰简直要气炸了,可他不想当着沈小荻的面发火,他怕妻子会对蓓蓓的印象更加差了。

沈小荻明白隋杰的意思，疲惫地拍了拍他的手，强打精神柔声对蓓蓓说：“蓓蓓，你的嗓子很好听啊！平时很喜欢唱歌吗？我们送你去学声乐好不好？”

“你不用装好人了！猫哭老鼠假慈悲！你对我好全是做给我爸爸看的，一转身你就给我脸色看！”

母亲打抱不平了，“你这孩子太不像话了，你荻姨什么时候给过你脸色看了？”

“就给我脸色看了，你们所有人都不喜欢我，就想赶我走！这是我爸爸的家，我偏不走，要走这个女人走！”蓓蓓指着沈小荻。

“你——你你——”从来对孩子最有耐心的隋杰再也忍不住了，他在家里团团转找可以教训蓓蓓的东西。先是拿起一根皮带，怕太重，扔了。拿起一个水果盘，怕伤着，又扔了。最后拿起一个衣架，可衣架举在了半空中就是打不下去。蓓蓓瞪着大眼睛看他，丝毫没有想躲开的意思，父女俩就这样僵视着，两人的眼神一样愤怒和倔犟。

沈小荻过来抢下了隋杰手里的凶器，隋杰顺势下台，“给我去做作业，今天不写完十版字不准睡觉！”

一场风波在蓓蓓哭哭啼啼写作业中平息了。

这晚大家都失眠了。隋杰无声地搂着沈小荻，把头埋在她怀里不动，声音沙哑地说：“我是不是很失败？既做不好丈夫也做不好爸爸，我没有让你幸福，对不起……”

沈小荻轻轻抚摩着他的头发，“你没有错，你这两任妻子都有很大的问题，碰到哪个男人一样会离婚。”

“你不要安慰我……”

“不是安慰，是她们不懂得惜福，错过了你这么好的男人。她们没我有福气，害了自己也害了孩子。”

黑暗中隋杰的眼角溢出了泪水。

“蓓蓓刚刚被妈妈抛弃受了刺激，以后会慢慢变好的，咱们对她多点耐心，多鼓励她，也许就能找到和她相处的法子了。”

“为什么要对我这么宽容这么好……”

“因为……因为你是前世埋我的人……”

隋杰和沈小荻紧紧拥抱着，好像要把对方抱进自己的生命。

8

夫妇俩商量了一夜要用爱心暖化蓓蓓，终于在彼此的鼓励下安心入睡了。沈小荻做了一个梦，梦见蓓蓓和果果都叫她妈妈了，一家五口在海边开心地跑着，笑着……

“你是贼！你是那个贱女人的野种，你和她都要滚出我爸爸的家！——”

美梦还没有做完，沈小荻被一个尖锐的童音吵醒了。是蓓蓓！糟了！沈小荻和隋杰从床上直接弹到了客厅。

客厅里乱成一团，海海脸上挂着几道长长的指甲血痕，蓓蓓披头散发，裙子被撕破了。两个孩子厮打在一起，蓓蓓正咬住海海的手臂不放，海海痛得在乱拍蓓蓓的脑袋，父母一边一个在扯架，果果在后面拼命地拉蓓蓓的裙子，“不准打我哥哥！”

“全部都住手！”隋杰一声大喝让战局静止了，“说，这是怎么回事？”

“妈妈——”海海跑到沈小荻身边大哭，“她……打……冤枉……”

蓓蓓倒是没哭，恶狠狠瞪着海海，口齿伶俐地说着：“早上我起来，发现这个……人在用我爸爸的茶杯喝水！我爸爸的杯子谁也不准动！谁动谁就是贼！”

“我不小心拿错了！平时……平时我也喝过的……杰……杰叔叔让我喝的。”海海哭得上气不接下气。

沈小荻正查看他的伤势，脸上的血痕和臂上的牙印都挺深，别看海海人高马壮，在精瘦的蓓蓓面前还真不是对手。为这点哭笑不得的理由至于把海海伤成这样吗？沈小荻气得直咬牙。但为了这个家，她只能忍着，默默无言地带海海走开，去擦药洗手换衣服。

隋杰已经忘记昨晚的诺言要耐心地对蓓蓓了，“你简直太不像话了！海海是你弟弟！是爸爸的儿子！你和果果可以用爸爸的茶杯，他也一样可以！”

“不是，他不是我弟弟！他是那个女人的儿子！他是贼！”

“啪——”这声音不是隋杰打了蓓蓓，而是他气得把衣架抽在了椅子上，虽然毫发未损，蓓蓓仍然尖叫着哭了起来。

在隋杰教训女儿的时候，门哐的一声关上了。原来沈小荻拉着海海出门了。

“老婆，你要带海海去哪里？”隋杰追出去一把抓住沈小荻的手臂，眼神里全是哀求。

“让海海到外婆那边住去！”

“老婆，我和蓓蓓错了，我会教训她的，你可以骂我打我，但是不要惩罚我好吗？”

“是，是我看不惯你那副打不下手的样子。我可以为果果打海海，你隋杰就不能公平一点吗？”

“是你让我对孩子耐心一点，不要用暴力的……”

沈小荻不怒反笑，“好，是我错了行吧？让我走，让我走！”

“别这样，小荻，你是孩子的妈妈，原谅她吧！”

“我这个后妈她肯认吗？如今的社会不一样了，奴隶早翻身做了主人，欠债的杨白劳比放贷的黄世仁牛B，后妈得看着继女的脸色过活！”

沈小荻冷嘲热讽着，实在是气坏了，这些日子压制的怒火在这一刻集中爆发了，她倔犟地跟隋杰的手杠上了，一个要拉一个要跑。隋杰怕伤了沈小荻只好松了手，谁知她逃跑的力度太大，惯性地往前冲去，一把撞上了楼梯扶手，疼得直抽冷气。隋杰站在她身旁，投降似的高举着双手，不敢再碰她丝毫。沈小荻哼了一声，拉着海海下了楼。

给海海买了很多好吃的，送他到老妈家楼下，嘱咐他什么都不能跟外婆说，沈小荻却不想上楼了，她在街头无精打采地走着，不知道该去哪儿。她想找个地方躲一躲，可她哪有地方可去。为了兑现对隋杰的承诺，她太累太苦了，难道这么快就要承认自己错了吗？裤兜里的电话纹丝不动，不用看，他不会打电话来，在他心里，恐怕在心疼他的女儿吧，哪里还有一点余地考虑她会怎么样。最需要男人的时候，男人总是沉默不说。

很想哭，可是眼泪一滴也流不下来。

时间画了一个圈，她又回到了原地。人生的主题还是无尽的孤独，爱情只不过是短暂的幻象。

不，这不是原地，这已经是她的第二次婚姻了，一个再没有退路的围城，一个她心甘情愿跳下去的陷阱。

沈小荻深一脚浅一脚地走着，也不知走了多久。

“小姐，买套家庭装吧，让你们一家人出去玩的时候穿上，多好看啊！”一个小姑娘热情地向沈小荻介绍着。

她这才回过神来，原来自己不知不觉走到路边一家小店来了。看这满屋成双成对的T恤，正是沈小荻一直很渴望能和自己爱人穿上的情侣装。小姑娘手里正拿着几件大小不等的T恤向她推销，T恤底色都是宝蓝色的，只是胸前图案不同，有太阳、月亮、地球和星星。正好是一家五口……沈小荻心里一阵刺痛。

晃荡了一天回到老妈家时，他们正在吃晚饭，海海已经忘记早上的事了，吃得正香。沈小荻什么也吃不下，可还是怕老妈的盘问，于是拿了个馒头闪进了卧室。她坐在床头，机械地掰着馒头往嘴里塞，塞着塞着，她看到老妈床头放了一个相框，里面装着她、隋杰、海海和果果的照片，照片里的一家四口在海边嬉戏，蓝天、白云、碧海、家人，每个人都是一脸灿烂的大笑。看着那照片，沈小荻心里好像有个什么地方被刺了一下，眼泪刷地流了下来。

终于能流泪了，和莫莉打官司、建设的死、婉玲扔下蓓蓓在这里，这些事情哪一样不是让她憋着委屈，可眼泪像被封在了真空中，可现在这个闸门终于放开了，她回到了人间。

这个家，三个一分钟也处不下去的孩子，以后的日子可怎么过……她对隋杰曾是那么有信心！那是多么好的一个男人，她想了盼了一辈子的爱人啊……怎么办？难道要分手吗？……分手了隋杰怎么办？一个大男人怎么带两个孩子啊？没有她的鼓励，他会崩溃的，现在已经只差一线了……

还没来得及想自己再离婚会怎么样，沈小荻第一时间想到了隋杰将要面对的痛苦，顿时心痛如割，她用手捂住嘴，无声地痛哭起来。那是一种完全不能控制的大哭，哭得满屋家具都在沈小荻眼里跳动。那一瞬间她明白了，她爱隋杰胜过自己。

老妈进来拖地时吓了一大跳，只见沈小荻满腮帮子鼓鼓的全是馒头，眼泪鼻涕流满一脸。老妈急得把拖把一扔，立马开始卷袖子抄家伙。“荻丫头你这是怎么了？隋杰欺负你了？我找他算账去！”老人家六十好几了，脾气还跟年轻时候一样火爆，如果沈小荻不制止，她马上就会打上隋家去的。

沈小荻赶紧擦脸，连声安抚火爆的老妈，“妈，我没事，就是痛经难受呢，你出去让我自己待一会儿。”

现在想单独待一会儿是不可能了，老妈压根儿不相信沈小荻和隋杰没事，一心要给沈小荻出气去。就在娘俩推搡间门铃响了，隋杰带着果果，大包小包地拎着礼物站在了门口。令沈小荻意外的是，隋杰和果果都穿了新衣服，都是宝蓝色的T恤，只是胸前的图案不同，隋杰的是月亮，果果是地球。正是刚才沈小荻在小店看到的家庭装。

隋杰笑逐颜开地和黑着脸的老妈打招呼，见不理会就自己进来，忙不迭地帮家里拖地抹桌。果果从礼物中翻找了一阵，拿出几件T恤来，一件递给海海一件递给沈小荻。果果用他稚嫩的童音认真地说着："这是爸爸买的，爸爸说这是家庭装，太阳图案给哥哥，地球图案给我，月亮给爸爸，星星给荻姨和蓓蓓姐姐。爸爸还说，我们一家就是太阳、地球、月亮和星星，我们谁也离不开谁，永远在一起。"

沈小荻心里一热，一把抱住了两个孩子。原来隋杰今天跟了她一天，当看到她走进那家小店看过那套家庭装，他跟着进去买了下来。

她心软了，自己已赢回了面子，应该顺势下台了，毕竟她不想离开隋杰，毕竟隋杰和果果还站在她身边。不想输就不能自己先撤退。只是口气还是不知如何立刻转弯，"谁让你跟着我的！"

"不跟着你我怎么能放心呢？话说回来，老婆你可真能走，下次咱们不去街头锻炼了，买个跑步机回家吧！"

"谁让你是个懒猪！连这几步路都走不了！"

"咦老婆，你不是常说嫁鸡随鸡嫁狗随狗，嫁个猴子满山走吗？你说老公是猪，那你岂不是……"

沈小荻在隋杰背上啪地打了一巴掌。

"老婆大人，你打都打过了，就饶了小的一命吧！小的以后绝不敢再犯了！"

"想得美，没那么便宜的事！"

"是是是，绝对不能便宜了我……"隋杰在她耳边说起悄悄话，"那罚我今晚做八次？"

沈小荻啐了他一口，两人笑嘻嘻地打成了一团。不过短暂的晴好很快又转多云，沈小荻想起蓓蓓，不由得叹了口气，"这次让我明白了，我是后妈，我只要让孩子平平安安的就行了，我甚至可以和父母一起来惯孩子，至于孩子性格好坏能否成材就要看她自己的造化了，不会有任何人要求一个后妈对孩子争不争气负责。如果当后妈的非要把教育孩子的事揽上身，那事情就会完全两样。孩子成材了，功劳不是我的；孩子成虫了，责任全部归我背。"

"别说气话……别老说后妈不后妈的，我听了很心酸。"

“唉，你就由得我认命吧，我好不容易才找到这条让我坐稳后妈位置的法宝！”

“让你受委屈了，我知道这违背了你做人不虚伪不敷衍的原则，不过只要你觉得轻松点就好！……对了，明天是送果果去见莫莉的日子，你陪我一起去好吗？”

“唉，你们见面我去凑什么热闹！”

“我得让莫莉对我死心，以后每次她们见面都我俩一块儿去！”

这话是沈小荻爱听的，也就没有去想这事妥不妥当。

约了中午一点在果果最喜欢的肯德基见面，一贯喜欢迟到的莫莉今天非常准时。一段时间不见，莫莉胖了很多，身上的宝蓝色裙装都给人一种撑得快绷线了的感觉。她人虽然胖了，精神却显得很疲惫，好像很长时间没有睡够的样子。一见到隋杰和沈小荻带着果果坐在那里，莫莉把脸一沉，冷冷地说：“你们都来是跟我示威的吗？”

一看莫莉的脸色，沈小荻已经后悔不该让隋杰哄得一时心软跟来了，赶紧起身说：“我去给你们买吃的。”

“我也要去！”果果高兴地拉着沈小荻的手，根本不往莫莉这边看。

“儿子！”莫莉生气地喊着。

沈小荻把果果往莫莉这边推，“去吧，跟你妈妈好好说话，荻姨给你买你最喜欢的鸡翅，一会儿就来。”

“妈妈。”果果这才叫了莫莉，不情愿地坐到了她身边，可和她保持一个位置的距离。莫莉伸手去摸他的头发，他却把头一偏，避开了莫莉的手。他在座位上扭来扭去，看着邻桌小朋友过生日，乐得不时咯咯地笑出声来。

莫莉把果果的身子强扭过来，逼他看着自己，“果果，你想妈妈吗？”

“哎呀，你弄疼我了！”

莫莉失望中又有一丝不甘心，干脆把果果强抱进怀里，在他脸上狠狠地亲了几下，可果果马上伸手在她亲过的地方不停地擦拭着，很不喜欢她这种强盗式的亲吻。

果果在农村待了两个月，长高长壮了，脸上开始有了红润的颜色，他比过去活泼多了，不再忧郁和胆怯了。莫莉嫉妒得喘不过气来，却又不得不承认，沈小荻把果果照看得还是不错的。过去果果在她面前一直很乖的，现在却变得这么反叛，一定是隋杰和沈小荻教的。人家都说孩子有奶就是娘，果然不错，果果现在和后妈亲得很，反而跟她这个亲妈越来越疏远了。

“是不是你教儿子不理我的？”莫莉哄不了儿子，只有把怨气往隋杰身上撒。

“我没你想象的这么龌龊，儿子为什么不跟你亲，你要检讨下自己！现在孩子大了，他不喜欢别人亲他！”

“儿子是我生的，我想怎么样就怎么样！”

隋杰干脆闭嘴懒得说话了，他的视线一直跟在排队的沈小荻身上，见她拿到吃的了，马上起身去接，可又不放心地频频回头看果果，生怕这边出什么意外。

看着儿子和隋杰都对她这副模样，莫莉的心凉透了。傻瓜都看得出来，隋杰和沈小荻的感情很深。儿子，丈夫，和睦的家，本该属于莫莉的一切，现在却全部变成了沈小荻的。

莫莉对隋杰和沈小荻的恨意更浓了。

看着隋杰和沈小荻有说有笑地端着吃的走过来，莫莉倏地站起身，扔下了不知所措的果果，愤怒地逃出了这个令她羞辱的地方。

9

想来想去，想感化蓓蓓这块茅坑里的石头，还是要试试用糖衣炮弹。

蓓蓓来的时候只有几件换洗衣服，而且都是款式老土洗得掉色的旧衣服，跟城里那些花枝招展的小姑娘一比，她的行头就太寒酸了。何况上次跟海海打架，蓓蓓最喜欢穿的一条裙子已经被撕破了。

抛开所有的不愉快，沈小荻笑眯眯地跟蓓蓓说：“荻姨带你去逛街，买几件新衣服好不好？”

一听要买新衣服，蓓蓓有些心动，可她还是不愿答理沈小荻，“爸爸，我要跟你去买。”

“爸爸是男人不懂得挑东西啊，让你荻姨一起去好不好？”

蓓蓓不吭气了。

今天他们坐了公交车。蓓蓓一上车就像猴子一样利索地钻进人堆，抢先占了一个座位,“爸爸快来!”

“让荻姨抱着你坐好吗?”隋杰又想做的蓓蓓的工作。蓓蓓翻了个白眼,扭头看着车外不说话。

好在沈小荻对蓓蓓的无理已经习惯了,“没事,蓓蓓知道给爸爸占座呢,真有孝心。不过你看这里还有个大肚子的阿姨,蓓蓓让给她坐好吗?”

蓓蓓犹豫了一下,真的给那个孕妇让座了,隋杰高兴地摸了摸她的头。沈小荻心里也很高兴,她觉得蓓蓓脾气虽坏但本性是善良的,只是家教不好误入了小小迷途,她忘记了自己打算不再管孩子教育的决心,又很想帮蓓蓓一把,把孩子从走偏了的路上拉回来。

一路沈小荻都在夸蓓蓓,“你看这城里的小姑娘们穿得多漂亮,咱们蓓蓓比她们长得都好看,打扮一下肯定都超过她们……”

到底是小孩子,看着那些眼花缭乱的衣裙,蓓蓓一直绷着的脸渐渐有点开了,当走到一个叫“花朵”的童装专柜时,蓓蓓的脚步被粘住挪不动了。她摸着一件粉色的公主裙,久久舍不得放开。真是人要衣装,多少有些土气未脱的蓓蓓一穿上那条小裙子就变得跟花骨朵一样,连隋杰也赞不绝口。

购物是女人最大的狂欢,十岁的蓓蓓也不例外。买了几套新衣服,她已经把跟沈小荻的恩怨抛在了脑后,兴奋地换这件试那件,任由沈小荻和营业员们把她夸得晕头转向。

可兴奋只持续到回家,一进家门蓓蓓放晴了一天的脸色又黯淡下来了,这回她没有跟任何人顶嘴和吵闹,吃完饭就一个人趴在窗台边呆看,怎么叫她也不肯动窝。沈小荻走过去一看,蓓蓓脸上挂着泪,新衣服摆在一旁,手里却拿着上次那件因为打架撕破的旧裙子。

“蓓蓓,是不是想妈妈了?”

蓓蓓低着头不说话。

“这条裙子是妈妈给你买的吧?来,让荻姨看看能不能缝好。”

蓓蓓缓慢但是顺从地把裙子递了过来。

“嗯,破的地方挺大的,我来试试看能不能缝好。蓓蓓很喜欢妈妈是吗?妈妈为了你,一直没有出去工作,现在有人对她好让她过好日子了,咱们蓓蓓要为妈妈高兴,不要恨她,好吗?”

“我没有恨妈妈……”

“其实蓓蓓也有自己的好日子了，是吗？你能到深圳来上学，和爸爸生活在一起，家里的小伙伴得多羡慕你啊！”

“可是我不想留级。”

“那不叫留级，农村和城里学校的课程进度不一样，你需要一点时间适应城里的学校，咱们现在倒回去把基础打好，以后就能比这些城里的姑娘都强啦！下次妈妈来看你，看到蓓蓓成绩很好，她该多高兴啊！”

“……好吧，那我就去读书吧。”

“太好了！”

蓓蓓终于顺利入学了，平时都住学校，每周末坐校车回家。为了避免孩子们之间再起冲突，沈小荻打算让海海周末就回老妈那边住，毕竟蓓蓓的工作还得慢慢做，不能逼着她一下子接受这么多并不亲的亲人。虽然只是打开了通往蓓蓓心里的第一道门，隋家一家都高兴得不行。

莫莉神情恍惚地走在大街上。

外面刮台风了，大风裹着人往家的方向逃，冰雹一样的雨点砸得人直跳。奔跑出一段距离后，莫莉再也没有力气了，她迟钝地挪动着自己的脚步，任凭狂风暴雨吹打着。她不知自己可以去向哪里。是的，她有自己的家，只属于她一个人的房子，可没有人分享的房子只能叫房子，不是家。

她停了下来，路边有一家火锅店，正打出“自助餐38元任吃”的招徕横幅。好，今天就这里了，她不假思索地走了进去，也不管身上湿漉漉的让冷气一吹就直打寒战。她一进去就直往摆满菜品的案台，乱七八糟地抓了两大盘东西，坐下没十分钟全吃完了，她又上去拿吃的。

“小姐，咱们这里是自助餐，如果吃不完您拿的东西是要罚款的。”服务员看她拿了这么多东西，以为是个来蹭白食的，不由先上来小声提醒她。

莫莉没好气地吼道：“你怕我吃不完吗？走开！”

莫莉经常这样一个人来吃自助餐，以前为了减肥为了美，她总是把胃口缩小得跟一个窄口瓶子一样，就算再香再好吃的东西也能控制食欲，可现在一个人，她常常觉得心发慌，慌得她有种毁灭世界的冲动，为了制止这种冲动，只有暴饮暴食一顿才能压下那些乱七八糟的可怕的念头。她得了暴食症，暴食到每次吃自助餐都能遭到服务员的白眼。海鲜、肉类、青菜、甜品……她什么都往嘴里塞，可吃什么都是一个味儿——饿。

是从什么时候开始这样的呢？莫莉一边吃着东西一边努力地回想，是离婚后，还是隋杰把果果偷回家后？还是二审败诉后？她记不清了，她只记得自己心情糟糕的时候越来越多，她朋友很少，痛苦的时候没有人开导，她也没什么嗜好，根本不知道怎么走出来。在败诉后，律师曾劝过她，不要执著于一些无法改变的事情，劝她再找个男人重新开始。

她何尝不想重新开始，可男人是说找就能找的吗？人人都以为像莫莉这般美貌的女子一定不缺男人，是的，她从来不缺乏追求者，可是那些追求者为什么就不愿在她身边逗留呢？某人来了某人又去了，她就像个没有底的漏斗，留不住爱情留不住男人的心。每个离开她的男人就像点着了引线的冲天炮，一去不回头，没有一丝余情和眷恋。

什么都是假的，只有吃到嘴里的东西才是真的。莫莉仇恨地吃着刚端来的甜点。她发现对面有个老男人一直在盯着她看。真是折堕，现在沦落到这么老的男人也敢肆无忌惮地看她了。莫莉把眼一瞪，“看什么看？没看过美女吃饭吗？”

老男人正在喝水，差点没被她这突然的一声吼给呛死，咳了半天才说道：“小姐，我是想告诉你，你脸上沾了一点奶油……”

莫莉又羞又气地跑到洗手间，她脸上果然有一点奶油，滑稽得不知沾了多长时间了，难怪老男人一直看着她欲语又止。镜子里的那个女人，出门前精心扑就的粉被雨水冲得沟沟道道，露出大大的青眼圈和长长的法令纹，曾经傲人的曲线开始松松垮垮，腰围和臀围都胖了一圈，中年女人的形态开始呈现出来。这是她吗？这是那个无论走到哪里都是人们注目焦点的莫莉吗？

她惨不忍睹地闭上了眼睛。她想起了沈小荻那张写满幸福的脸，想起隋杰看她时那种情意绵绵的目光，想起果果对着沈小荻时那种开心的笑容……她全身都在痛，痛得像千刀万剐。她踉踉跄跄地走出了火锅店，外面还是狂风大作，风一吹，胃里一阵翻滚，她趴在垃圾桶上翻天覆地地呕了起来。

一个人的家，还是要回的。今晚能不能睡着呢？她每晚都睡不着觉，只好靠着喝一点酒来催眠。可她不会在外面喝酒，因为怕醉倒在外面让别人占便宜，她不允许任何人不为她付出就轻易地得到她。她不需要短暂的游戏，她要的是能给她一切的人。一切，一切。

她拿起昨晚开的一瓶酒，猛地灌下去。今天的酒真难喝啊！她一喝就吐了出来，像牵动了胃里的神经一样，她没完没了地吐着，好像要把这段时间暴饮暴食的东西全吐出来。她突然间想到，如果她这么死了，隋杰会不会内疚？果果会不会想她？幻想中她似乎看到了自己的葬礼，看到隋杰和果果扑在她坟头大哭……还是死了好，她不用再受折磨，也许可以让隋杰和果果后悔了。

胃像火一样在烧，心像刀一样在绞。她挣扎着走到书房，拿起纸和笔，颤抖着写下了一行字：隋杰，果果，当你们看到这封信的时候，我已经在天堂了……

莫莉在书房呆坐了一个晚上，她有了一个可怕的决定。

第二天早上，风住雨停了，太阳毫不吝啬地露出了笑脸。今天是周末，今天是好日子。莫莉仍然穿着昨天那套湿了又干的宝蓝色裙装，她心事重重地打了个的士直奔隋杰住的地方。在隋杰租住的房子后面，是一座被房产开发挖得只剩下一小半面积的小山头，站在山顶可以俯瞰这个小区的全貌。居委会出资在山上建了些亭子石阶，山上茂密地长着许多乱草，平时会有些调皮的孩子来这里玩耍。莫莉第一次来找隋杰的时候就注意到了这里。但她没想到有一天她会选择这里作为葬身之地。

大概因为昨天才刮过台风，今天山上没人。她只要爬上那个位于半山腰的凉亭，站在那个往外凸出的大平台上，闭着眼睛往山下一跳，就能惨烈地在隋杰家门口制造一桩血案，让隋杰和果果心里一辈子不得安宁。

上山的石阶一步一步很沉重，当她终于到达凉亭，站在她早已看好的平台位置上时，往下一看，这里离地面应该有四丈距离，不算太高，对于一个想死的人来说，这个距离足够了。莫莉站在平台边缘，心潮起伏。在前面那些拥挤的房屋里，她找不到哪栋是隋杰居住的，她要是往这里跳下去了，只怕没等隋杰看到就会被人抬走了。死了也许就真的解脱了，怕就怕万一没死了，把自己摔成了瘫痪，那就太惨了。

想到这里时她突然清醒了，觉得自己非常可笑。她为什么要死？应该死的人不是她。她死了，只会让隋杰觉得彻底解脱了，果果干脆可以改口叫沈小荻做“妈妈”了，她名下的财产会成为遗产，果果顺理成章地得到它，也就是说，财产会落到隋杰和沈小荻的手里。

不！她不要这个结果！

莫莉从怀里掏出她的遗书，撕成了两半。她满头冷汗，既为自己突然醒悟感到庆幸，也为自己差点酿成大错而后怕。她悻悻地准备下山，可又觉得这样很不甘心。

这时，山下有两个孩子上来了，前面那个在大声喊着："果果，快点，我们到石台上面去放纸飞机！不过你只准站在那里看哦！哥哥放给你看！"

后面那个孩子气喘吁吁地跟在后面爬台阶，"哥哥，你慢点！等等我！"

原来是果果，至于前面那个大点的孩子，莫莉想，这应该就是沈小荻的孩子。瞧这两兄弟，关系还真不错，果果现在已经不是她莫莉的儿子了，成了沈小荻收买隋家人心的工具。

莫莉恨得牙都快咬碎了。既然不是她儿子了，还要他做什么？就像隋杰那个变了心的丈夫一样，还稀罕他做什么？

她心里突然一动，立刻闪身躲进了石台旁边的灌木丛中。

孩子们很快爬到了凉亭，海海从怀里掏出几个叠好的纸飞机，站在石台上往外扔去。纸飞机轻飘飘地飞了起来，在阳光下扑闪着白色的翅膀，晃悠悠地向小区里飞去。"耶！飞得好高耶！"两个孩子全神贯注地看着纸飞机，高兴地欢呼起来，并没有留意到他们已经站到了平台边缘。

莫莉从灌木丛里站了起来，冷冷地看着两个孩子，她无声无息地走到孩子们身后，慢慢地伸出手去。

现在只要她稍用力往前一推，海海就会从石台上掉下去，沈小荻那个傻女人一定会哭得死去活来，莫莉相信隋家的幸福生活一定可以画上句号了。哈，太妙了！正好趁着周围没人，下手吧！一个魔鬼的声音在莫莉脑子里催促着。

莫莉把心一横，手上加了速度和力量。

就在这时，果果突然要转过身来，莫莉害怕他看到自己，着急地把手转向了果果，想把他的身子扭转过去，可是推海海的力度还没收回，本来想扭果果身子的手却怎么也不听使唤地变成了推他的力量，莫莉把推海海的力量全用到了果果背上。

"啊——！"在海海的尖叫声中，果果小小的身子一震，像一个纸飞机一样飞了起来，轻飘飘地向山下飞去。

Second Marriage

2婚

第五章

宝贝战争

冷战，在夫妻俩之间悄悄开始了。

冷战，是因为大家都为各自的孩子不肯投降，却也不愿意为这件事闹得就此分手，他们的关系便由胶着变成了僵持。

冷战，若持续下去，总有一天将会爆发……

1

果果从后山摔下来了，隋家的天塌了。

当邻居慌慌张张地来告诉隋家出事了时，母亲当场昏了过去。结果，母亲和果果是一同被送上救护车的。守在医院急救室外面，隋杰一直蹲在地上不说话，父亲不停地抽着烟。海海吓得不轻，从出事到现在他一直在哭，全身都在颤抖，沈小荻只好把他吃力地抱着放在腿上。没有人在这时候责怪海海为什么要把果果带到后山去，可沈小荻手脚冰凉血液不通，心一直在往下沉，往下沉。这一次海海把祸闯得太大了，她真不敢想，如果事情往最坏的后果发展，他们这个家该怎么办。

沈小荻看着一直蹲在地上双手合十祷告的隋杰，从听说家里出事到等待急救的这一个多小时时间，他仿佛一下苍老了好几岁。从他们结婚到现在，家里似乎就没消停过，沈小荻突然很崩溃，是不是她跟隋杰相克呢？明明是有情人终成眷属，上天为什么又要设这么多波折给他们呢？

从后山山腰凸出的石台到山脚草坪有差不多四层楼高，如果是一个大人摔下来，很难说能否保住性命，万幸的是果果人小体轻，除了身体有多处皮外伤，最严重的只是左腿骨折。医生说如果恢复得好的话，将来不一定会有后遗症。比骨折严重的是孩子受了很大的惊吓，从出事后就不愿意说话。相比之下，母亲的情况就要严重得多，这次她是脑溢血突发，一进院就是入了危重病房。

入院的头一晚是最难熬的。

沈小荻和父亲守着昏迷的母亲，隋杰守着不能动弹的果果，都是一夜没合眼。父亲不肯离开母亲半步，一会儿掖掖被角，一会儿拨拨头发，一会儿趴下去听听她的心跳。对着没有反应的母亲，父亲不停地喃喃说着："你侍候了我一辈子，现在轮到我侍候你了。"听着父亲这话，沈小荻的眼睛一直没有干过。

那边隋杰更是心如刀割。果果麻药醒了之后一直喊痛，隋杰急得找护士来给果果打了止痛针，果果的疼痛是暂缓了，可止痛针非常刺激胃，针扎下去没多久果果就开始头昏呕吐，因为强烈的呕吐牵动身体的伤口疼痛，果果遭的罪更大了。

一直折腾到下半夜，果果终于疲惫地睡着了，隋杰这才顾得上脱掉自己那身脏兮兮的衣服。靠在病床边支起的行军床上，隋杰不时要起身看看果果的情况，不时要摸一摸果果的黄头发。夜深人静，他却一丝睡意也没有。他突然怀疑起自己硬要把果果留在身边的做法。其实只要果果健康平安，有一个好的将来，他为什么要那么执著是不是由他来抚养呢？在他和莫莉的战争中，最无辜、最受伤的是果果，想想果果从出生到现在，一直是多病多灾的，现在孩子侥幸躲过这一劫，是不是老天对他们的警示呢？隋杰的心被深深地触动了。

就在隋杰疲倦极了到了睡着的临界点时，果果突然做起了噩梦，他满头大汗地挣扎着，大声喊着："不要推我！不要推我！"

隋杰猛地清醒过来。果果这是怎么了？问医生，医生也不得其解，只让他注意观察孩子的情况，尽量安抚他的情绪，不要让事故留下阴影。

万幸的不只是果果，母亲也闯过了生死关。隋家人来回在脑外科和骨科跑，照看着动弹不得的老人和孩子。令大家想不明白的是，果果究竟是怎么掉下山的呢？据海海说，他们放纸飞机时站的位置离边缘至少有两步，应该不会那么轻易地失足掉下去啊。

惊魂未定的果果始终说不清楚他是怎么掉下山的，一问他，他就捂住耳朵直摇头，"我不记得了！我不要再想了！"大家以为他受了惊吓而失忆，可一睡觉他就会做噩梦，一做梦就反复地说那句话："不要推我！"

隋杰心里的疑惑越来越多，每次看着果果满头大汗地在噩梦中挣扎，他就对果果的梦话更怀疑了。难道果果是被人推下山的吗？可海海说当时只有他和果果两个人在山上啊！总不会是海海把果果推下去的吧？当然，海海不可能是故意推果果下山的，那有没有可能是无意间撞到了果果?尽管大家都没有明说，心里却或多或少地起了疑。

海海对出事时的说法是:“当时我在放纸飞机，我让果果站在我身边，不知怎么回事他就掉下去了。我怕极了，吓得都不敢动，还是下面过路的叔叔看到了我们，帮我们打了电话，又喊我赶紧下来。”

蓓蓓嘴巴快，把大人们心里的疑问给说出来了，“是不是你放纸飞机时用力太大，推到了果果？”

“没有！我没有！”海海大声喊着，声音已经被委屈哽住了，“我没有推到弟弟！”

“好了，别哭，好在弟弟没出大事，就算是你推到的也没事了，下次要注意点……”隋杰拍拍海海的肩膀，强迫自己露出一个笑容，努力想表现得宽宏大量点，毕竟海海只是个孩子，他根本没办法对果果出事承担责任。

“你不相信我！我根本没有推到弟弟！”海海一把甩开隋杰的手，扭头就往病房外面跑，他心里委屈极了。

沈小荻追出去拎着耳朵把他抓进来，压着心里燃烧的怒火问:“说，你那天为什么要带果果去后山？”

“是果果要去的，他求我带他去后山放纸飞机，说站高点就会飞得远。”

“你闯了大祸知不知道？如果弟弟和奶奶有什么事，看你怎么负得起这个责任！”沈小荻举起手在半空中，想打海海却又打不下去。

“我让果果站远一点的，我不准他放纸飞机，我没有推到他……”

“你还犟嘴！”沈小荻的一巴掌终于落到了海海脸上，立刻留下五条长长的血痕，沈小荻的心一抽，这是她第一次对海海下这么重的手。海海低下头捂着自己的脸，因要强忍住哭声全身都在颤抖，眼泪却像在沙地上一镐挖到了山泉一样咕咕往外涌。沈小荻的心揪了起来，对不起了海海，不是妈妈心狠，只怪你这个祸闯得太大了啊！她的眼圈也红了。

“好了好了，别在这个时候打孩子，已经够闹了。”隋杰心烦地拉开了沈小荻。

隋杰把哭泣的海海带出了医院，离开那个令海海窒息的病室。见有人站到他这边了，海海的眼泪自然就止了。隋杰给他买了一支冰淇淋，弯下腰来问:“海海，你跟杰叔叔是不是朋友？”

孩子到底是孩子，海海脸上还挂着泪痕，注意力却转移到了舔红豆冰上，他看着隋杰点点头，“那还用问吗？”

“那你跟叔叔说实话，最后你扔那架纸飞机的时候，手肘或者是身体的其他部位有没有撞到果果？”隋杰手脚并用地比画着，想象着出事时的情景。

“杰叔叔你还是不相信我吗？”海海吃惊地看着这个平时跟他关系很好的叔叔。

被海海识破了，隋杰只有尴尬地扯着嘴角笑了笑，“我是想帮你们把事情弄清楚啊！”

“你不相信我，我不吃你的冰淇淋！”海海气愤地扔掉了手里的红豆冰，撒开脚丫子跑了，留下想诱供的隋杰愣在原地发呆。

在果果入院的第二天，隋杰主动给莫莉打了电话。果果这次受伤对他的触动很大，尽管这时候隋杰不想让莫莉来添乱，但大人们就算有天大的仇恨，莫莉毕竟还是果果的母亲。一听果果骨折了，莫莉在电话里哭得说不出话来，很快她便出现在果果的病房里。

莫莉走进来的时候，沈小荻正好在场。只是两天没见莫莉，前天还胖得像水肿了的莫莉一下瘦下去了，那速度简直快赶上针扎了的气球。她穿着套乱七八糟的家居服，平日时扔个垃圾也要梳得丝是丝、卷是卷的头发此刻乱得像一堆杂草，眼睛外围一圈青黑色，走路拖拖沓沓的，如果走在街上，就是一个中年吸毒女人的形象。

莫莉在门口站住了，直勾勾地看着腿上打着石膏，脸上、手上多处缝了针的果果，她全身哆嗦着，慢慢地伸出双臂，一步一步地挪到果果病床前，“……儿子……儿子！”她抱着果果放声大哭，一边哭，一边哆嗦着亲果果，嘴里含糊不清地说着，“妈妈对不起你……妈妈对不起你……”

沈小荻心一酸，眼睛发潮了，对莫莉有再多的厌恶此刻也恨不起来了。甚至她觉得，其实莫莉也挺可怜的，设身处地想一想，一个母亲失去了抚养儿子的权利，眼下又看到儿子遭这么大罪，天下所有母亲的心都是一样难过的。

隋杰没有阻拦莫莉对果果的亲热，他看着母子俩，轻轻地叹了口气，眼神里全是怜悯和无奈。

莫莉的哆嗦仿佛传染给了果果，也许莫莉的拥抱太紧弄痛了孩子，果果的脸色苍白，嘴唇发紫，全身不受控制地哆嗦了起来，他窒息般地断断续续说着：

“爸爸，我怕……”

“爸爸在这里，别害怕！”隋杰赶紧抓住果果的手，莫莉也松开了对果果的拥抱，抓住了他另一只手。果果睁着大眼睛，看看爸爸又看看妈妈，终于安静了下来。爸爸和妈妈亲吻着儿子的小手，三个人脸上都写着关爱和温情。这一刻，争吵没有了，怨恨没有了，你死我活地掐来掐去没有了，只有对儿子的共同的爱。

“乖宝贝，妈妈来了，以后都不会离开你了……”莫莉擦着自己的眼泪，努力给果果一个笑容，她转过来对隋杰说，“我休了年假，这些日子让我来照顾儿子吧！”

“嗯。”隋杰答应得很快，他想孩子毕竟还是需要妈妈的，何况家里人手不够。他并没有在意莫莉说“以后都不会离开”的话，旁边的沈小荻却脸色一变。

“宝贝，你看妈妈给你带了什么？——是你喜欢吃的巧克力！还有一本童话故事！妈妈给你讲故事好不好？”

果果咧开嘴笑了，妈妈从来没有对他这么好过。看到果果终于露出了笑容，隋杰不由自主也笑了。

这是沈小荻第一次看到隋杰和莫莉之间如此和平和默契，她发现自己站在一旁是那么多余，心里有一点难过慢慢蔓延开来。她悄无声息地退出了病房，走到走廊的窗前装作看外面的风景，其实心里像被人堵住出口的抽油烟机一样憋屈。她知道自己不应该在这时候吃醋，可她算什么呢？为这个家她付出了很多很多，一个事故就马上改写局面。尽管果果跟她越来越亲了，可怎么也赶不上和莫莉的血脉亲情。

果果住院的日子，莫莉每天都在衣不解带地照看果果。每次她一来，沈小荻就只有尴尬地走去母亲病房，把空间让给莫莉和隋杰。莫莉好像变了一个人似的，并不借这个机会跟隋杰和解或吵闹，她表现得很沉默，总是静静地忙该忙的事。

果果还是常常做噩梦，医生说他的噩梦一定与出事那天的情景有关，现在所有人都怀疑他是被推下山的了，至于推果果下山的人，海海无疑有最大的嫌疑。

尽管当着大家的面沈小荻打了海海，但她还是很相信自己的儿子。海海做事粗中有细，在那么多次教训之后他早明白果果是个碰不得的瓷瓶子，无论玩什么他都把果果的安全放在第一位。而且海海是个敢作敢当的孩子，如果真的是他推了果果，他绝对不会不承认。可光是沈小荻相信又有什么用呢？父亲和隋杰对海海的态度已经冷淡了很多，海海已经被孤立了起来。家里发生了这么多不愉快的事，没有人能再顾得上海海的心情。

沈小荻只有自己暗暗气苦。

2

眼见着老人孩子都没有生命危险了，大家这才缓一口气。

母亲先出了院，这次发病让她半边手脚还活动不便，需要一段时间的康复治疗。担负着家里大部分家务的母亲一倒下，隋家的生活简直乱了套，家务事自然全落到了沈小荻身上。沈小荻整天来回在公司、医院、家里跑，累得腰板都直不起来。

老妈想接海海过去住段时间，可海海周一到周五毕竟得上课啊！他的中餐成了很头痛的事。海海就读的小学没有食堂也不能寄宿，双职工的孩子只有依靠学校周围散弹式的午托班才能解决中午的问题，现在海海也不得不加入了黑午托班的行列。老妈心疼得天天念叨："造孽啊！"沈小荻也心疼可是没办法，只能安慰自己，海海的同学都是这么过来的，她的孩子并不比别人金贵啊！

忙成一团糟的沈小荻还没有意识到，海海小小的心因为果果受伤的事也经受着巨大的创伤。

出事之后，海海变得异常敏感，推弟弟下山的罪名像个巨大的阴影笼罩着他，家里大人对他语气稍重一点，他就觉得他们还在怀疑他。阳光般的笑容在他脸上消失了，取而代之的是可恶的吵闹、顶嘴、倔犟，有时还恶作剧地调皮。他像个受伤的小刺猬，立起了浑身是刺的盔甲来挑战，他是在用这种方式向大人们抗议，果果真的不是他推下山的，可惜并没人理解他。碍于沈小荻的面子，谁也不会说他，可隋家的人都在心里想：海海怎么越来越讨厌了啊！

终于有一天，海海的作业没做完，被老师留堂了，老师通知沈小荻一定要亲自来领人。沈小荻却一直忙到八点半才有空来学校，被恨铁不成钢的老师训了半个小时，她一边道歉一边狠狠地瞪着海海，心想着这孩子越来越不像话了，再不管教就要成二流子了。

娘俩一前一后拖拖沓沓地出了学校，饿得头昏眼花的海海现在只剩下了害怕，他在前面走得飞快。沈小荻拎着那个重得要命的书包在后面追。“慢点走，小心车！慢点！……海海！你站住！”

海海极不情愿地站住了，憋着怒火的沈小荻跟上去在海海胳膊上重重地拧了几下，“谁让你不做作业的！谁让你这么不听话！”这一拧，是恨海海的不听话，也是这段时间心里一直憋了不少怨气。

海海没有躲闪也没有哭，他咬着牙齿站在原地，斜着眼睛仇恨地看着沈小荻。虽然是在马路边上管教孩子，但周围的路人只是冷漠地行走，没有任何人的目光为这娘俩稍作停留。

沈小荻看到海海被拧的地方红了一大块，心一沉。打在儿身痛在娘心，她为自己的狠心后悔了，她这是怎么了？她怎么变成了自己最憎恨的暴力家长？为什么现在对海海越来越没耐心？她答应过海海要和他做朋友的，可她一次次失言了。

“对不起，妈妈不应该打你……可是你为什么不体谅一下妈妈呢？”

“体谅！你们大人总是要别人体谅！你有没有体谅过我？”

沈小荻心里一酸，用手去摸海海的头，海海把她的手一甩，甩得自己的眼泪终于掉了下来。等到沈小荻再去抱他时，海海不反抗了，控制不住哭了起来。他抽泣着哀求：“妈妈，我们搬回原来的家吧，我再也不要住在这里了，这里的人都怀疑我，不喜欢我……”

“不会的，不会的……”沈小荻安慰着儿子，心里却知道事实的确像儿子说的这样。海海带果果去玩时出了事，不管是怎么掉下山的，海海都有推卸不了的责任，作为一个母亲，她是应该站在委屈的儿子这边还是受伤的继子那边呢？

面对家庭难题，沈小荻发现自己的智慧和勇气都变成了零。

隋杰打电话来说今晚他又要在医院陪果果了。拎着一煲骨头汤，沈小荻去了医院，她想她应该和隋杰好好沟通一下了，出事后他也忙瘦了，骨头汤给果果也给隋杰补补身子。

到医院时果果已经睡了，一条腿还在被挂着做牵引，可怜的孩子摆着一个僵硬的睡姿，在睡梦中紧皱着眉头。沈小荻给果果掖掖被角摸摸头，她看到隋杰的手机摆在桌头柜上，人却不在病房。去哪了呢？沈小荻找了出来，原来平时很少抽烟的隋杰现在在走廊的尽头抽烟，一个女人正站在他身边，那是莫莉。他们背对这边，正在说着话。

沈小荻的心没有规律地乱跳了起来，她突然很想听听他们会说些什么。于是她悄无声息地走过去，闪到了一个离他们很近的门里，竖起了耳朵倾听。

首先听到的是莫莉的声音，“让果果转院到我们医院去吧，毕竟我在那里，费用会比这边低一些，我也省得这样来回跑了。”

隔了很久隋杰才发出一声沉闷的“嗯”，这就算是同意了。

莫莉的声音里立刻有了几分欢喜，“那我们明天早上就给果果办手续，你让家里人把果果的东西送一些到那边去吧！”

“我……”隋杰吞吞吐吐着，好像有什么难言之隐，“我想跟你商量下，能不能让果果出院后去你那里住段时间……”

“啊——”惊讶的不只是莫莉，还有一边偷听的沈小荻。隋杰是怎么了？过去为了抢果果，只差没跟莫莉拼命了，为什么现在主动提出让果果去莫莉那里住？

“可能我这么说有点突然……果果这次出事对我触动很大的。我这个当爸的没有把他照顾好，是我的责任……我觉得果果的后遗症挺严重的，腿伤需要很长时间理疗，他还是挺需要你照顾的。而且现在每晚做梦他都会说同一句话‘不要推我！’我觉得这可能跟他掉下山的事有关系，搞不好真的是被人推下山去的……”

隋杰沉浸在自责中，沈小荻看不到背向而立的两个人的表情，隋杰和沈小荻都没有发现，此刻的莫莉已经脸色惨白，她在猜隋杰是不是已经知道了事情的真相。

“你们，你们知道是谁推他下山的吗？”莫莉的声音有点颤抖，但听到的两个人都各怀心事，没有在意。

隋杰犹豫了一阵，并没有正面回答，“当时只有海海在场。”

莫莉和沈小荻的心同时一沉，莫莉是心里的石头落了地，沈小荻的心却是被失望砸中，她知道隋杰的回答表示他认定是海海推果果下山的了。

“如果真的是海海干的，那你准备怎么办？”莫莉这段时间表现得很平和，这也是隋杰今天愿意跟她说这些话的原因。

隋杰烦恼地狠抽了几口烟，“不知道。”依他的个性，如果是别家的孩子伤害了果果他一定会追究到底的，可是海海是沈小荻的儿子，纵然海海有一千个一万个不是，沈小荻可是千好万好啊！一边是受伤的心头肉儿子，一边是恩重如山的妻子，他该为儿子报仇还是看在沈小荻的分儿上忘记伤痛？可将来他们这一家特别是这几个孩子又该如何相处呢？隋杰痛苦极了。

今天莫莉表现得很配合隋杰，不仅终于得到了果果，也因为出她意料地隋杰会对事故如此判定，她掩饰不住自己的高兴，"你就把果果交给我吧，你放心，我毕竟是他亲妈，不会让别人再伤害他的。经过了这么多事，我也想开了，我不能没有儿子，儿子也不能没有爸妈。今后你随时可以来看儿子，我不会再跟你闹了。"

隋杰叹了口气，无精打采地说了句"谢谢"。为准备跟莫莉说这些话，他不知在心里劝了自己多少回，闹了这么久，他到底是输给莫莉了，而且是自己主动投降的。他不得不承认，他过去为果果做了很多没有意义的争执，孩子还是需要妈妈的呵护。

就在这时，查房的护士们正好查到了沈小荻站的那个病房，一个端着体温计的实习小护士狐疑地看着呆若木鸡的沈小荻，"你是病人家属吗？要熄灯了，没有登记的话不能留宿！"

沈小荻还是呆呆地没有回答。小护士急了，马上叫后面的护士长，"这里有个好奇怪的人，我叫她走她也不肯走，你来问问怎么回事吧！"

护士长看看发呆的沈小荻，明显一脸受了刺激的表情，于是她温和地问："你是九床的家属吗？我们这里要熄灯了，请你明天再来探望病人好吗？"

沈小荻咬着唇不说话，眼泪在眼圈里打转。

围过来的护士们引起了隋杰和莫莉的注意，隋杰转过身来，"好了，先这么定吧，明天早上你过来办手续。"

就在隋杰准备跟莫莉话别时，注意力被身后这堆七嘴八舌的护士们吸引了，他好奇地看过去，一眼就看到了被人群包围的沈小荻。一看沈小荻的脸色，心里顿时明白她把刚才他们的对话全听到了。隋杰有点生气，怎么沈小荻也会干偷听这种事呢？他也有点心慌，从出事后夫妻俩就一直避开追究事故的原因，再怀疑海海他也只是心里想着，并不想跟沈小荻把话挑明，就是怕伤了和气，可现在事情终于变得很复杂了。唉，沈小荻偷听不对，可他也说了伤感情的话，但愿他能做些什么来挽回残局。

隋杰推开人群拉沈小荻出来，跟护士们连连道歉，"对不起对不起，她是我老婆，我们是46床的家属。"

拉着沈小荻冰凉的手，隋杰没有再顾上莫莉，他只想尽快带沈小荻离开这个是非之地。他用力地拽着沈小荻往前走，沈小荻却踉踉跄跄地不肯跟着去，两人滑稽地在走廊、电梯和大厅里一路玩着拉锯战。感觉着沈小荻手中传递来的倔犟，隋杰不停地压着火气说："咱们找个清静地方说话行不行？"

沈小荻不说话，就是一味发狠地跟他的手扛着，两人拉拉扯扯地好不容易走出医院门口，沈小荻抱住一棵大树死活也不肯走了。

"是我不对，你就算是要杀我剐我也要给个话才行啊！"隋杰知道这回他是点到了沈小荻的死穴了。她这个人平时温柔体贴很少发脾气，可再温柔的女人为了自己的孩子都可以从小白兔变成母老虎啊！

"你有什么错？错的都是我和海海！"

"我，我……你到底要怎么样啊？我知道你很烦很累，可是我也很难受，你别在这个时候跟我闹好吗？"

"你不用把果果交给别人，看不惯我和海海，我们搬走就是！"赌气的话一出口她就有些后悔了，这种草率的话只会把事情弄得更糟。可是，凭什么次次都该她忍气吞声，隋杰心疼果果受了伤，可她的海海也受了冤枉。果果不该受伤，难道海海就该受委屈吗？这个时候她不站出来为海海争辩那还有谁呢？她必须要站在自己受冤的孩子这边。沈小荻咬咬牙。

"你知道我不是那个意思，我什么时候说过看不惯你们了？"

"你嘴上不说，心里明明就是！"沈小荻声音哽咽了，她想到了自己打在海海身上的巴掌，心绞痛了起来。

"沈小荻，请你不要乱扣罪名！"

沈小荻注意到他不叫"老婆"和"小荻"了，他就是这样，心里一有事硌住就不叫平时的昵称了，证明这次他真的生气了。听着隋杰少有地叫她的全名，沈小荻的怒火来得更足了，冷冷地又送上一句："你是刚刚跟莫莉和好了，就看我们娘俩不顺眼了吧？"

隋杰气得胸口剧烈地起伏，"我以前一直觉得你是个明事理的人，可没想到你也这么胡搅蛮缠！好吧，你愿意怎么样就怎么样吧！"

扔下一句赌气的话，隋杰大步流星地走进了医院。

沈小荻在原地发了半天呆。

3

沈小荻决心要替海海洗清罪名。

自从和隋杰在医院怄气之后，夫妻俩悄悄开始了冷战。冷战，是因为大家都为各自的孩子不肯投降，却也不愿意为这件事闹得就此分手，他们的关系便由胶着变成了僵持。沈小荻并没有像她赌气时所说的那样搬出去，让她生气的是隋杰的态度，可心里再气也不能在母亲需要照顾的情况下离开。隋杰见沈小荻没有把事情闹开，心里早就消了火，可让他就此认错也不甘心，毕竟果果因为海海受伤这是事实啊！

除了上班，隋杰每晚都在医院陪果果。转院后，莫莉把果果的饮食起居接手过去了，沈小荻也用不着天天往医院去送饭了，她也不愿意去，每次去都能看到隋杰和莫莉围着果果转的情景，让她觉得自己是个多余的第三者。这感觉让她太窝心了。

说来说去，还是得把果果怎么掉下山的事情弄明白，否则这个婚姻会不可控制地向危险的边缘滑去。

想让案件重演，首先得去案发现场。沈小荻周末特地起了个大早，打算在家附近好好找找线索。以前隋杰还时常安排些远足的活动，和她过过二人世界的日子，可现在，风花雪月的恋爱变成了烦恼无边的家务事，连家门口的风景都没来看过。想到这里，沈小荻心里涩得化不开。

到后山时是七点，正好是那天孩子们出事的时间，今天天空晴朗，和出事那天台风过后的满山狼藉完全不同，而且从山脚到山顶都有不少老人在晨练。沈小荻模仿孩子们的速度跑上半山的亭子，已是气喘吁吁了。站在亭子里，沈小荻往出事的石台看去，通往石台的路已经被铁栅栏封起来了。

沈小荻叫住一个正在亭子里打太极拳的老头，“请问您知道那边为什么被封起来了吗？”

老头热心地告诉她：“前些日子这里出了事啦！有一个小孩从那边掉下去了。”

“您知道他是怎么掉下去的吗？”

他们的话题吸引了旁边的两个老太太，也自告奋勇地插进话来，“就是两个小孩在那边放纸飞机，结果把自己给放下去了。”

顺着老太太的手一指，沈小荻看到已被半人多高的草丛遮盖的小路尽头，露出一点平台的褐色地面。沈小荻诧异地问：“这里的草怎么长得这么高？”

“以前还没这么密，是出事之后封了路没人去踩草了，所以才长成了这样。我们早就跟居委会提过很多次意见，应该把这些乱草灌木给砍了，占了这么多地方，很妨碍我们锻炼的。还有那个平台，我们跟居委会说过好多回，一定要安栏杆一定要安栏杆，居委会老说经费紧张，这下可好，终于出事了……”老人家们七嘴八舌地跟沈小荻诉着苦。

在老人们的阻止声中，沈小荻翻过了铁栏杆，拨过茂密的乱草丛，切切实实地踏在了那个危险的石台上。一踩上去，她感到脚掌有些往上倾，仔细一看，原来这个石台并不是完全平的，而是从里面到边缘稍微有些往上的角度，也就是说，外面高，中间低，其实不是那么容易掉下去的。沈小荻走到边缘往下看，这里到山脚的草坪大概是四层楼的高度，到边缘的地方时，褐土早变成了裸露的石头。出事那天刚刮过台风，泥土地因为下过雨可能会很滑，但石头地面就排除地滑失足的可能了。这么说，果果真的可能是因为外力才被推出去的。

站在平台边缘，想象着孩子们当时站在这里的情景，沈小荻的心怦怦地跳了起来。如果说真的有那么一个凶手存在，为什么要去伤害果果呢？这么丁点大的一个小孩，他不可能跟谁有仇恨，除非，除非有人对隋家有仇恨，才拿孩子泄愤报仇……跟隋家有过节的人……沈小荻第一个想到了莫莉，不过她马上就摇头了，莫莉再恨隋家也不可能对自己的孩子下手，果果可是她的亲生儿子啊。这些天莫莉衣不解带地照看果果，虽然让沈小荻心里很不是滋味，她还是要承认，莫莉真的很爱果果。一个这么爱孩子的女人能坏到哪里去呢？同样身为母亲，一想到孩子，她对莫莉就恨不起来，甚至在为莫莉种种疯狂的行径开脱了。

那么隋家还会得罪了谁呢？父亲母亲与人为善，她和隋杰也从不树敌，平时几乎也不跟什么左邻右舍来往，孩子们虽然有时跟小区里的孩子玩玩，但都没有过节，何况像果果这样一个乖巧的孩子，更不可能去得罪什么人了。那害果果的动机究竟会是什么呢？

一阵晨风吹来，吹得沈小荻的衣裾哗哗作响，她往下面又瞟了一眼，有些头晕起来。

热心的老人家们还在铁栏杆那头大呼小叫，要沈小荻小心别掉下去了，沈小荻发了会儿呆，终于折了回去。这次回去她向老人家表明了自己的身份，“其实我就是那个出事孩子的妈妈，孩子掉下去之后骨折了，一直在医院治疗，唉，总算是他命大了……我今天来是想把出事那天的情况了解清楚，别让孩子不明不白地遭场罪……”

老人们同情地点点头，他们商量了一下，几个人分头去找人，一会儿工夫就把山上山下所有晨练的人都召集到了半山亭来。这些人都是平时常在这里锻炼的，可说到出事那天在不在场时，全都摇头说：“那晚刚刮过台风，知道山上到处湿漉漉的，谁会在那个时候来晨练啊！”

不过有个老太太提供了一个重要线索，“那孩子掉下去以后，是一个年轻人打的急救电话。担架来的时候，我刚好买菜路过这里，还看到那个年轻人在帮忙呢！”

“您认识那个年轻人吗？”沈小荻急急地追问。出事那天大家都慌得要命，根本没人留意是谁第一个发现现场的。

“不认得——”就在沈小荻要失望的时候，老太太又补充了一句，“不过他好像是送牛奶的，因为他推了一个放牛奶瓶的自行车。”

真是柳暗花明啊！沈小荻兴奋地拉着老太太的手，“太感谢了，那我现在就去牛奶公司问问！”

找一个见义勇为的牛奶小子还是很简单的，小区里送奶的只有那么两三家，只要弄清楚送奶的人穿的是什么颜色的制服，一下子就打听出了他送的品牌，再找他就很容易了。只花了三个小时时间，沈小荻就通过牛奶公司，顺利地找到了那天第一个看到现场的人。

说起那天的情形，小伙子有些腼腆，“那天早上我来送牛奶，刚骑到那个草坪上就看到一个小孩从山上掉了下来，吓得我把单车一停，赶紧过去看他。当时我都以为那孩子死了，可过去一看，他居然还能说话，就是一个劲地喊疼。因为我不知道他伤了哪里也不敢乱动他，所以马上打了120。后来在等急救车的时候，我往上一看，看到那上头还有一个小孩呢，那个大一点的男孩儿从上面探出脑袋往这里看，一副吓傻了的样子。我怕他也会掉下来，赶紧大声喊让他从石阶那边下来，那孩子下来之后都不敢靠近出事的小孩，光知道哭。”

“除了看到上面那个大男孩之外，你还有看到其他人吗？”沈小荻的心突然又怦怦乱跳了起来，这个问题非常重要，也许能挖出真凶来。

小伙子努力地回忆着当时的情景，“上面一个，下面一个，除了那两个小孩，还真没有其他人在场……对了，后来慢慢有些过路的人来看热闹，直到担架抬过来，把孩子送上车我才走。”

“那些看热闹的人是从山上下来的，还是村里出来的？”为了找出真凶，沈小荻简直在谆谆诱导。

小伙子直摇头，“那我可没留意，当时只顾上看孩子伤势了。”

“那看热闹的都是些什么人呢？”沈小荻还是不死心。

“好像有老人、男人、女人……我真的是不记得了……”小伙子的回答等于没说。

眼见着从小伙子这里得不到更有用的信息了，沈小荻赶紧回了家。她要回去问海海，其实找来找去，海海和果果是第一当事人，如果真的有人行凶，那海海一定是目击者。

当沈小荻盘问起出事时兄弟俩身边有没有别人时，海海把头都快摇断了，“山上绝对没有人！”

“海海，你一定要回忆清楚，如果有别人在现场，那就可以证明你没有推果果。”

“我回忆得很清楚了，我也很想有其他人在，可是我不能撒谎。当时就因为没人在，我们才敢去那个平台放纸飞机，要是平时那些爷爷奶奶都在，他们是绝对不会让我们小孩子走到平台上去的。”

沈小荻瞪了海海一眼，“知道大人们不让你们去危险的地方玩，那你为什么还去？”

海海吓得不敢做声了。

沈小荻想来想去还是找不到破绽，但她不死心，拉着海海又去了后山，她要让海海到现场模拟一次当时的情况，也许能想起一些别的线索来。

看到妈妈支持自己，而且终于认真地调查这件事了，海海露出了这些日子来消失的笑容。他兴奋地牵着沈小荻的手，在出事地点指指点点，“当时放纸飞机的时候我就是站在这个位置，我让果果离外面远一点不要过来，对，就是这里。”海海指着一处离平台边缘有两步之遥的地方。

沈小荻站到了那个位置上，这里的地面是不那么平整的石头，在雨停几小时后地面打滑的可能性应该不大。沈小荻用带来的两瓶水浇湿了地面，试着把腿往前蹭，设想着如果从这里失足滑落的感觉，却发现脚下的石头摩擦力很大，这样更不易滑倒了。“他掉下去之前一直没有离开过这里吗？”

海海挠着脑袋，“这个我就不知道了，我全注意我的纸飞机去了，反正不知道怎么回事他飞起来了，一下就掉下去了。”

“他掉下去之后你在做什么？”

“我好害怕，一下坐到了地上。我慢慢爬到边上，低着头去看果果，我看到他掉下去之后一动不动的，我以为他死了，心里害怕得要命。”

沈小荻又模仿海海的姿势坐在石台边，用手抓住边缘探出头去往下看，在保持这个姿势五分钟后，除了轻微的头晕，她没有发现任何不妥。下面的草坪里有几个小孩在玩过家家，有个小女孩套了件显然是她妈妈的衣服，拿了块毛巾搭在头上，正跟一个小男孩在拜天地呢！这样的游戏她儿时也曾玩过，没想到在这样的环境下她再次重温了。孩子们真天真，可山上这个偷窥的大人也很荒唐，沈小荻为自己这个滑稽的姿势和毫无头绪地乱找线索感到了好笑，于是慢慢地爬起身来。

谁知一转身，刚才还在她后面乱蹦的海海不见了，沈小荻大喊：“海海！海海！”

“我在这里呢妈妈！我在看蚂蚁！”石台边的乱草丛里突然抖动起来，海海从里面钻了出来，头上身上到处沾着杂草。

沈小荻看看刚才淹没海海身子的草丛，又看看海海，突然间露出一副迷茫的神情，心里电光石火地浮现了很多念头。如果真的有凶手推果果下山，为什么果果、海海和送牛奶的小伙子都没有看到呢？莫非凶手早就藏身好了，又在出事后迅速藏回去了？……比如，藏在这片草丛里？等海海被送牛奶的小伙子叫下山之后，再从容地出来？……

沈小荻一头钻进草丛里，东翻翻西找找，突然间，她在地上拈起一小块布头来，这布头是宝蓝色的，似乎是谁的衣服被挂了一角下来。

“妈妈，你怎么了？”海海奇怪地拉拉沈小荻的衣角。

“别吵！”沈小荻眉头紧皱地看着那布头出神。

4

沈小荻和隋杰已经好多天没私下说过话了。可等沈小荻主动找隋杰时，两人却吵了起来。

沈小荻找隋杰第一句话就很理直气壮，“海海是冤枉的！我要去报案！”在她心里，推理加证物已经可以得出海海不是真凶了，她要为儿子这些日子里受的委屈要个说法。

隋杰虽然在和沈小荻冷战着，心却已经软了，妻子衣不解带地服侍母亲他是知道的，沈小荻点点滴滴的好渐渐淹没了果果受伤的痛。他一直在心里劝自己，果果的伤已成定局，好在捡了条命回来，如果受伤事件再追究下去，他和沈小荻当中一定要有人投降，投降了又怎么样？是让海海也受伤一次还是让海海赔偿？说来说去海海毕竟是个孩子，而且从法律上来说也是他的孩子，手心手背都是肉。他已经下定决心不再追究事件的原因，一家人都要收拾心情好好过。可就在他想跟沈小荻好好谈谈时，沈小荻一上来就让他噎住了。

沈小荻兴奋地拿着那块小布头，“你看这个——这是我在果果出事的地方找到的！我去查看过地形了，那里的草丛完全可以躲人。我怀疑有人事先躲在那里，推了果果下山！这个布头说不定就是凶手留下的！”

隋杰苦笑，“你别折腾了，凶手事先又怎么知道孩子们会去那里玩？事情哪能这么赶巧？两个孩子都在现场，为什么只推了果果下山而不是海海？如果真的有人推了果果下山，为什么海海没看到？”

沈小荻语结了一下，马上又冒出了新词，“所以我们得去报案，让警方把这件事查个水落石出。”

“求你了，咱家再也经不起折腾了，以前的事情就让它过去好吗？我都已经不计较了，你为什么还要耿耿于怀呢？”隋杰一脸的无奈和烦恼。

"计较？你用了这个词，证明你还觉得是海海的错！你摸着良心说，你和爸妈真的可以不再认为这事是海海干的吗？你们真的可以彻底放下吗？"

"上次是我说错了，不关爸妈的事，我跟你道歉……不过你也用不着这样没完没了吧？"

"我没完没了？"沈小荻被刺痛了，"从嫁给你到现在，是谁没完没了地在折腾我？"

"你说真话了，你觉得自己受委屈了，你累了是吗？"隋杰敏感地问。

"是……"沈小荻哽咽了，"我没想到为这个家付出了这么多，你们还是不信任我……"

"这不是信任的问题，你对咱家有恩这大家都知道，可果果是因为海海受伤这也是事实，我又没有说要追究，你为什么一定要死磕到底呢？"

"是，我就死磕了，你当初为争果果不也是这样死磕吗？"

"你？"沈小荻的话戳到了隋杰的痛处，他生气地瞪大了眼睛，正要和沈小荻争辩些什么的时候，莫莉拎着一袋食品满面春风地走过来了。看到沈小荻和隋杰站在病房外，她稍稍驻步了一下，很快她从两人铁青的脸色上看出他们正在争吵。莫莉心里很痛快，但没有乘胜追击。她送上一个甜蜜的微笑，然后绕过他们进了病房。不一会儿，房里传来她和果果开心的说笑声。

沈小荻心里一阵剧痛，一言不发地掉头就走。隋杰伸出手准备来拉她，可又想起上次在医院和她拉拉扯扯的情景，他实在不想在这时去碰钉子了，何况他自己现在还憋着一肚子火。他伸出的手只碰到了她的衣角就缩了回去。

出了医院的沈小荻落寞地在街道上走着。虽是初秋时分，夜晚的街头仍然暑气逼人，沈小荻却莫名地觉得好冷。她裹紧了衣裳，低着头慢慢走着，看着街灯把自己孤单的影子一会儿拖得很长，一会儿踩在脚下。马路上车来车往，尾气、热浪和噪音对沈小荻来说如同根本不存在。在她陷入无边的沉思中时，一辆摩托车悄悄地盯上了她，悄悄地靠近了她，然后猛地加速，同时摩托车后座载的那个人向沈小荻伸手抓去……

沈小荻只觉得有人把她往前一推，还没反应过来是怎么回事她就摔在了路边的下水道铁盖上，而她挎在肩上的包，已随着摩托车上的劫匪呼啸而去。她被抢包了！反应过来后，沈小荻的脑子出现了短暂的空白，刚才她重重地摔在了下水道铁盖上，手掌、手肘、膝盖都受伤了，连裤子都破了一个洞，到处都火辣辣地疼，身体的疼痛还是其次，恐惧开始击倒了她，回想着刚才那一幕，她好后怕，害怕极了。她想打电话求助，手机却跟被劫的包一起被抢走了。包里除了电话和证件，其实并没有多少现金，但她损失的不是金钱而是安全感。

车来车往，人行人去，尽管周围的人都看到了案发，但没有一个人过来帮她。她趴在肮脏的地面上，只觉得漫天盖地的孤独和惊恐。一瞬间，她觉得自己仿佛又回到了刚离婚的时候，那种令人灰败和绝望的心境。有那么几秒钟时间，她甚至想到了死。如果刚才她是往马路中央滚落的，那她已经解脱了……

还好只是几秒钟时间，她想到了海海，想到了爸妈，想到了隋杰……她挣扎着走到路边的报刊亭打电话。她应该打给自己的丈夫，可是隋杰的手机号码竟然一个数都想不起来，手机的名字储存功能已经让人丧失了记号码的能力。她可以打家里电话，可是告诉几位老人家又有什么用呢？只会让他们跟着干着急。这时，一个她从来没有储存过却一直刻在心里的电话浮现了出来，那是前夫夏明皓的。当年他用手机的时候还没有名字存储功能，因为拨打频密，这个电话一直印象最深，虽然曾经努力地想忘记这个人，电话号码却刻在心里怎么也忘不了。

“明皓……”听到他熟悉的“喂”声后，沈小荻哽咽了。虽然做不成夫妻了，可关键时候，他还是很亲的亲人。

“老……小荻？”夏明皓差点把那声叫惯了的“老婆”脱口而出。

他还是有点改不了口，从结婚的第一天他就开始叫老婆，直到分手了这么久。曾经的习惯像刻在心口的刺青，深深烙在彼此的生命里，不管他们承不承认是否相爱过。沈小荻以前一直不让自己去想这是为什么，今天这半句咽下去的“老婆”称呼却如此让她动容，明明夏明皓是不爱她的，可为什么要表现得这么在意她？甚至比最应该在乎她的人还要在乎？难道，难道她在夏明皓心里始终有那么一点位置？

沈小荻心里堆积的委屈和恐惧在这一瞬间彻底崩溃了，她放声大哭。

夏明皓吓着了，急切地追问：“小荻你怎么了？出什么事了？你在哪里？赶快告诉我！”

沈小荻嘴唇嗫嚅着，可就是半天说不出话来，只好狼狈地扔了电话大哭。

报刊亭老板好心地接过电话，说清了沈小荻所在的位置。

二十分钟后，夏明皓赶到了。他到的时候沈小荻正蹲在报刊亭下角，平时无论什么时候看起来都干净爽利的沈小荻此刻像个流浪的小猫，一身尘土，满面惊惶。打量着前妻的狼狈样，夏明皓心里似乎明白了几分，他蹲下去轻声问道："怎么这么晚还一个人在外面？……是不是被坏人欺负了？"

沈小荻还在后怕地全身发抖，一句话也说不出来。夏明皓拉着她站起来查看伤势，他皱起眉头，不容分说，"你这样不行，我送你去医院。"可是她到现在还腿哆嗦呢，不忍心看她步履踉跄的样子，夏明皓干脆把她抱到了车上。

离出事地点最近的是康健医院，夏明皓没有征求沈小荻的意见，带着她直接杀了过去。下车时夏明皓仍然抱起了沈小荻，不顾她的挣扎把她送到了急诊科。在急诊科门口，他们与上夜班的莫莉撞了个满怀，莫莉惊讶地看着这个着急的大帅哥，看着他抱着沈小荻那副亲密的样子。莫莉真是大跌眼镜，没想到沈小荻身边居然有这么帅的男人。她没看明白这两人的关系，不过有一个人肯定能看懂，她不假思索地拨了隋杰的电话。

知道老婆被打劫了，隋杰慌得几乎从果果的病房直接就蹦到了急诊科。可等他气喘吁吁地跑到注射室时，看到的却是令他心碎的一幕。沈小荻的脸上、手上、臂上到处涂满了药水，护士莫莉正给她剪开裤腿，给那血肉模糊的膝盖上药。消毒用的双氧水一抹上去，沈小荻立刻发出了痛苦的呻吟，她挣扎着想躲开那刺激，一个高大英俊的帅哥却扶着她不让乱动，同时对给她上药的莫莉没好气地喊："你就不能轻点吗？知不知道她很疼？"

这个扶着沈小荻的帅哥应该是她的前夫夏明皓了。隋杰之所以认识他，是因为有一次在街头偶遇过沈小荻坐在他车上，后来又在沈小荻的旧相册里看到过这个人，没想到他本人比照片还要帅，还要高。

看到沈小荻受伤又受了惊吓，隋杰很心疼，可当看到第一时间出现在她身旁的不是自己，而是这个离了婚的前夫，隋杰的心更痛了。这时沈小荻也已经看到了他，两人的目光一对视，沈小荻本已止住的泪又涌了上来，她是多么需要隋杰，多想在他的怀里大哭一场，可隋杰倔犟地把头一拧，转身要离开这个看起来他是多余的地方。

"隋……杰……"沈小荻在身后喊着他的名字，带着哭腔的声音里充满了哀伤和委屈。她没想到隋杰居然在这时候掉头就走。

“你站住！”夏明皓生气地叫住了隋杰，“你就是沈小荻的老公吗？看到她受伤，你怎么能这么无动于衷呢？”

隋杰把脸一沉，愤愤然地反击，“你想让我怎么反应呢？我让了空间给你俩叙旧，还想让我怎么着？”

夏明皓抓住隋杰不让走，“你这是什么意思，是爷们儿就把话说清楚！”

“沈小荻是我老婆，我们俩怎么样还轮不着你来教训。”

隋杰的话在夏明皓听来怎么都有股死猪不怕开水烫的味道，他一把抓紧了隋杰的衣服，“是！她现在是你的老婆，可你关心过她吗？在乎过她吗？她为你和那个家付出了多少，你又为她做了些什么？这么晚了你让她一个人在外面走，现在看到她出了事你还这副德性！”

隋杰的心像被针扎着，沈小荻的付出一直沉甸甸地压在他心头，他从来都觉得亏欠她的，可他没想到她会把这些事情全告诉前夫。那算什么呢?摆功劳还是诉苦水?想象着沈小荻私下跟前夫见面交心的情景，隋杰的心一阵刺痛。他不知道家里的事情全是海海告诉夏明皓的，爱面子的沈小荻从来都不肯在前夫面前承认再嫁的辛苦。

隋杰比高大的夏明皓矮了半头，要打架显然不是对手，只好冷嘲热讽着，“她不是有你吗？她还用得着我吗？你这个前夫倒比我这个丈夫还要上心……”

夏明皓愤怒了，“她跟我在一起的时候，虽然我也对不起她，可我没让她吃过这样的苦！”

吃苦?！这位前夫是有资格这样居高临下地质问他的，谁让人家富有、英俊，不像他是个挫败的男人，贫穷、疲惫、还拖着一大家子麻烦事，他的确没有让沈小荻过上一天好日子，连她头婚的十分之一都没有过。隋杰的自尊再次被深深地刺痛了，他像个斗败的公鸡一样低下了头，“是我没本事，我不应该让她跟着我吃苦……”

本来准备迎接隋杰的拳头，却等来了隋杰意外的自责，夏明皓愣住了。

“隋杰——”看着两个男人为自己争执，听到隋杰伤心的表白，沈小荻绝望地叫着隋杰的名字。然而隋杰没有理会她，只是神色黯然地迈着自己的步子。眼睁睁地看着隋杰蹒跚的背影消失在注射室门口，她却无力去挽留，沈小荻感到了撕心裂肺的痛楚。

5

心痛归心痛,冷战归冷战,分手却是隋杰和沈小荻怎么也不愿面对的。两个人心里都打上了一个又一个的结,可就是谁都想不出办法如何解开。

家庭的变故倒也不是全无好处的,蓓蓓变得特别听话了,也许是和果果的血缘关系让她的心和隋家拧到了一起。只要周末在家的日子,她就和父母格外亲近。当然,这种亲近的背后是对沈小荻母子的非常敌视。

这个周末,按常规,沈小荻等医生帮母亲做针灸,就要送海海回老妈那边,而蓓蓓刚好从寄宿的学校回来了,两个孩子会有几个小时碰面的机会。

“爷爷,我回来啦!奶奶有没有好一点啊?”

听到蓓蓓的声音在客厅响起,沈小荻猛地警惕起来,赶紧跑到海海房间去。“儿子,你先写会儿作业,等医生给奶奶做完针灸妈妈就送你回外婆家。那个……蓓蓓回来了,你就在房间待着别出去,千万别惹她,知道吗?”

海海显然也怕了蓓蓓,一脸紧张,“那我把门关上,不出去。”

过了一会儿,蓓蓓却主动来敲门了,“开门,我要用电脑。”

海海磨蹭了好一会儿才开了门,蓓蓓绕过他坐在了电脑前玩起了游戏,她故意把声音开得很大,兴奋地玩着她的冒险岛。有那诱人的音乐干扰,海海的作业写不下去了,他不时偷看下电脑屏幕,心痒得不行。

“要不要一起玩?”蓓蓓貌似友好地邀请海海。

海海想起妈妈的嘱咐,“我不玩,妈妈要我写作业。”

“喂喂,说下话嘛,你们班有没有女同学啊?”

“当然有了,我们班有三十八个男生,十七个女生。”

“女孩子这么少啊,有没有跟你关系好的女同学啊?”

“我们男生不跟女生玩,她们老喜欢哭。”

“谁最爱哭?”

“还不是丁小佳啰!”

虽然两个孩子今天很和平地说着话,沈小荻还是不放心地跑过来了,“海海，不要打扰姐姐玩游戏，你去妈妈房间写作业！”

母亲针灸完后，沈小荻赶紧送海海去老妈家了，避开了两个孩子的接触，总算是没出什么事。

可是周一上午，沈小荻却接到了海海班主任的电话，“海海出了问题，你得马上来学校一趟。”

请了假，疲惫的沈小荻往学校狂奔，这孩子，怎么越来越不听话了！

海海站在教师办公室，哭得眼都肿了。

沈小荻瞪了儿子一眼，赔着笑容对气呼呼的班主任说：“老师，真是不好意思，我家海海又惹祸了吗？”

“你看看他的作业都写了些什么！”班主任扔过来一个语文作业本。

老天，作业本后面乱七八糟地写着许多字：夏海海喜欢丁小佳！夏海海喜欢丁小佳！夏海海喜欢丁小佳！

“说！这是怎么回事！”沈小荻又恼又怒。

“我不知道，不是我写的……呜……”

“老师，这真是不好意思，海海应该不会写这种话，是不是同学捉弄他？”

“他早上一上学就交作业本了，会有哪个同学捉弄他？夏海海，你好好想想为什么要写这种话到作业本上？”

“老师，我真的没有写……呜……那天我在家里先写完语文作业就放到书包里了，再也没动过书包。”

沈小荻猛地想起蓓蓓来，“你是在自己家写完的还是在外婆那里？”

“自己家……”

“是不是蓓蓓拿了你的作业本乱画？”

“我不知道啊，妈妈你那天不是叫我去你房间写作业了吗？……对了，她那天问过我班上女同学的事情，她知道丁小佳，一定是她画的！就是她画的！”

“可恶！”沈小荻气得直咬牙。

沈小荻跟老师解释了很久，又赔礼道歉又许诺好好管教孩子，班主任这才松了口，“夏海海同学这个学期成绩下降了很多啊！还有，我发现他最近上课老是挤眉弄眼搞怪动作，你们当家长的要多关心他啊！”

“一定一定。”

嘴里承诺着班主任，沈小荻心里在发愁。蓓蓓又开始跟她们娘俩作对了，可跟隋杰告了状也只是换来他教训女儿几句，连隋杰自己都拿这个女儿没办法！

又是一个周五，一家人吃晚餐，沈小荻喂完婆婆之后也上了桌。缺了果果在家，连吃饭也变得格外沉闷。大家都沉默地吃着饭，只有蓓蓓一个人在叽叽喳喳地说着话："爸爸，我这次语文考试打了八十六分！"

"嗯，不错，下次争取上九十。"隋杰一脸疲惫，但听到女儿的好消息还是面有喜色。

沈小荻吃着吃着停下来了，目不转睛地看着坐她对面的海海。海海面无表情地低头扒着饭，似乎跟平时没有什么不一样，可多观察一下就会发现，每隔一会儿他的右肩会抽搐样地耸动一下，右眼也不时会挤一下，她想起了班主任老师的嘱咐。

"海海，不要耸肩挤眼！"

"哦。"海海答应了，可是没过一分钟他又开始耸肩挤眼了，"妈妈，我控制不了。"

"怎么会控制不了呢？这个样子很难看，你不要故意气妈妈！"

"妈妈，我不是故意的，我真的控制不了。"

"好了好了，小孩子顽皮挤下眼就由得他了。"隋杰来打圆场了。

谁知沈小荻把筷子一放，"你没发现他这段时间一直有点这样吗？好端端地变成这个样子绝对出了毛病，不行，我得带他去看病。"

"你呀，紧张过头了吧，我们村里好几个小孩都这样呢！都没病没痛长大了，没事的！"

"你们那是农村没有条件去检查！你不心疼海海我心疼，我要带他去看病！"

"我——我怎么不心疼了……唉，算了……"本来是想缓和气氛，再则也觉得沈小荻小题大做了，隋杰没想到会被沈小荻抢白一顿。"好好，算我多事，你愿意怎么样就怎么样。"

"爸爸，我的脚抽筋了！"蓓蓓偏偏在这个时候分散隋杰的注意力。

隋杰赶紧蹲下去给蓓蓓看脚，蓓蓓脸上挂着点坏笑，向海海嘴角一撇，瞧她那样哪是脚抽筋，分明是故意捣乱兼向海海示威，爸爸是我的！

沈小荻再也看不下去了，"海海，走，我送你回外婆那去，明天一早带你去医院。”

“我陪你去吧！”

“不用了！你忙你的吧。”沈小荻咬了咬唇，等着隋杰照顾的人还有一大堆呢！哪轮得上她的海海。

不检查不知道，一检查还真出了毛病。

儿童医院的医生下了结论，“这孩子是抽动症。”

“啊？怎么好端端会得这种病？”

“你们是不是平时对孩子管教很严，让孩子压力太大？”

“管教很严？不会啊，不过最近……他是压力很大。”沈小荻想起海海犯病的规律，的确，明明在老妈家还好好的，只要一进隋家门，他好像就开始耸肩挤眼了，听说在学校也是，一挨批评就搞怪动作。这一刻沈小荻特别痛苦，她太清楚海海因为什么紧张了，而这一切全是因为她这个妈妈不称职造成的。

“还好他的病刚起，开点维生素B1吧！你们要给孩子一个宽松的环境，不要让他精神紧张，否则他的病情还会反复的。”

娘俩拖着沉重的脚步走出医院，海海拉着沈小荻哀求：“妈妈，我们搬回去吧！我想跟外公外婆住在一起。”

“搬回去就得转学，现在一个学期才读了一半，没办法转啊……乖儿子，妈妈会保护你的，妈妈答应你，一定给你想办法让家里的环境好起来，好吗？”

海海低头不说话，一脸闷闷不乐。

现在家里又多了一个病人了，母亲和果果还只是生理疾病，海海这个病却是由心病而起的，想要医好得要心药。沈小荻想，再也不能和隋杰这样下去了，她要和隋杰好好沟通，否则这个家就要没得救了。

沈小荻早早给隋杰打了电话要他早点回家，很久没有接到妻子的催促电话了，隋杰明白这是和解的信号，满口答应说没有问题。沈小荻换了新被褥，点了盏香薰灯，自己也特意换了丝质睡衣。今晚一定要心平气和地跟隋杰聊聊，最好先做爱后聊天。果果出事后他们一直没有做过爱，曾几何时，他们也夜夜春宵，可现在结婚不到一年就已经清心寡欲了，婚姻真的是爱情的坟墓吗？

不巧的是，公司临时来了个急事，八点，九点，十点，隋杰说“马上就回来了”的电话打了好几个，可就是迟迟未回。沈小荻好不容易压下来的烦乱心情又开始在体内到处游走了。漫长的一个世纪过后，“哐——”门响了，隋杰终于回来了！沈小荻心跳加快，太阳穴也突突直蹦。她强忍着把一肚子怒火压下去，无数个电视画面里重归于好的浪漫镜头涌了上来，她要让隋杰这块坚冰融化。

好不容易等到隋杰冲完凉进卧室，沈小荻悄悄从背后搂了过去，假装开心地叫着：“老公……”

“今天这是怎么了？”隋杰被这突如其来的柔情吓了一跳，随即反身抱住了沈小荻。他满脑子还是公司的突发事情，一时无法退出来，但妻子已经主动和好了，他也想极力表现出自己的热情，再怎么也不能在这时让妻子难堪。

没有任何言语，两人热烈地拥吻到了床上，沈小荻表现得特别主动，好像这段时间的饥渴全都涌上来了一样，然而她动作幅度越夸张，身体的生理反应越是冷淡，越发觉得自己行不由衷。曾经澎湃的激情好像冻在冰凌里的树枝，怎么也释放不出来。隋杰很快发觉了她的热情是伪装的，更加没了兴致，努力了很久，最终还是沮丧地滚落下来，“对不起，今天我状态不好。”

“不要紧，是我状态不好，你抱抱我吧。”

隋杰顺从地搂住了她。

“老公，我们多久没有抱过了？”

“好像是果果出事以后……愁人的家务事真是性爱杀手。老婆，你给我点时间，等忙完这段我就会好起来的。”

“这段时间家里出了很多事，为孩子们的事情搞得大家都很不开心。我们是不是都应该检讨下自己，对组合家庭的心理准备还不够？”

“是我这个人处理起家务事真的没智慧，可是现在搞成这个样子，我们要怎么挽救呢？”

“今天去看病，海海确诊了，是抽动症。医生说他精神压力太大了，我看一时半会儿家里也没办法让他轻松起来，我想……”

正要说到正题，隋杰的电话响了。

“不得了了，果果好像发烧了，你赶紧回来吧！”自从莫莉接回果果之后，这样夜里打电话来叫隋杰过去便是家常便饭了。其实每次隋杰赶过去也不能帮果果马上解决问题，但莫莉是存心要给隋杰和沈小荻制造矛盾。

“你给他量了体温没？多少度？这么晚了，要是烧得不厉害我就明天早上再来吧！”

“家里体温表坏了，我看至少有三十八度多了，你还是过来吧，果果想见你！”

“这……”隋杰看看已经转身退到被子一角的沈小荻，犹豫再三还是答应了，“好吧，我现在过来。”

“小荻，对不起，我得……”

“你又要到莫莉那里去是吗？为什么人家离婚你也离婚，只有你的前妻红旗不倒？”

“唉，这不是孩子病了没办法吗？我也不想这样啊！”

“我才是你现在的老婆！我的儿子也病了！你可不可以给我一点点时间听我把话说完？你为什么对我这么残忍？”

“明天说好吗？果果发烧事情紧急……”

“明天，明天你又会有别的事情了。”沈小荻喃喃地说着，泪水已溢满了眼眶，“我们还会有明天吗？”

“明天一定跟你好好聊，一定。”隋杰一边许着诺，一边已经开始穿衣服了，因为牵挂果果的病情，他装作没在意沈小荻最后一句话。他心里想着，明天我再好好弥补老婆，抽动症？总没有果果发烧紧急和严重吧。

6

明天再来临的时候，沈小荻已经不辞而别了。

她不想再跟隋杰耗下去了。对于她决然地要搬出去，隋杰根本没有机会开口挽留。是，那晚他不应该扔下沈小荻去照顾果果，又陪着发烧的果果在医院折腾到天亮，可他只是因为孩子生病情况紧急啊。为这个至于离家出走吗？在沈小荻几次掐掉他电话之后，他也冷了心。他知道海海需要在附近上学，沈小荻暂时回不了老妈那边，那她现在的住处搞不好是前夫安排的了，一想到这个他就心里硌住。一直哭着不让走的倒是母亲，她是真的舍不得这个好媳妇，她看得出媳妇伤了心，可究竟媳妇和儿子之间发生了什么问题，没有人愿意跟老人解释清楚，又或者，夫妻之间本就是一本说不清道不明的糊涂账。母亲在家整天长吁短叹，可怜隋杰命苦，感伤自己福薄。

沈小荻从家里搬了出来，在离隋家两里路的地方租了个农民房暂住。她的去向没有向隋家交代，也悄悄瞒住了其他人，她恨隋杰，也不想其他人知道，这时的她仿佛又走到了上次离婚的那个坎上，每个关切的眼神，都是在她的伤口上撒盐。

母亲的身体在她的悉心照料下，已经康复了八九成了，她对这个家已经尽心尽力了。一直以来，是要对这个家负责的念头苦苦支撑着她，现在动力一消除，她几乎快倒下了，她迫切地需要一个空间让自己也让海海好好疗伤，她迫切地需要一点时间来想清楚，今后她和隋杰该何去何从。

脱离了那个海海和妈妈都很辛苦的地方，再也不会有人怀疑海海了，顽劣的海海终于听话了，抽动症不治而愈，只是他还不知道妈妈为了他承受着怎样痛苦的抉择。

初搬出来，犹如从百雀齐鸣的鸟市逃到了静水深流的峡谷，让疲惫的沈小荻大睡了几个无梦的好觉，可安宁如此短暂，身体的疲倦稍稍恢复一点，她强忍着的难过便开始一点点释放出来了。她一直没有哭，直到那天半夜做了一个梦。她梦见和隋杰见面了，牵手逛街吃东西，他们又快乐得像拍拖时一样，某一个瞬间沈小荻突然意识到这是梦，明明她和隋杰已经分居了，一大堆乱七八糟的烦心家事等着解决，他们又怎么可能这么快乐呢？她困惑地问隋杰这是不是做梦，梦里的隋杰笑而不答，她让隋杰踩她一脚以证实这不是梦，可隋杰怎么也不肯踩。沈小荻终于明白真的是梦了，一下子悲从中来，她在梦里放声大哭起来，这时候她真的从梦寐中醒来了，发现自己已经泪流满面……

昔日横波目，今做流泪泉。伤心的感觉像春蚕咬着桑叶，沙沙沙沙日夜不停。白天里忙工作忙家务事她强装笑颜，晚上却好像定了闹钟似的，总在半夜的某一个时刻醒来，隋杰的种种绝情如同电影画面般回放着，眼泪陪着她熬过每一个无眠的漫漫长夜。

她像躺在河流的最底层，暗流在平静的水下汹涌，她多么想跳出水面，朝某个方向狂奔而去。可是，她又能去向哪里？刚搬出来的时候她怒不可遏，他一打电话就立刻掐断，可渐渐她冷静下来了，那该死的电话却再也不来了。二十四小时开机的电话总是不停地一闪一闪的，仿佛在嘲笑她的痴心。到后来，她无法忍受等待的煎熬，干脆关了机，先是晚上关机，后来白天也关机，否则只要手机开着，她就会抓心挠肺地隔几分钟就看一下他有没有打电话来。她发现自己的爱是那么卑贱，卑贱到不敢给他发信息，因为怕他根本不会回复，那种无望的等待对自己只是加倍的折磨。

她无数次在心里质问隋杰：为什么要这样对我？是我不够美吗？不够优秀吗？不够温柔吗？人品不好吗？感情不够真吗？对你和家里人不好吗？你曾经说过，对我的感情是从零分到一百分递增的，可为什么我在努力争取一百分，你却一直在给我减分？为什么？……回答她的总是沉默。

她第一次为自己感到了不值，付出时仅凭着一腔热情，并没有想过要索取回报，可扪心自问，她真的不要回报吗？她要的，她放弃舒适生活苦苦追寻的，是一份和她的一样真挚的爱情，所以当生活回馈了心碎和悲伤时，她没有办法再让自己找回平衡。她就是想不通，为什么隋杰要这样对她，就是焐一块石头也该焐热了啊！如果说头婚时她年纪小不懂爱情，那这次再嫁她是耗尽身心在经营啊，为什么历史总在重演，男人的心啊！是这世上最冷酷最坚硬的东西。

分居的事瞒了老妈一段时间，但终于还是被她知道了。那天沈小荻带着海海回家吃饭，她在厨房洗碗的时候，老妈突然进来说了一句："荻丫头，外面不好过就搬回来住吧，你就是离一百次婚也是我女儿，这里是你的家……"站在沈小荻身后，老妈替她拈去肩头的落发，语调表情都很平静。

沈小荻没有回头，泪水却模糊了眼睛。一直很担心老妈知道后会受不了，原来老妈比她要坚强。父母是孩子永远的大本营，这里是她的避风港，她也是海海的大后方。为了海海，她必须要坚强，就像老妈此刻为她顶住一样。

其实痛苦的不止沈小荻一个人，隋杰内心的煎熬一点也不比她少。

沈小荻走了，他的心像被挖空了。婉玲、莫莉……和他的前任妻子们分手时，痛苦也没像现在这样强烈过，强烈到让他觉得自己像个被扎了洞的充气人，正在不可救药地委靡下去。她是漫天毒雾，一呼吸就要心跳暂停；她是遍地烈火，一触及就要痛彻心扉。原以为对爱情早已丧失了幻想，却不曾知道原来自己是这样深爱着她。

空荡荡的大床上，每晚他都会铺好她的被褥，老老实实地睡在属于他的那半边床。她始终是这世上对他最好的女人，就是在这样悲伤的心情下，走前她仍然体贴地换过了床上用品，床头柜里留着一张纸条，上面详细交代了家用物品的收藏位置、每天什么时间要提醒老人吃药、什么时候该带母亲去复诊……每晚睡前他都要拿着这张纸条看半天，她的字一点也不潇洒，像小学生一样一笔一画整整齐齐，可就是这样的笔画之间，看到的全是她的留恋她的牵挂，想起的全是她的温柔她的深情。

跌在无边的黑暗里，他发疯似的想她，无数次他找出手机里“老婆”的电话号码，可就是按不出那个连通希望的绿色按键。无数次他想去找她，只要守在岳母家、守在海海学校门口，他相信一定可以找到她。可是找到了又能怎么样呢？他们并没有找到解决问题的办法，就算他怎么解释不会追究，她也会坚持海海没有错，孩子们像王母娘娘的玉簪，划出一条无法逾越的银河。

更何况，他觉得亏欠她太多太多了，就像夏明皓所说的，跟着他的日子，她吃尽了前所未有的苦头。虽然他们还没有谈到分手这一步，他却已经想到了，如果她有更好的选择，如果有人能让她过上比这舒心的日子，他会毫不犹豫地走得远远的。如果……如果她提出要离婚，他会把她鉴证过的那套房子还给她，那原本就是属于她的东西，如果他不是顾及父母、果果和蓓蓓的话，他希望可以把自己的一切都回报给她。

隋杰想了很多很多，却始终没有勇气把这些话告诉沈小荻。

而这个时候，莫莉像砍不断、烧不死的藤蔓一样，开始悄无声息地缠上了隋杰的枝干。

根本不用问隋杰和沈小荻现在关系怎么样了，隋杰是个藏不住情绪的人，有什么心事都写在脸上。每次在医院看到他失魂落魄的样子，莫莉心里就酸溜溜地很不好受，和她分手的时候隋杰可没这样过。不过让莫莉很安慰的是，果果已经回到她身边了，而隋杰似乎也正向回家的路上走着，他和沈小荻的关系闹僵，这就迈出了第一步。莫莉着急地要再拉一把，好让隋杰彻底回到她的怀抱。

选了一个隋杰在家的周末，莫莉拎着大包小包去了隋家。开门的是父亲，可他开了里门却不打开外面的铁门，一点也没有请莫莉进家的意思，反而奇怪地问:“你来做什么？”

莫莉没有在意他的失礼，笑眯眯地说:“我来看下你们两位老人家！隋杰在家吧？”

隋杰闻声走过来，看到是莫莉时怔了一怔，不知道她这会儿来是什么意思，于是示意父亲开门。

“快点给我接东西呀！”莫莉好像回到自己家一样，亲密地使唤着隋杰，她把东西往隋杰手上一放，熟练地在鞋柜里找出拖鞋换上，然后放松地坐在了沙发上，也不管两个男人一脸狐疑地站在一旁。母亲这时正戴着老花镜坐在板凳上择菜，看到莫莉进来马上低下头继续择菜，就当没看见莫莉。

莫莉开始一样样把自己带来的礼物拿出来，“果果他奶奶最近好多了啊！你看看，这是我去香港给你买的鱼肝油和卵磷脂，以后你每天要坚持吃，这个对心血管很好！”如果让外人看到这一幕，一定觉得这家子关系非常和睦，可如果知道不久前他们还在法庭上怒目相对，又不知作何感想。

伸手不打笑脸人，母亲虽然不喜欢这个前儿媳，可也不能失礼，她勉强扯开嘴角笑了笑，眼睛却看向儿子，怎么办？这礼物收是不收？她这葫芦里卖的什么药？

隋杰走过来把莫莉买的这堆廉价补品都一瓶瓶放了回去，“这些你留着给你爸妈吧，我爸妈他们是乡下人，身子没那么娇贵，用不着吃这些。”隋杰一点都不含糊，“你爸妈”“我爸妈”地分得很清楚，他的态度很明显，虽然果果交回给你了，可这个家不是你说来就来，说走就走的，不要以为孩子交给你就代表我们重归于好。

“你急什么，我又不是买给你的！是替果果买给他奶奶的！”

莫莉一搬出果果，母亲立刻有些心软了，怎么说果果现在也得靠她照顾，得罪她不好，“算了小杰，果果妈也是一片好意……”

“就是就是！”见得到了母亲的支持，莫莉眉开眼笑，“你老人家生病后一直没看到果果，挺想他的吧？果果现在出院回家了，我想隋杰明天安排一下，接你二老去家里吃饭！让你们跟果果好好聚一聚！”

一提到见果果，母亲眼睛湿了，连连点头，“好，好……”

莫莉这个提议显然比她的糖衣炮弹管用，父母马上开始追问果果的恢复情况了，“快说说，果果的腿咋样了？要不要人去照顾？医生说将来会不会影响走路？”

“骨折恢复是个很漫长的过程，现在虽然拆了石膏出院了，骨头已经基本长好，但他现在只能走几步路，没走多远就很痛，如果要恢复到能跑能跳，只怕得一年了。不过你们不要担心，我们医院有最好的医生给他做理疗，我现在每天给他做康复训练，将来不会有后遗症的……”莫莉转过来又对隋杰说，“我觉得孩子的学习不能再耽误了，以前咱们老闹，也没让果果稳定地读个好幼儿园，这事咱俩都有错……我想每天还是送他去幼儿园听听课，然后再请个家教回来教他，否则他上学怎么能跟得上班呢？我们的果果是最聪明最棒的，将来咱们还要送他上清华呢，是不？”

莫莉终于像个正常的孩子妈那样想得周到了，隋杰对这个计划很是认同，一直在频频点头。说实话，如果莫莉真的把果果照顾好了，这可真是帮了大忙了。虽然过去她做的种种恶事让人心有余悸，但人是会变的，隋杰都能改变想法把果果交给莫莉，但愿孩子这次出事也让莫莉有所感悟。为了孩子，别做仇家了。这么一想，隋杰对莫莉的嫌恶似乎少了一些，也不好意思再对她老拉着脸了。

破天荒地，这次莫莉在隋家和二老聊了一个小时，聊的都是果果的琐事，把两个老人家哄得笑逐颜开。可在送走莫莉之后，母亲拧起了眉头，“小杰，你说果果妈突然之间变得这么好，她到底是啥意思呢？”

隋杰叹了口气，“不管她什么意思，只要她对咱果果好，只要她肯让咱们能经常看看果果就行。我无非是多花点钱让她宽裕点，也好让果果日子过好点。”

“我琢磨着不对啊，这孩子是不是还想跟你和好啊？小荻这刚搬出去，她就来套近乎，她这个人可不会安好心眼儿，肯定又算计上什么了……”母亲并没有被莫莉刚才的殷勤收买，而是越想越不对头。

“我说你可不能犯糊涂！”很少说话的父亲常常是因为耳背听不到，可今天他一脸严肃地开了口，“小荻可是你的好媳妇，你赶紧把她给我找回来！咱们可不能对不住人家！”

隋杰心事重重地点了点头。找沈小荻回家，他比任何人都想，可是如果沈小荻不愿意回来，他唯一能做的就是放手啊！

7

盼天光盼太阳，一夜无眠的父亲母亲终于熬到了天亮，他们可以出发去看宝贝孙子了。

母亲就跟要见情人一样紧张，衣服换了一套又一套，一遍遍问着不耐烦的父亲："我穿这个行不行？唉不好，衣服有点紧，抱果果不方便，这套呢？不好，果果不喜欢深颜色的。"最后她还是穿了一套过生日时沈小荻给她买的母亲衫，隋杰一见心里就咯噔了一下，不知道沈小荻这时在做什么。搬出去好些天了，她一直没回来看过，难道对这个家没有一点留恋了吗？他的心隐隐作痛起来。

受伤后的饮食调养让果果长胖了一些，他的前牙掉了一个已经开始换牙了，他微笑着坐在轮椅上，比家里任何一个大人都显得镇定。看到他这个样子，大人们既心疼又宽慰，心想莫莉到底是做护士出身的，换成别人恐怕未必能让果果恢复得这么快。

母亲在果果的伤腿上摸来摸去，眼睛潮潮的，"果果你还疼吗？奶奶好想你啊……"

果果懂事地摇摇头，"不疼了，我也想爷爷奶奶，我也想哥哥，还有荻姨……怎么他们不来看我？"

果果一句话问得几个大人脸色一变，不知如何回答。隋杰蹲下来摸着果果的头，"哥哥要上学，荻姨要上班，他们在等果果快点好起来，好了……好了你就可以再跟哥哥玩了。"

果果高兴地笑了。在厨房正满心欢喜忙着切菜的莫莉也听到了这话，一个分神把手切了，她疼得扔了菜刀呻吟起来。隋杰听到动静，在厨房门口探出半个头，"怎么了？"

"没事，不小心切了手，你帮我去拿个创可贴来吧，就在咱家药盒里。"

隋杰心情复杂地到卧室去找药盒。这个"咱家"他很久没来了，可家里的布置还跟他走时一样，连床褥都还是他们结婚时用的那套喜气的"花好月圆"，在这套铺盖上，他们曾经有过最甜蜜最幸福的时光。时过境迁，没想到莫莉居然还保留着它，真不知道她一个人睡在这上头会有什么感受。隋杰心里明白，莫莉今天换上这个是故意给他看的，她以为用写满他们往事的物品就能唤回曾经的爱。隋杰不敢多想，赶紧在床铺底下拖出小药箱。

他把创可贴递给莫莉就想走，可莫莉幽怨地叫住了他，“你就不能帮我撕开吗？我的手受伤了啊！”

隋杰耐着性子又帮她包扎好，“行了你别做饭了，我们带果果出去吃饭，你，你要愿意也可以一起去。”说是邀请她一起去，隋杰脸上分明很勉强。

莫莉咬了咬嘴唇，生气地把脸拉下来了，“菜我都准备好了，你们要是不吃我只有全倒掉了，你非要这么不给我面子吗？”

两人僵持在厨房里。见好不容易和解的气氛又紧张起来，母亲赶紧进来解围，“好了好了，剩下的菜让我来做，你们去陪果果玩。”

小小的不愉快很快在和果果的老鹰抓小鸡游戏中化解了。爸爸推着果果当鸡队长，妈妈拉着爸爸的衣服垫后，父亲当起了老鹰，在客厅里来回跑着抓他们。果果兴奋地大笑着，长这么大了，这还是第一次和爸爸妈妈一起这么开心地玩游戏，他实在是太开心了。

饭菜上桌后，莫莉开了一瓶红酒，她给大家都斟上，自己端起了酒杯，动情地说着：“果果爷爷、奶奶，隋杰，我先敬你们一杯。我知道以前我有很多事情做得不对，伤了你们的心。这次果果遭这么大罪，对我触动挺大的……人活着，争来争去也没有什么是属于自己的，只有自己的亲人才是最重要的……今天这么开心地一家人在一起，我以前从来没发现会这么好，我真傻……”说到这里，莫莉声音哑了，她放下酒杯捂住了自己的嘴，生怕自己哭出来。

大家都静静地看着莫莉，谁也不说话。最后还是母亲来打圆场，“来，不说那些不开心的事，咱们吃菜，吃菜！”

如此融洽地跟莫莉吃饭，这在隋家还是头回，不过隋杰从头到尾都没怎么说话。饭后他推果果下小区去透透气，果果吞吞吐吐地说话了，“爸爸，你回家吧……”

隋杰一惊，赶紧把果果的轮椅转过来，“这是你妈教你的吧？”

果果不吭气，不安地捏紧自己的衣角。

“果果，我和你妈妈的事你一小孩子跟着瞎闹什么？这些你不懂的，你别管好吗？”

“我懂的，你喜欢跟荻姨在一起，不喜欢妈妈了……妈妈很可怜的，她晚上常常抱着我哭，她以为我睡着了，其实我都知道。”果果的眼神很平静，平静得让隋杰心酸，他这是造了什么孽啊，让这个孩子小小年纪就担起了太多不应该让他承受的东西。果果很少开口跟他要求什么，可这次的请求，在隋杰却是无异于地动山摇的决定。

“我送你回家吧。”

“爸爸，你就答应我吧，以后我会很听话很听话。”

“那荻姨呢？哥哥呢？你不想跟他们一起生活了吗？”

果果脸上闪过一丝受伤的表情，“我喜欢荻姨也喜欢哥哥，我很想很想他们，可是妈妈是我的妈妈，我要让妈妈开心……”

隋杰摸着果果细小的脖子，心中着实有些震撼，他没想到果果小小年纪竟然已经懂得牺牲了，相比之下，他是不是一直是个太自私的人？为了霸占果果跟莫莉闹得天翻地覆，现在和沈小荻劳燕分飞何尝又不是打着爱孩子的名义？他做错了吗？他要怎样才能弥补过失呢？

一家人见过果果，并没有让想念的煎熬得到缓解，反而加重了父母的担忧和隋杰的心事。谁都看得出来，莫莉是用这种方式笼络隋家人的心，她在很用心地表白，希望跟隋杰重归于好。可是，隋杰和沈小荻又该怎么办呢？老人们都沉默着，情感上他们偏向沈小荻，可为了果果又不能得罪莫莉，如此头痛的事情只有让儿子自己拿主意了。

烦闷，痛苦，煎熬。隋杰只好把老黑找出来聊天。老黑最近打了桩漂亮的官司，把一个铁定坐牢的行贿犯给辩成无罪了，一下子在行业里引起轰动。老黑现在正是春风得意之时，约他可真不容易，连着改约了两天，这才请到他这个大忙人。

一见面老黑就给了隋杰一拳，不怀好意地调侃着，“你个臭小子，从普吉岛回来就消失了！怎么样？新婚的劲儿过了没？不是在忙着造人吧？”

隋杰苦笑，“哥们儿，如果我再离一次婚，你会怎么看我？”

老黑吃惊地看着他，“这是怎么回事？你跟沈小荻不是挺好吗？”

“这段时间发生了很多事，果果跟海海出去玩的时候从山上摔下来了，还好只是骨折，捡了一条命，现在我把他送回给莫莉带了。小荻因为孩子的事跟我生气，她觉得不能怪海海……其实我们也没打算追究这个事情，她却带着海海搬出去了，唉，总之一脑门理不清的家务事，真是一言难尽……”

“那你准备怎么办？”

“我不知道……小荻不肯回家，果果却求我跟他妈合好……”隋杰敲了敲隐隐作痛的太阳穴。

老黑明白了事情的来龙去脉，第一个反应就是追问：“你不会想跟小荻分手吧？”

“我不知道！是她在跟我闹！”

“小荻这么好的女人怎么会跟你闹！一定是你伤了她的心，把她逼到这个份上的！”

“行了！——你这不是站着说话不腰疼吗？我怎么会故意去伤她的心！只是谁不心疼自己的孩子！我理解她，她也应该理解我啊！”

“你这话太混账了！说实话，当初要知道你今天会这样，我根本就不该帮你出主意去相亲征婚，你犹犹豫豫反反复复，可把人家沈小荻给害苦了。”

隋杰的心一痛，“我不是存心的，我也很想跟她好好过，可没想到组合家庭真的会有这么多问题。”

“当初我就劝你想清楚点，夫妻始终是原配的好，财产、子女、父母，这些家庭问题都会少很多。现在你们孩子还小，长大了说不定还会为争财产打得头破血流，这一类案子，我手头接过很多。”

隋杰打了个冷战，“你太危言耸听了！夫妻感情不好难道不是最大的问题吗？像我和莫莉，也许我们不会有像和小荻这样尴尬的孩子问题，可感情不好过不下去，就算是原配又有什么用呢？”

“我可不是劝你跟莫莉和好，这种事情还是你自己拿主意。我只是觉得，如果你因为孩子选择放弃了小荻，你会后悔一辈子的。”

“我发誓，即使是事情闹到现在这个地步，我也没想过要放弃小荻！只是，那天我见到了她前夫……”隋杰垂头丧气的，“我们差点打起来了，原因是她前夫怪我没有给小荻好日子过。真可笑，既然那么在乎她，为什么以前要对她不好呢？我觉得他其实是很爱小荻的，只是他们都不承认……”

“他爱不爱关你什么事？小荻现在是你的女人，她愿意跟你过苦日子，你疼好自己的女人就行了，管别人那么多做什么？”老黑情绪激动地数落着隋杰，他简直有点生气了，“你这个人啊就是茅坑里的石头，又臭又硬！小荻跟了你啊……真是好白菜让猪给拱了！”

被老黑骂得狗血淋头，隋杰却露出了这晚的第一个笑容，老黑说得很在理，他纷乱的心情终于找到了一点头绪。他使劲拍了拍老黑的肩膀当感谢，“你说得对，我犯这个浑就是在跟自己怄气，将来会后悔死的，我明天就去接小荻去！”

老黑无奈地叹气，“你就惜福吧……”

“对了，什么时候喝你的喜酒？”

笑容在老黑脸上凝结了，他给隋杰默默地满上酒。和宣萱交往也有些日子了，宣萱对他非常好，俨然以未婚妻的身份在关心他，他下了班常常有应酬不能回家吃饭，可不管再晚回家，家里总是收拾得干干净净，餐厅的灯一定亮着，餐桌上一定也放着宣萱给他煲的糖水或汤。宣萱这份情意让他心里很暖和，可也是无形的压力，他不得不跟以前那些乱七八糟的女朋友断了来往。终于流毒肃清，只欠东风了。可为什么他还是这么困惑呢？

“你说信任一个女人为什么这么难呢？”

“怎么你不相信宣萱吗？”

“我很想信任她，可她对我越好，我心里就越没底，其实我真的没为她做过什么，凭什么得到她这样的爱呢？我，我挺怀疑自己心理有毛病，我老觉得她对我好就是为了嫁给我，现在人家那些好后边都攒着恨呢，只要一结婚她就会像揭了画皮的鬼一样……你知道吗？我再也不想在婚姻上栽跟头了，我宁可不结婚，也不要再离婚了。”

“哈，你现在这个状态跟我和小荻结婚前一模一样！我看咱们都有点婚前恐惧症。不过老天爷待我不薄，沈小荻婚前婚后都是一个样，就算是今天闹成这个样儿，她还是我的好妻子……”

“不！不要拿宣萱和小荻比，她们俩是完全不一样的人，别看宣萱现在这么努力地对我好，她都是跟小荻学的，可不管怎么学，她也就学了个皮毛。”

“我觉得宣萱没有问题啊！唉，人啊都是旁观者清，我看你还真是有点心理毛病！”

两个男人相互取笑着对方，心里像明镜一样明白对方说得对，可真到自己面对时，还是一样犯糊涂啊！

8

第二天下午，隋杰请了假，他去花店买了一大束白玫瑰。看着他脸上掩饰不住的微笑，花店的小妹跟他开玩笑，“今天是老婆过生日啊？除了花还要买生日礼物的哦！”隋杰从心底里乐出花来，小妹说得对，当初他的求婚太草率了，这一次接沈小荻回家，他得买个表示诚意的礼物，结婚这么久了，除了一个婚戒他什么也没给沈小荻买，虽然沈小荻说不喜欢不让买，可他真的亏待了他的妻子啊！

满怀歉疚的隋杰挑来挑去，终于挑了一套海蓝宝雕锁挂件，钥匙自己贴着心口挂上，石锁准备送给沈小荻。他要让沈小荻知道，只有他的钥匙才能打开她的心锁，他们谁也离不了谁，今生今世都要锁在一起。抱着那束玫瑰花，他躲在海海学校附近的一处树荫下，他想，跟着海海回家准能找到沈小荻。等待的每一分钟都很漫长，他不时要摸一下他的石锁，温润、清透的海蓝宝就像沈小荻温柔的笑容，暖暖地贴着他的心窝。

终于放学了，学校门口已经被来接孩子的家长和车围了起来，隋杰找了个孩子必经的路口，焦急地从孩子们当中寻找海海的身影。原来事情没他想象的容易，这些孩子们全都穿着一模一样的校服，男孩子们发型一样，胖瘦差别也不大，尽管和海海在一个屋檐下生活了这么久，隋杰还是不能一眼找出自己的孩子来。他这个瞅瞅那个看看，眼睛花了脖子长了也没找到海海。

孩子们渐渐稀少了，就在隋杰怀疑自己是不是错过了海海的时候，他看到了一个熟悉的身影。海海背着隋杰给他买的米老鼠书包，一头灰尘地从校门口跑出来。瞧他这样儿就知道，今天又扫地了。隋杰笑着正准备迎过去。海海却大声地喊着“爸爸！”跑到一个高个子男人身边。男人弯下腰来给海海拍尘土，“臭小子，你跟谁打架了？”

“没有，今天轮到我扫地！”

男人是夏明皓，海海的爸爸。

隋杰心里一沉，赶紧闪进了路边的小店。因为离家近，海海以前每天都是自己放学回家的，现在不知他们娘俩搬到哪去了，他曾经猜想夏明皓会给他们娘俩安排住处，现在果然是夏明皓来接海海。

正在隋杰胡思乱想的时候，那父子俩已经走了过来。

“今天爸爸带你回家吃比萨好不好？我已经叫人送过来了。”

“好耶！妈妈不喜欢吃比萨，你给她买点别的吧！”

“小兔崽子，什么妈妈不喜欢，就是你自己想多吃点！行了，我给妈妈打包了她喜欢的寿司和刺身，为了这寿司，我还特意买了个装冰的保鲜箱……她嫌饭店远，咱们就在家聚餐……”

父子俩边走边聊，上了路边一辆香槟色的林治，丝毫没在意小店旁站着的隋杰。他们的对话一字不落地都入了隋杰的耳朵里，只听得隋杰手脚冰凉。看这架势，八成沈小荻搬到夏明皓那里去了，之所以夏明皓还来这边接海海，应该是因为孩子不能在学期中途转学。唉，可笑自己来负荆请罪，人家早就一家团圆了。

隋杰沮丧地倒拎了花束往家走，眼见着快到楼下了他却不愿回家，他害怕那个充满沈小荻气息的屋子，那里处处都有回忆，当时平淡如水的日子，如今点点滴滴都是堆在心头的爱恋。他害怕被思念吞噬，他害怕被孤单湮没。他需要做点什么来麻醉自己。

他一头扎进路边的小饭店，“老板，给我二锅头！”

平时沈小荻不准他喝烈酒，特别馋的时候免不了要跟老黑偷偷喝一点，这下好了，以后他可以痛痛快快地喝了，再也不会有人管他了。他将满上酒的小酒杯摆了一排，他不知道自己究竟喝了多少酒，只知道一杯接一杯地消灭。今天这酒真难喝啊，浇到嘴里，呛口，流进胃里，伤心。

手机有来电，一直在不停地蜂鸣着。有公司的，有家里的，有老黑的，也有莫莉的，可现在他谁也不想理，天皇老子也不想理。他不想接电话，知道一接就会有各种各样的事情等着他处理，他今天就想任性一回，可有个电话特别执著地打进来，到最后干脆一刻不断地响着，显示的是莫莉的名字，他烦得没办法了，按了接听键，“谁也别烦我！”说完不等莫莉反应，立刻狠狠地按掉，关机。

“哟，这是怎么了？我想跟你说说儿子的事也不行啊！”说这话的时候，莫莉已经站在小饭店门口了。本来她打算今天约隋杰去看果果，因为隋杰一直不肯接电话，她心里着急就匆匆忙忙赶过来了，谁知路过时正好看到了隋杰坐在这小店喝闷酒。

隋杰斜着醉眼看她,“别以为你拿着孩子就可以要挟我……你不是要儿子吗?好,我给你!你不准我看他,好,我就不看!你要让果果没有爸爸,将来他恨的是你,不是我!”

莫莉心里一惊。隋杰这是受什么刺激了?连儿子都不要了?如果隋杰真下了这狠心,她可彻底没辙了。别说指望跟隋杰和好,光是独自抚养果果,她也挑不起这个担子啊!想到这里,莫莉赶紧堆上笑容,“果果今天又去康复训练,医生说要跟家长谈一谈他的治疗方案,你应该去一趟。”

说到隋杰最关心的人,他一点反应都没有,只是撑着越来越沉重的眼皮,呆呆地看着手里的酒杯,“孩子就是前世欠的债,老天派他来折磨我的。”说完这句话,他一头倒在了酒桌上。

这时莫莉已经看到桌上那束和隋杰一样蔫头蔫脑的白玫瑰。看到隋杰这副如丧考妣的样子,再看看这束不再水灵的玫瑰花,莫莉心里明白了几分,瞧这样子隋杰只怕是在沈小荻那儿受了气。这可是一个很好的信号。莫莉也不介意隋杰的态度了,她想去扶隋杰回家,可隋杰太重太沉了,使出了吃奶的劲儿她也搬不动他,反而让隋杰的手耷拉下来,一个小盒子从他兜里掉了出来。

莫莉捡起那个精美的小盒子,打开一看,精致的石头雕件露了出来。这是什么好东西?莫莉好奇地拈了起来。

隋杰在自家楼下喝闷酒的时候,沈小荻正在隋家吃饭。搬出去那么多天了,她没有一天不在思念着隋杰,牵挂着父母和果果,眼见着隋杰一直没来找她,她也终于坐不住了。她在心里一遍遍地说服自己,不要跟隋杰计较了,他心里是有她的,只是他们隋家人都是这么个犟脾气,明知道自己错了也不肯低头,建设不就是最好的例子吗?别把隋杰真的逼到莫莉怀里去了啊!想到这里她打了个冷战,她想起了死心眼儿的建设。

夏明皓打电话来说今晚想接他们娘俩吃饭,沈小荻正好让他去接海海放学,饭她是不想吃了,借着今晚有人看孩子,她去看看父母吧。看看父母,也好找个台阶下了,也许隋杰正好在家,小两口床头打架床尾和,给隋杰一个男人要的面子,他也该顺水推舟和好了吧?这是最后一个机会了。

父母看到沈小荻来了,开心得不得了,马上给隋杰打电话,可这个隋杰今天不知咋回事,电话就是没人接。母亲安慰沈小荻,“可能小杰公司在开会,咱们等一会儿再打。”

沈小荻强笑着,“不要给他打电话了,我就是来看看爸妈的,一会儿就走。”说是不让打隋杰电话,她心里却还是忐忑不安地渴盼父母能找到隋杰,好不容易才鼓起勇气回来,他却不在家,难道他们之间的缘分真的尽了吗?

母亲把沈小荻的手袋藏了起来,“要走也要吃了饭再说,今天妈说了算。”说着老人家进厨房忙活了。

沈小荻坐不住,也拿了抹布收拾起屋子来。她不在家的日子,这个家乱了很多,桌椅和地板都蒙了一层厚厚的灰尘,沙发、窗帘也藏不了拙地露出一些污垢,让她看着揪心。在进卧室前她犹豫了一下,但还是推门进去了。

床还是那张床,褥还是那床褥,还保留着早上隋杰匆匆上班的原状。肯定昨晚他熬夜了,早上又睡过了头,所以才被子也不叠就起床上班。盖被铺了整张床,睡乱的却只有属于隋杰位置的半边,两个枕头整整齐齐地并排摆着,不知是有心还是无意,一切都跟她在家时没有差别。隋杰还是想着她的,只是死鸭子嘴硬罢了。沈小荻心里潮潮的,前些日子心头的气愤好像消散了许多。坐在床边,捧起他睡的枕头,沈小荻轻轻抚摩了上去,柔软的棉布触感仿若他刚洗过的头发,刷刷地抚过她的心,让人生出万般柔情。她抱紧了枕头用力嗅着,这上头残留着他发油的味道,令她心荡又神怡。

坐在客厅的父亲每隔十分钟就要打一次隋杰的电话,可不是占线就是没人接。他纳闷地唠叨:“奇怪了,他没说今天要开会啊!再说这都什么点儿啊,这公司也太折磨人了!”

母亲做了沈小荻平时爱吃的几道菜,她抱歉地说:“小荻,不知道你要来,没有去买菜,你将就吃点。”

沈小荻心里热热的,“妈,你别跟我客气,你做什么我都爱吃。”

母亲把脸笑成了一朵菊花,这些日子来老人是头回这么高兴。这个儿媳她是了解的,既然她肯回家来,跟隋杰和好就有希望了,关键是要趁热打铁赶快找回儿子。

这顿饭沈小荻吃得特别慢,而且整个吃饭过程耳朵都是竖起来的,她期待门外响起熟悉的脚步,或是隋杰给家里回电话。老天爷也真够捉弄她的,一会儿门铃响了，是送牛奶的，一会儿电话响了，是大姐打电话问孩子们的情况。沈小荻的心一会儿提起来一会儿掉下去，在希望和失望之间徘徊。

再慢，饭也是要吃完的。饭吃完了，母亲又硬留她喝了一杯茶，可隋杰的电话已经变成关机状态了，种种期盼种种猜测都得不到答案，沈小荻再也没有借口留在家里了。送她出门时，母亲拉着她的手，眼泪湿湿的，“小荻你回来吧，再不回来……”

母亲的话没有说完，沈小荻也不好追问，但她想一定与隋杰有关。再不回去会怎么样呢？莫非隋杰和莫莉……她满腹疑惑地迈出楼道，却与一个怀抱玫瑰花的女人撞了一下，天，是莫莉！

莫莉正喜气盈盈地抱着一大束白玫瑰，她是去隋家搬救兵的，喝醉了的隋杰比石头还沉，得找父亲帮忙弄他回家。一看到沈小荻，莫莉满脸警惕地问：“你来做什么？！”最近几次来隋家都没看到沈小荻，家里的用品也少了女人的，莫莉早猜到沈小荻搬出去了，可今天她怎么又回来了呢？

沈小荻咬了咬嘴唇，不想说什么，她绕过莫莉想往前走，莫莉却拦住了她，冷冷地质问：“你来找隋杰吗？”

被莫莉逼紧了，沈小荻只好蹦出一句：“不是，我没看到他……我是来看老人家的。”

莫莉心一松，脱口说道：“隋杰跟我在外面吃饭，现在他去超市买东西了，让我先回家……对了，我要感谢你帮我照顾隋杰和果果这么长时间，现在果果已经回家了，等过段时间你们办好了手续，隋杰和爷爷奶奶也会回家。”

沈小荻只觉得一股辣辣的感觉直冲鼻子而来，她不敢说话，只怕自己一开口就会掉泪。

“你看这花漂亮吗？是隋杰送给我的，还有这个……”莫莉从自己脖子里扯出一根红线，红线上拴着一把海蓝宝石锁，“这锁也是隋杰送的，钥匙他自己挂着。他说了，他是钥匙我是锁，这是天造地设的同心锁，那些个不般配的铜锁铁锁，只会糟践他的宝石钥匙！”

沈小荻的眼泪夺眶而出，她捂着嘴推开莫莉，头也不回地往巷子里跑去。

看着沈小荻消失在巷子尽头，莫莉嘴角的冷笑这才收起，她看看手里的玫瑰花，突然感到了嫌恶，一把把它扔进了垃圾桶。

9

沈小荻泣不成声地打开出租屋的门时，屋里有一大一小两个男人，夏明皓难得地在给海海辅导作业，沈小荻措手不及，“你，你不是接海海去吃比萨吗？”

夏明皓吃惊地看着一脸是泪的沈小荻，“是我让海海带我到这里来的。”

当哄着海海带他来到这间又黑又小的出租屋时，夏明皓心酸极了，他心疼儿子住在这样的地方，也为沈小荻感到了不平。可他又能说什么呢？沈小荻现在像个瓷人，他连大气都不敢出，只怕雪上加霜伤了她。是什么时候开始注意起这个前妻的呢？夏明皓自己也说不清楚。和她做夫妻的那七年里，他的心的确没在她身上，决定选她做妻子，一方面是初恋没有结果，一方面是沈小荻是当时生活中的理想结婚对象，他觉得她就是自己买回家的一个商品，供她吃住给她名分，她就会一直乖乖待在他身边。沈小荻发疯似的要离婚的时候，他还有点幸灾乐祸，看你离开能折腾多久。

可是沈小荻不仅挺了过来，而且再婚了。从海海断断续续透露的消息中，夏明皓越来越发现其实他根本不了解沈小荻，她的执著，她的深情，她的宽厚，她为隋杰所做的一切感动了他。男人穷其一生地寻找，不就是要找一个这样的妻子吗？患难与共，甘苦相依。她何曾不是怀着这样的心对过他，七年婚姻里的点点滴滴随着她的离去越来越清晰了。可笑的是，等到他们离婚这么久了，他才知道自己失去了怎样的一件珍宝。而渐渐地，他的初恋情人也失去了颜色，当初不肯结束婚外恋回家，的确是因为心还在情人身上，现在再没有任何压力了，他可以如愿给情人一个名分了，却失去了动力。年轻时曾那么喜欢过的人，真的就是自己会爱恋一辈子的人吗？

他不得不悲哀地承认，人对人的认识是会随着阅历、环境和心境的不同而改变的。假如爱的那个人没有一起成长，年轻时轻易许下的一辈子，到头来便成为见证幼稚的真实谎言。然而事到如今，错过的已经成为过错，爱情还可以重来吗？

沈小荻和海海住在密密麻麻握手楼中间的一房一厅，这里的空气里充斥着消散不去的油烟味儿，关着窗户也能听到楼外嘈杂的声音。刚才海海领着夏明皓上楼的时候这里刚好停了会儿电，有不少住户集聚在楼下纳凉，那些衣着随便的人正开着粗鄙的玩笑，发出热闹的哄笑声，衣冠楚楚的夏明皓路过这里，吸引了所有人的目光。夏明皓被他们看得心里发毛，觉得这里的人身份都有些可疑，说不定都是些有案底的江洋大盗，这让他怎么放心沈小荻和海海住在这里呢？他下了决心，怎么着也要把这娘俩带走。

看到夏明皓和海海在屋里，沈小荻赶紧转过身擦眼泪。粗心的海海没有留意到妈妈不高兴，而是兴奋地叫着："老妈你看！爸爸给你买了一个能放冰的保鲜箱，他给你准备了寿司和刺身！"

"你吃吧，我吃过了。"沈小荻不敢看他们，侧身闪进了洗手间。

在哗哗的水声中，夏明皓隐隐能听到她压抑的哭声。依她喜欢死撑的性格，今天一定是遇上特别闹心的事了，否则不会哭得这么厉害。一定又跟隋杰有关。一想到那个死鱼一样的男人，夏明皓真后悔那天没有狠狠揍他。

沈小荻在洗手间待了快一小时，这期间夏明皓已经把海海赶上床睡觉，好不容易等到沈小荻出来，他一把拦住了想躲进卧室的沈小荻。"你是不是受了委屈？"

"没有的事，别瞎猜。很晚了，你赶紧回去吧。"沈小荻用毛巾捂着脸，挡住哭红的眼睛。

"行，你的事我不瞎猜，可你不能住在这种地方，搬回去吧。"

沈小荻转身装忙碌地擦湿漉漉的头发，就是不答话。

"我知道海海还得在这边读完这个学期，这样吧，你跟儿子先搬到我那边去住，不要担心他上学的问题，我让司机每天早上接送他，到下学期咱们还转回原来的学校读书。"

"不用你管，我自己会解决的。"沈小荻沙哑着嗓子硬撑着。

"如果你觉得住在我那里不方便，我可以搬出去住的。"夏明皓补充道，他想如果这样沈小荻还不同意，他就在附近给娘俩找个酒店暂住几个月，总之不能让他们再在这里住下去了。

夏明皓的担心没有多余，沈小荻闷闷地丢了一句话过来："我说过了，我的事情你不用操心。"

“好，你不让我管，我的儿子我总可以管吧？我不想让他被别人冤枉，我不想他跟一帮打工仔住在一起！”

沈小荻脸色变了，“打工仔怎么了？如果让你也生在一个穷山沟里，你今天一样跟他们住在出租屋，挤着公交车上班！你住市中心的豪宅，我们住郊区的农民房，可是没有人比你低贱！”

“我说错了，我根本不是这个意思……我是想让你们娘俩过好一点，你完全可以过比这好很多的生活，没必要折磨自己，也亏待了海海。”

沈小荻咬了咬嘴唇，倔犟地说：“谁让海海投胎在我这儿，我过什么样的生活他就得过什么样的生活，这是他的命。你走吧！我要睡了！”

沈小荻把夏明皓轰出了家门，一关上门，强忍住的眼泪禁不住又流了下来，她颤抖着拿起手机，翻出一个好些日子没联系的号码，发出了一条短信。不过她的短信发出去之后，很快收到了发送暂缓的信息。

此时的隋杰正烂醉如泥地被父亲和莫莉扶着，好不容易把他拖到卧室，莫莉殷勤地要为他洗脸换衣服，父亲却拦住了她，“这些事我来做就可以了，你回去吧！”

“那好吧，明天早上我再来看他。”莫莉看了眼隋杰脖子里露出的红线，不由又摸了下藏在自己衣服里的那把石锁，心里美滋滋的。

隋杰沉沉睡去，一夜无梦，一觉睡到日上三竿。心急如焚的母亲终于忍不住进来推醒他，“小杰，你知不知道昨晚小荻回家来了？”

隋杰睡意正浓，翻个身迷迷瞪瞪地回答：“她来干什么？”

“她说来看我们，还在家里吃了饭。”

“什么？”隋杰突然全身一震，这才听明白老妈说的话，“你说她昨晚在家吃的饭？”

“是啊！”

沈小荻在家吃的饭？也就是说她没有跟夏明皓和海海家庭聚餐？隋杰一骨碌从被窝蹿出来，完全清醒了，他着急地追问母亲：“她有没有说什么？她在家待了多久？”

“她什么也没说，我看她八成不生你的气了，你赶紧去接她回家吧！人家都主动回家了，你也别死要面子活受罪了，赶紧把她接回来，现在就去！”母亲一边给隋杰找衣服，一边唠叨着。

隋杰忙乱地穿着衣服，一声声应着，“哎！我现在就去她公司找她！”他兴奋地胡乱洗了把脸就往门外跑。

“手机，拿上手机！”母亲拿着他的手机在后面追着喊。

直到跑出了小区过人行道了，隋杰还在一边整理衣服一边开手机。“嘀嘀——”一开机就有一条信息挤了进来。一看是久违了的“老婆”的信息，隋杰满心欢喜地按了下去。

你抽个空，咱们把手续办了吧。

手续？什么手续？她要离……婚？愣了半天才明白过来的隋杰脑子里嗡嗡直响，眼前一阵星星乱飞。他晕乎乎地站在原地，一时间竟然不知道自己在哪里，要做什么。一个住他家对面的阿婆走过来，冲着他笑，“去上班啊？”

隋杰瞪眼看着阿婆走过来，明明知道应该礼貌地回应一声，可嘴张了张，就是说不出话来。阿婆奇怪地看着这个平时最懂礼貌的小伙子，走了好远还频频回头看他。隋杰就这样像被孙悟空施了定身法一样钉在马路中间，绿灯过了车开过来了，可他还是保持那个按手机的姿势，车呼啸着在身边飞过，“找死啊！”司机扔下一句大骂。

他站在那里，万念俱灰。

一个女人跑过来抓住了隋杰，把他从马路中间硬拉到了路边。女人一脸惊恐地嚷着：“你站在那里做什么？不要命了？”

是莫莉，她一大早赶来看隋杰，还惦着昨晚他烂醉时的样子，虽然酸溜溜地让她不好过，但也知道现在正是她扳本的绝好机会。借着拉他回人行道的劲头，拉住他冰凉的手，她关心地问：“你是不是不舒服？我带你去医院吧。”

短暂的失态后，隋杰回过神来了。其实对沈小荻的决定他早就有心理准备了，只是刚才听说沈小荻回家了，着实让他从痛苦到喜悦，又从兴奋到绝望坐了一回过山车。一回过神，他立刻从莫莉手中抽出手来，冷冷地反问：“你有事吗？”

“我当然有事了，果果最新的复查结果出来了，医生说有两个康复治疗给我们选择，你得拿个主意。”

既然是儿子的事情，隋杰也不好再拉着脸了，“急吗？我现在有事要去办。”

“急，我这几天都在找你呢，你就给我半小时时间好了。”

“好吧就这里吧。”隋杰四下环顾，看到路边有一家茶餐厅。

隋杰不知道有一双眼睛在看着他们。莫莉拽着他的手在街上跑的样子，都被正好坐在公交车上准备上班的沈小荻看到了，虽然早就认定他们已经复合了，这一幕还是在沈小荻裂成碎片的心里又撒了把盐。当着车上那么多陌生人异样的目光，沈小荻泪如泉涌。

说是两个康复治疗方案让孩子父母选择，其实也没什么好选的，作为护士和母亲，莫莉完全可以自己做主。隋杰看了病历五分钟，听莫莉解释了一会儿，很快拍了板，办完事他立刻站起身来，“既然选好了我先走了。”

服务员刚好把他们叫的早餐送上来。莫莉幽怨地说：“不是说好半小时吗？人家老大远地来找你，不会早餐都不让吃一口吧？”

隋杰只好又坐下，可他没话跟莫莉说，沉默地看着手机。这个时候的他很应该悲痛或者迷乱，可是他居然出奇地冷静下来了。

看他这个样子，莫莉知道再伪装下去只会浪费时间，终于扯到了正题，“咱们这一路走过来经历了很多事，你应该也明白果果离不开我也离不开你，我改掉以前那些坏毛病，我们一起从头来过，好吗？”

隋杰沉默了几秒钟，给了一个不可动摇的答复：“不可能了，从我们离婚那天起，我们的关系就只是果果的爸爸和妈妈。我早就结婚了，这你应该清楚。”

“不要说得那么绝对，你和她不是也出现问题了吗？你们日子过得也不好，对不对？”

提到沈小荻，隋杰的心猛地抽搐了一下，“就算我和她分手了，我和你也不会再走到一起了，过去不能，将来也不可能。”

莫莉着急地来拉隋杰的手，却被他迅速避开了，“难道你对我一点留恋都没有了吗？难道你不在乎果果的感受了吗？”

“我最烦就是你这点！老是拿孩子来说事！我们的事情与果果无关，你拉他进来也没用！”

莫莉绝望地看着他。

“其实果果的事我想通了，你要是想抚养他我就交给你，什么时候你不想带他了，就交回给我。”起身欲走的隋杰突然又想起了什么，补充了一句，“不要想不让我看他，否则，我一分钱抚养费也不会给你。”

莫莉被他接二连三打击得蒙了神，半天才哭着喊出来：“隋杰，你有种！”

这时隋杰已经消失在咖啡厅门外了。

10

初婚的人，离婚总好像世界大战，而二婚的人，下个结婚的决心要拼了老命，再到离婚的份上却能很快一拍两散。难怪老人说虱子多了不痒，债多了不愁，原来多离几次婚也是能离麻木的。

得到了沈小荻要办手续的消息后，隋杰只是和她通了个简短的电话，在电话里两个人都尽量装出平静的样子，只怕让对方觉得自己还想纠缠什么。在寒暄地问过双方父母和孩子的情况后，隋杰主动提到了离婚的问题。

“你发的信息我看到了……我答应你……我来拟个协议吧，咱们的事不难办，没有多少财产需要分割。对了，上次老黑那份财产鉴证书找个时间咱们一起去当场毁了，房子还是你的。公司有不少欠款一直到不了位，如果抽资金出来的话就没办法运转了，我没办法给你，真是对不起……我还有些钱在股票里，现在行情不好卖了挺可惜的，把它办个赠予手续给你吧……钱不多，你拿着压压箱底，不着急用钱的时候不要卖它，将来肯定还有机会涨上去。”隋杰细心地叮嘱着她。

“我不要，那是你的……”沈小荻嗓子里酸酸的，他那种交代后事的语气让她心碎。

隋杰凄笑着，“你跟了我一年，我什么也没给你，心里挺不好受的，你就接受了吧，就当是让我心里平衡点。”

“一年了，我们结婚快一年了，还记得当时我们说要一起过四个十二年吗？想起来就好像是昨天一样……”沈小荻平平淡淡地说着，眼泪已模糊了眼睛。

“老天爷跟咱们开了个玩笑，不过能跟你在一起生活过，我知足了……”隋杰的眼睛湿了，但他很快控制住了自己的情绪，让所有的痛苦都由他来背吧。他追问，“哪天你有空？”

沈小荻想了想，用手按在喉咙处，用以压下一阵阵往上涌的酸楚，“就十二月十二号吧，去年我们在这天举行婚礼，今年我们还在这天分手，算过了一个真正的纸婚。”

在两人恋恋不舍的叮嘱中，算是选定了办离婚手续的日期。大概连他们自己也没想到，世界上会有夫妻分手如此和平和留恋，在商定分手的时间里，两个人不时有恳求对方留下来的冲动，然而话到嘴边又咽了回去，不约而同地想着，如果离婚是他（她）选择的，就算求人家留下来，又能留多久呢？

这之后的日子便昏天暗地的像世界末日了一般，上班、下班、吃饭、睡觉，生活似乎跟平时没有什么不同，隋杰大部分时间都消耗在了出差上，有时一天要走访好几个客户。他像输入了程序的机器人一样机械地做着应该做的事，说着应该说的话，可人总是混混沌沌地在过活。如果说心里还有一丝光亮在支撑着，那就是一个信念——我总算为她做了一件事情。

怕十二号来，可十二号还是来了，隋杰一宵没睡，早上六点就去了公司。今天他特地穿了西装，以前跟沈小荻在一起总是随心所欲地穿休闲服，今天的分手仪式一定得体体面面、正正式式的，以示对她的尊重，也好补回一点心里的愧疚。他打印了三份离婚协议，又检查了下自己的证件有没有带齐，把所有资料装进一个档案袋里，疲惫地靠在办公椅上，静静地等待出发时间的到来。

在极度的焦灼和不安中，他居然睡着了，他做了一个梦。他梦见自己在穿越大沙漠，一个人走啊走啊，头顶骄阳似火，脚下炙沙如炭，他热得快发疯了，一头埋进了沙里，心想着干脆死在这里算了，好过这看不到头的折磨。可就在这时，一个熟悉的声音大声在他耳边喊着："隋杰！隋杰！快起来！"

他猛地一惊，真的有人在叫他，是公司的文员，一脸慌慌张张的表情，"隋总，有警察来了！"

隋杰纳闷地走到大办公室，几个全副武装的警察正等着他，他们拿着手铐，出示了一张逮捕令。

原来康健医院连续有二十多个病人出现了药物中毒症状，他们在注射过氧氟沙星之后，均出现了不同程度的呕吐、休克症状，有一个老人甚至生命垂危。现在原因查明，是隋杰公司供应的氧氟沙星的问题，有一个批次的药剂居然掺进了过期品，才引起这场可怕的医疗事故，医院已经向法院起诉。

容不得隋杰跟沈小荻打个电话，他进了看守所。

就在这一天，沈小荻早早来到了民政局。

迈进这扇熟悉的大门，脚步沉重得像灌了铅。上次离婚时天空阴霾，今天却是艳阳高照，可无论多强的阳光也照不进沈小荻阴郁的心。她在大厅里找了个位子，孤单地等待隋杰的到来。她落寞地看着结婚登记窗口的那个工作人员，还是去年她和隋杰来办结婚登记时的那个人，而那人也看到了角落里凝视他的沈小荻，但他只是扫了一眼就低头做事去了。还好他没有像熟人那样打招呼，否则沈小荻连死的心都有了。

她这一辈子去过的地方，就属这里印象最深刻了，两进两出，苦海无边，回头无岸。

她就这样呆呆地坐在那里，时间一分一秒地过去，不知不觉已经快十一点了，怎么隋杰还没来呢？沈小荻突然想起来要给隋杰打一个电话。关机了，奇怪，昨晚他们还通话约好时间的，为什么隋杰不来呢？沈小荻脑子里仿佛灌了水泥浆，她懒得去想隋杰迟到的原因，仍然木木地坐在原地不动。

从早晨到下午，直到服务大厅要关门，清洁工开始做卫生了隋杰也没来。打电话，仍然关机。他不会来了，他还是这样自我，他要怎样就怎样，也不想想她的感受。一天水米未沾的沈小荻并没有感到饿或渴，她在清洁工的催促下出了门，在乍起的寒风中落寞地行走着。

"施主，你气色不好，最近恐怕有婚姻变故啊！"一个穿着褐色僧袍的老和尚拦住了沈小荻。这些年来，街头给人算命的游僧越来越多了，要是以前沈小荻一定当这些人是骗子，可最近她迷上了算命，她觉得她一定是前世作了什么孽，要不然怎么要承受这么痛苦的婚姻呢？今天这个游僧一语说中了她的心事，她便像喝了迷魂汤一样，蹲在路边让游僧看起她的手相来。

"施主，你这个手相婚姻运很不好！你有一条生离死别线，你嫁的丈夫不是和你分手就是会意外死亡，大凶大凶！只怪你的前世是个屠夫，杀生太多，这辈子多灾多难都是为还债啊！"

沈小荻听得心惊肉跳，"那有什么办法能改变命运吗？"

"你拿了我这个符，晚上子时烧灰喝掉，然后向东拜三拜，就能破掉你的霉运了。从此之后，你夫妻和美，风调雨顺。"

沈小荻将信将疑地看着那个叠成小三角的黄色符纸，这东西有这么神奇吗？不过眼下她六神无主的，姑且信一回吧。

付了三百块钱，沈小荻把那个号称"转运符"的东西拿回了家。这晚十二点，她虔诚地点上了三炷香，朝着东边的方向，沈小荻点着了那张画了些乱七八糟线条的符纸，按照游僧说的，把烧成灰的符纸放进了一碗清水中。缓缓端到嘴边，一股焦味扑鼻而来，她捏着鼻子喝了一口，纸灰水沾在喉管上不动了，呛得她大咳起来，在灌了两大杯清水之后才感觉东西下去了。

看着桌上那碗乌黑的水，再看一眼镜子里那个眼神呆滞的女人。沈小荻突然像被什么敲了一下般清醒了，她恍然大悟地笑出声来，老天，她差点走火入魔了。如果一碗符水能改变人的命运，那游僧还用得着在街头给人算命吗？可笑她这个受唯物主义教育长大的人居然把自己搞到跟村妇一样愚昧。还好没人知道，沈小荻像个怕被人抓到的小偷一样赶紧倒掉了那碗符水。

她知道自己现在的状态非常危险，极其需要调整，否则一定会精神崩溃。想了一会儿，她给夏明皓发了个信息：我要出门一段时间，你能帮忙照顾海海吗？

很快，夏明皓回复了：没问题，你要去哪？需要我们陪你吗？

沈小荻没再回复，她卸下了自己的手机电池。从现在开始，她要从人们视线中消失掉，她要好好想清楚，人生的路要怎么走。

辞了职，穿上旅游鞋，背上大行囊，沈小荻开始了她梦想了很久的旅行。她去了四川，地震之后的灾区正在重建，需要许多真正有爱心的人伸出援助之手，沈小荻等这天很久了。到成都的第一天，还没等沈小荻步入她的目的地——重灾区北川，她就因为水土不服病倒了。她窝在小旅馆的薄被里直哆嗦，没日没夜地发着烧，流着泪，思念着隋杰和海海。这个本来满怀热情来帮助别人的人，却不得不在到灾区的第一时间就接受了别人的照顾。小旅馆的老板娘给她端水送饭，叹着气劝解，"你回去吧，很多像你这样的志愿者也是一到这边就回去了，你们给我们捐钱捐物已经很好了，别把自己的身体折腾坏了。"

就在老板娘打算这个客人的病再不好就将她送到大医院去时，沈小荻突然康复起来，没两天就能健步如飞了。她如愿找到了驻北川的一支志愿者队伍，她第一个报名的项目是要和男人们一起下工地，为灾区重建永久性住房。她憋着一口气，要用最重的体力活来惩戒自己，好像只有这样才可以让自己的心得到安宁。

不过她的满腔热情遭到了队长的拒绝，"想要自我放逐和遗忘过去的人不要来，真的要帮助别人，就不要跟自己赌气，去做些力所能及的事情吧！”

沈小荻加入了当地菜农的行列。每天和她一起起早摸黑在地里耕作的农民，有的举家丧生，有的受伤残疾，可活下来的人没有怨天尤人，他们常常苦笑说人逃不过命，可没有一个人被宿命打垮。和老乡们一起吃着红薯烤着炭炉挤着板房，沈小荻常常没有来由地感动，她觉得这里的老百姓是最善良最坚强的，跟他们比起来，她的痛苦和悲伤是多么渺小。

她并不是一个有野心和理想的人，她从小梦想的不过是嫁给一个喜欢的人，一起过相亲相爱的日子。为此她结了两次婚，不可谓不用心良苦，不可谓不努力追求，曾几何时她为得不到爱玉石俱焚，曾几何时她为失去爱痛哭失声，然而今天她像自己最恐惧的那样孤身走我路，她却不再犹疑、惊惧和彷徨。

爱情是她终身的渴望，爱情是场姹紫嫣红的独角戏，但她仍然有勇气和决心，哪怕奄奄一息也绝不乞求爱情。她真正学会独立了，这是经济、生活和思想上的独立，也是感情的独立。

曾经的梦想，留给值得的对象，拥有的计划，一个人也可以抵达。

初到灾区时那个心事重重、忧眉紧锁的沈小荻不见了，取而代之的是一个拥有平静心情和美丽笑容的沈小荻，她的手起了茧，她的脚冻伤了，她的身体却强壮了许多，她学会了种菜收菜，甚至和农民一起上街卖菜。看着自己亲手种下的大白菜在一天天成长，在集市一角两角地与人讨价还价，学老乡们的四川话讲笑话，喝点小酒唱个山歌，她感到了从来没有过的舒心。这种快乐是从自己心底发出来的，与任何人的给予无关。有一天她突然发现，她已经很久没有为隋杰哭泣了。

她收拾好了行囊踏上回程，她想她已经可以坦然面对任何人，承受任何事了。

她找出积了很多灰尘的手机，拨出了第一个号码，然而，隋杰的电话，空号了。

Second Marriage

2婚

第六章

我要救他

一身囚服的隋杰脸上绽开了这些日子来的第一个笑容，他终于见着了那个朝思暮想的人。她的面容就像清晨的第一缕阳光，照进了他被黑暗笼罩的心里。感谢上帝，她毫发无伤地活着，她在他最困难的时候来了，她没有因为他的潦倒就抛下他。

她说：“别提离婚，别提房产过户，我相信你没罪，我要救你！”

1

爱情就是一通错过的电话，不想打的时候它一直为你开机，疯狂拨打的时候它却不在服务区。

在沈小荻前往四川的时候，隋杰一直委托老黑在打她的电话，他知道她在等他办手续，可就在他们约好办手续的那天他被押进看守所了。突然惹上的这场官司让他不知所措，最初几天他焦躁得像个疯子，不肯吃饭，一个劲地喊冤。可是愤怒和焦急又有什么用呢？他比以往任何时候都迫切地想见到沈小荻，可每次老黑给他带来的消息都是找不到她。他神经质似的在心里默背着她的电话号码……空荡荡的心里收不到任何她的回音，她像掉进深海的手机一样信号彻底消失了。他一天比一天绝望，他想她一定是伤透心了，给她的那些承诺一个都没来得及兑现，连约好去办离婚手续都失约，他这样的人是不值得她爱的。

他终于失去了她。

人海茫茫中他们相遇，尽管已经走在抉择的十字路口，他也没想到有一天会失去她的下落。分手，是因为心里有一个强大的借口——为了让她过得更好。他以为自己只要能远远地得到她的消息就满足了。通讯的便捷，让我们只要有一个号码就能把藏在天涯海角的她给揪出来，却不曾想过一旦失去了这根连通缘分的生命线，即便是你最爱的人，即使你们比邻而居，也像流星一样交错在夜空尽头。

在隋杰为感情煎熬的时候，他的事业也面临着毁灭性的打击。当时药品入库是康健医院验收过的，临床时为什么会出现问题这让隋杰百思不得其解。这种进口药是拿到了药检局批文的，他代理有一年多了，进销存货也严格依足了规矩，没有任何一家客户反映过有问题，怎么会突然之间出这么大事故呢？

狱中的隋杰度日如年，狱外的老黑也跑断了腿。想要在一个国营医院拿到隋杰无罪的证据可真不容易，想来想去在康健医院只有莫莉一个熟人，无奈之下老黑只有寄希望于莫莉能打开缺口。

赶着莫莉下白班的时间，老黑在医院门口等她。一见是老黑东张西望地站在那边，莫莉知道是找她的，赶紧装作没看见地贴着墙壁往前走。情急之下，老黑伸手把她给拦住了，赔着笑脸说："老同学，好久不见了！"

"哟，是贺大律师啊！你高就了发财了，眼里只有原告和被告，哪还有我这个老同学！"莫莉撇着嘴讽刺着，自从为果果的案子上了法庭，她已经把老黑和隋杰列成是一个鼻孔出气的了，甚至把隋杰的可恶加倍算到了这些推波助澜的人身上，不然她好端端的老公怎么就变成别人的了呢？

一听莫莉这口气，老黑心里一沉，知道这趟多半是白跑了，可是为了隋杰别无他法，他仍然硬着头皮恳求："莫莉，看在果果的分上，你别再跟隋杰计较了，也别跟我计较了。"

不说隋杰还好，一说隋杰，莫莉立刻把声音提了一个八度，"他坐牢关我什么事！他犯法他遭罪他活该！赚点昧心钱害了那么多病人，他活该挨枪子儿！"

"他要坐牢了你真的高兴吗？果果要你一个人抚养，这难道是什么好事吗？"

莫莉被这话呛了一下，一时接不上话来，她执拗地板着脸，仍然摆出一副不关我事的表情。

老黑的强硬只坚持了一分钟，为了隋杰他再次低下了头，"莫莉，能不能抛开以前的恩怨，咱们先商量出一个救人的方法？只要把隋杰救出来了，我保证……我保证你想做什么我都帮你想办法……"

"你们这些男人，求着别人办事的时候什么花言巧语都说得出来，可有几句话是能够兑现的？今天别说是你求我，就是隋杰跪在我面前我也不会管他！"莫莉恨恨地咬着牙，甩下这句话就走了。

在莫莉这里吃了闭门羹，老黑只有去找康健医院的院长试试。据隋杰说他们是多年业务关系，拿过隋杰不少好处，希望他还能顾及一点旧情，为隋杰开一扇公道之门。

在无数次跟院长约见面时间不成的情况下，老黑决定直接杀过去。办公室的小姑娘一看到老黑的名片就连连摇头，“我们院长不在医院，他出差开会去了！”

老黑才不吃这套，在小姑娘的大呼小叫中，他冲进了里间的院长办公室。在一张超大的红木办公桌后面，一个老头正悠闲地翻着报纸，看到老黑不请自入，院长的老花镜滑落到了鼻尖上，老花镜上方圆瞪着一对狐疑的眼睛，“你是谁？”

老黑反手关上了门，换出一个客气的笑容，“打扰您了不好意思，我是隋杰的律师，关于他的案子需要了解下案情，想请您提供点方便。你是隋杰的老朋友了，不能见死不救啊！”

院长清了清嗓子，一脸严肃的表情，“更正一下，我们医院和隋杰是业务关系，这次的医疗事故完全是隋杰供应的药品出了问题，他让我们医院承受了很大的损失，我们会依法追究责任，不冤枉一个好人，也绝不姑息养奸！当然，如果你要查案子，可以通过法律途径来走程序，如果你想做点别的……”院长用手指在办公桌上敲了敲，意味深长地说：“你可要注意下自己的身份啊！”

尽管无数次帮当事人面临这种情形，老黑的心还是替隋杰难过了一阵。他突然有些讨厌起自己的职业了，做律师的力量如此有限，天天要面对的还都是人世间最丑恶的东西，折磨得他失去了快乐和爱的能力，他真不知道自己平时很难去信任一个人是不是跟这有关。他下决心一定要为隋杰翻案，就当是用一件事情证明他的心还没有完全麻木吧！

接下来的时间里，老黑几乎把所有能找的人都找过了，一听是为隋杰的案子来的，以前那些和隋杰称兄道弟的人都翻脸了，生怕这案子把他们也扯进去了。

隋杰的公司被吊销了执照，公司发出去的药品全部被退回了，药检局再查出有问题就得全部销毁。老黑为怎么处理隋杰剩下的一堆债务发愁。如果正式判隋杰有罪，他不仅要坐牢还债，还要承担罚金和赔偿金，连老黑律师事务所知道这件事的同事都在议论，隋杰这辈子算是完了。

老黑每天都会拨上几次沈小荻的电话，电话那头永远是一个机械的女声：“您拨的电话不在服务区。”在为隋杰着急的心情上，老黑又添了许多对沈小荻的担心。可是即使是宣萱也不知道沈小荻的下落，沈小荻父母什么也不肯说，听到隋杰出事了老妈甚至说了句：“他自己作孽，害了这么多人，害得荻丫头成这个样子，老天爷真该收拾他！”作为律师，老黑是唯一能去看守所见隋杰的人，他真不忍心把一个个的坏消息带给隋杰，更不忍心把隋杰的状况告诉他的父母。

很快，隋杰的案子开庭了。开庭这天，老黑早早地去了西餐厅，他要去吃一个丰富的早餐，好让身体和心理都调整到最佳状态，他觉得这是他从业以来打过的最重要的一场官司，他从来没有那么紧张过。

在喝完第二杯咖啡之后，几夜未眠的老黑这才感觉精神了一点。他的电话响了，一个许久没有下落的名字响起来了，沈小荻！按下了接听键，老黑的手已经在颤抖了。

“黑哥早，很抱歉很久没跟你联系了，我刚从四川回来，一直打不通隋杰的电话，所以——”

“你现在马上赶到法院去，对，就是上次果果案子二审的地方。今天隋杰的案子开庭，你现在赶去，还能赶上见隋杰一面。”

“什么？隋杰什么案子？”

“你现在就打的出发吧，我路上慢慢跟你说……”

等到在法院门口见到沈小荻，老黑已经在电话里把来龙去脉都告诉沈小荻了，也大致知道了沈小荻这段时间在做些什么。很久没见到沈小荻，她家里又遭了那么大事，老黑真担心沈小荻会经受不住这个打击。第一眼看到沈小荻那张熟悉的脸时，老黑心猛地跳了一下。她还是跟过去一样清瘦得我见犹怜，又好像跟以前有些不一样了。仔细看看，她的脸红红干干的，显然经历过北方寒冬的风霜，她的眼睛仍然清澈见底，可眼神分明坚强了很多。

一见老黑，已经从最初的震惊中平复下来的沈小荻双手抱拳，对老黑作了一个揖，“黑哥，隋杰的性命就拜托你了，请你一定要救他。”

老黑鼻子里有点酸酸的，“不用你说我也会的，不过这个案子我真的没有把握……如果隋杰真的被判有罪了，你会怎么样？……这个问题很残忍，可你要有思想准备。”

沈小荻垂下了眼睑，一字一句地说：“隋杰没有罪，一定是别人陷害的，我要救他。”

就在两人说话间，宣萱匆匆忙忙赶到了，她从的士上搀下来的，是隋杰的父母，沈小荻的公婆。母亲一见到沈小荻就开始抹眼泪，沈小荻用力抱着母亲的肩头，忍着心酸安慰她：“妈，我们会想办法的，隋杰不会有事，您不该到这种地方来。”

母亲拉着沈小荻的手，心疼地说着：“你这几个月上哪去了？你可把妈急死了……”

差点要变成两家人的婆媳搂在一起，这情景让老黑和宣萱都为之动容。

时间一分一秒，像个巨大的齿轮，重重地碾在沈小荻、父母、老黑和宣萱的心上。终于，穿着一身灰色囚服的隋杰在刑警押送下姗姗来迟。他已经理了发，青色的胡茬衬着一张瘦得脱形的脸，大眼睛显得越发大了，只是大得没有神采，沈小荻初识时那个意气风发、干净爽利的男人哪去了？仿佛心有灵犀似的，隋杰一进法庭就开始在人群中寻找，终于，他见着了那个朝思暮想的人。触电般地对视了几秒，他脸上绽开了这些日子来的第一个笑容。她的面容就像清晨的第一缕阳光，照进了他被黑暗笼罩的心里。感谢上帝，她毫发无伤地活着，她在他最困难的时候来了，她没有因为他的潦倒就抛下他。

沈小荻曾经设想过无数次和隋杰重逢的情景，她无数次地告诉自己要平静，原也以为这段时间真的已修炼得波澜不惊了，可在这种完全出乎意料的情景下看见隋杰，她心疼得几乎要失声了。怎么事情会搞成这个样子呢？是谁要致她的隋杰于死地啊？都怪她不好，如果她不去放逐天涯，如果她早点回来，隋杰肯定不会落到这般田地。

法庭里挤满了媒体记者和旁听的群众。隋杰的案子触动了公众的神经，很多平时就对医疗机构不满的老百姓把怨气都撒在了隋杰这个奸商身上。沈小荻看看周围那些一脸气愤在窃窃议论的人们，心想如果这是在古代，隋杰早就被臭鸡蛋烂菜叶扔了一身了。对法庭来说，这种铁证如山的案子其实只是走应走的程序，赶快判而且要重重判才能平息民愤。

审判结果没有什么悬念，隋杰被判了十年。并处罚金和赔偿金。

隋杰面如死灰，他看看沈小荻，又看看父母，眼神里透着绝望。

突然间，母亲一头栽在了地上。“妈——！”隋杰冲动地要从被告席冲出来，被庭警制止了，推推搡搡地带他出了法庭。

“宣萱快打120！”沈小荻吩咐完，冲着隋杰大喊，“隋杰你放心，我一定会救你的！爸妈交给我了！”

在法庭的大门关上之前，隋杰回了最后一次头，他看见沈小荻蹲在母亲身边，眼神却还缠绕在他身上，出乎他意料的，她显得很冷静。在无言的对视里，隋杰突然读懂了沈小荻的心，她一直是爱他的，从来就没动摇过。

2

要救隋杰为他翻案，谈何容易！

隋杰的案子算是铁板钉钉了，康健医院既然已经找到了责任人，偌大一个医院的声誉算是保下了，上上下下还会有谁愿意为隋杰追查这种损己利人的事呢？沈小荻想找到一个切入口真的求助无门。

母亲在隋杰的庭审现场再次中风了，这次比因为果果发病那回还要厉害，度过危险期之后她已经全身不遂了，瘫在床上根本离不了人，只能让父亲和沈小荻轮班照顾她。沈小荻决定让母亲转院到康健医院，一来那边的医疗条件比较好，二来也想借这个机会了解下医院内部情况。

入院的第一个晚上，沈小荻就碰上了莫莉，她是这晚的值班护士。她端着装着体温计和注射器的托盘走进来，见到她前段时间还极力讨好的父母，脸上没有任何表情，就像吩咐其他病人一样公式化地说着："12床的打针！体温计夹上五分钟！"

沈小荻跟着她回到值班室，莫莉自顾自地收拾她的东西，根本当沈小荻是空气。

"莫莉，你应该知道我为什么来找你……"

"如果你要了解12床的病情，可以跟值班医生去说，其他的事情你就不必在我这里浪费嘴皮子了！"莫莉低头写她的值班日志，冷冷地扔了一句话过来。

"有些事情，隋杰的确做得不对，他现在也挺后悔的，"沈小荻咬了下嘴唇，逼着自己说出一些违心的话来，"看在你们曾经夫妻一场，看在他是果果爸爸的分上，你就原谅他，帮他一把吧！"

"啪——"莫莉突然扔了手中的笔，愤愤地说道："我难受的时候他原谅过我吗？我痛苦的时候他帮过我吗？罪是他自己犯的，坐牢砍头都是他自找的，关我什么事？你不是他老婆吗？你不是要救他吗？去救啊！去救啊！"

沈小荻从莫莉酸溜溜的口气里听出了一丝希望，赶紧一把抓住，"只要你愿意帮他，我可以跟他离婚，我把他还给你和果果。至于生病的母亲，我也可以帮你照料——"

"哈哈！可笑！"莫莉仰头大笑起来，"怎么你还以为我把他当香饽饽吗？他有什么好的？一个离了几次婚的老男人，穷得响叮当还惹了一身官司，为什么我放着好好的日子不过，要去侍候一个坐牢的男人？拜托，这样的男人你留着自己慢慢享用！我消受不起！”

“可是——”沈小荻还想说什么，却被莫莉轰出了值班室，“你再在这里骚扰我的工作，我就只能叫保安了！”

沈小荻慢慢走回病房，握着母亲的手，在她青筋纵横的手上轻轻抚摩着。她把脸贴住了母亲的手，无声地问着：妈，我该怎么办？我该怎么办？

对于沈小荻为了隋杰四处奔走，又不寝不食地侍候瘫痪的母亲，老妈终于看不下去了。转院的第二天，她礼节性地给亲家送来了大堆的补品，可寒暄几句之后就把沈小荻拉到了门外，“小荻，我不晓得你到底要做什么，当初让你不要嫁你偏嫁，不希望你离你硬要离，现在可以离了，你为什么又要留下来？他这一摊子咱管不了，你就给自己，给妈，给海海留条活路吧！”

沈小荻努力说服老妈：“妈，如果今天躺在床上的是你不是我婆婆，关在牢房里的是我不是隋杰，隋杰一样会这样对我的，你相信吗？”

老妈没好气地回敬：“你这算咒我吗？”

“对不起，妈。”沈小荻的声音很坚定，“我和隋杰的感情问题可以以后再说，我就算要离开他，也不能在家里最困难的时候撒手不管。”

老妈气得一屁股坐在了走廊里的长椅上，“我怎么就养了你这么个顶心顶肺的女儿啊！”

沈小荻心里有歉意，一把抱住了老妈，把头靠在了她肩上，“妈，原谅我，从小你不是教育我要做个有良心的人吗？我只想听你的话，做个好女儿……请相信我，我是个孝顺女儿，我能对婆婆都这样，更不会让你和老爸受苦的……”

老妈无奈地叹了口气。

借着母亲住院的机会，沈小荻一有机会就在仔细观察康健医院，平时跟小护士闲聊时也打听到一点她们的工作流程。也许是刚出过事的原因，医院对药剂管理很是严谨，住院部的病人打的针都是护士长从库房领出来的，每次剂量都有主治医生的处方及值班医生核查，从理论上来说不会出现医院开错药的可能。康健医院使用隋杰公司供应的氧氟沙星已有半年多，出事的药剂集中在住院部，那一批药是隋杰刚发过去的，但同一批次的药在其他医院都没有出现这种状况。

当沈小荻把这些情况告诉老黑时，老黑突然起了疑心，“你去了解下，出事的时候莫莉有没有当班？”

“没有，我偷偷看过护士室的值班表了，那几天莫莉正好休假。”沈小荻敏感地说，“难道你怀疑这事跟她有关系？”

“我们怀疑没用，法庭只看证据，如果我们拿不出有力的证据，隋杰二审的结果只怕会一样。”

“黑哥，这些日子难为你了，为了隋杰的事你把其他案子都推了，再说你帮隋杰公司垫了不少钱，欠你的律师费用也没给，等隋杰出来，我们一定会还给你的……”沈小荻歉疚地说，隋家欠老黑的真的太多了。

“行了，如果我是为律师费来的，那我还是人吗？”

“不为律师费，那我们又能为你做些什么呢？”

“我只怕自己能力有限，救不了隋杰……不管怎么说，只要有一线希望，我们都要去尽力。”

老黑避而不答，转移了沈小荻的话题。不为律师费，那又为什么呢？这个问题不止沈小荻问他，他的同行、宣萱都曾追问过。老黑这段时间完全抛下了自己律师事务所的事情，全力以赴在跑隋杰的事。如果一定要找个理由的话，可以说是为了兄弟情义。可事实真的只是这样吗？老黑心里有些隐秘不可言的想法，这是他唯一可以光明正大为沈小荻做的事。每次帮到了她，看到她高兴的样子，他的心都会有种莫名的舒畅，为了这个，平时他看得最重要的时间和精力都可以消耗。

再隐秘的想法也会有流露蛛丝马迹的时候，老黑的心事就让宣萱在一边暗暗发现了蹊跷。

老黑和宣萱从宣告拍拖到现在同居也大半年了，在别人眼里，作为大男大女的他们早就可以结婚了，可老黑拖拖沓沓地就是不愿意触及正题。他对宣萱并挑不出什么毛病来，她长得不错工作也稳定，对他又照顾有加，可以肯定的是她绝不是同性恋，不会让老黑重蹈上次婚姻的覆辙。她是急切地想嫁给老黑的，可就是这种急切让老黑变得犹犹豫豫，他像模像样地扮演着宣萱的男友，可只要宣萱试图谈到结婚他就立马岔题。他总是想，我再等等，再看看，反正一时半会儿宣萱也不会走开。可他究竟在等什么，自己也说不清楚。

就在大家都为隋杰的事情焦头烂额的时候，宣萱突然跟老黑闹了回气。那天老黑忙到半夜回家，发现家里不再像以前那样留着灯等他了，他以为是宣萱去夜店逗留没回，可就在他换鞋时发现鞋柜空了一大半。不对啊，老黑起了疑，赶紧打开衣柜看看，发现宣萱的衣服也不见了。怎么回事？宣萱搬来和他同居有好几个月了，之前两人也没有过争吵，怎么不打个招呼就搬走呢？

老黑没有马上去找宣萱，而是给沈小荻打了个电话。他有些反感宣萱这种女人的情绪化，有意见可以直说，干吗要怄气呢？

沈小荻很快帮老黑找到了宣萱，她带着她所有家当——几箱子衣服和鞋搬到一个小酒店去了，原因很简单——再也受不了老黑这种含含糊糊的态度了。沈小荻把问题说得很严重，好像老黑再不去救火就会失去宣萱一样。老黑却想，如果宣萱真的要和他断，她也用不着大动干戈去住酒店了，她的目的不过是逼婚，拿出走来要挟胁他罢了。老黑更反感了，难道不知道他现在有多忙吗？

沈小荻在电话里却苦口婆心地劝着："换哪个女人都会受不了的，她是真心实意想嫁给你。你如果不想结婚就要趁早告诉她，不要耽误她的青春；如果你有打算只是现在时机没到，也要和她说清楚，别让她心里没着没落地这么焦虑。"

老黑心里一动，问道："你拍拖的时候，有过为结婚很焦虑的想法吗？"

"这正是我遗憾的地方，每次都是我还没来得及想到底要不要结婚，我就被人抓进了婚姻……"沈小荻在电话那头微笑着，她想起了婚前和隋杰那段甜蜜的时光。

在沈小荻一个电话接一个电话的催促下，老黑极不情愿地赶到了宣萱暂住的酒店。敲了半天门，涂着海藻面膜的宣萱气冲冲地开门了，一开门她就转身往里走，显然还在火头上。

老黑一进房间就脱了外套往床上一躺，看着房间的摆设故作轻松地说："这酒店不错啊，家里住烦了，住到这里来换换心情，挺好！你身上带的钱够不够？我给你送钱来了。"他只字不问宣萱为什么来这里，是想避开锋芒，给她一个台阶下。

可宣萱一看他这副若无其事的样子就生气，憋了好几个月的怨气开始集中爆发了。她冲上去用力地拖老黑，想把他从床上拖起来，可他高壮的身子沉得像灌了水银，"你来就是为了跟我说这个的吗？起来，你出去！"

老黑耐着性子扮笑脸，赖在床上不肯起来，"好了宣萱，你别闹了，有什么事等隋杰的案子结了再说好吗？"

"既然说到隋杰，好，你打算等他的案子结束后怎么办？"宣萱今天很有些不依不饶，既然事情闹开了，她就得抹开脸说话，不能让老黑再糊弄过去。

"如果案子赢了，当然是帮助隋杰把公司重新办起来，可如果输了……"老黑打住了，他简直不敢往下想。如果案子输了沈小荻该怎么办呢？隋杰的十年徒刑、一身债务、生病的母亲和三个孩子，老天！

宣萱冷冷地接过话茬，“输了你正好名正言顺地去照顾沈小荻了，是吧？”

“你这是什么话？”老黑一脸愕然地问。

“什么话？真心话！你不觉得你为隋杰两口子操心得有点过头了吗？你好好问下你自己，你折腾这么大动静，究竟是为了隋杰，还是为了沈小荻？你会为别的女人这么做吗？我看不能，至少我是你女朋友我也指望不上！”

“别胡说八道！”

“怎么好像马蜂蜇了一样？我说中了是吗？我看你巴不得隋杰的案子判输掉，你正好接管隋杰那一摊子，包括他老婆！”

老黑腾地站了起来，怒瞪着眼睛看宣萱。宣萱绷着一张涂满黑泥的脸，也怒目圆睁地和他对视着。这是一双充满自信的眼睛，可也写满了她对他的渴望，老黑想，那渴望不过是控制欲罢了。是的，她想嫁给他，不过是图他这个赚钱的耙子和婚姻的名分，她真的懂得他需要什么吗？她又能给他需要的吗？宣萱的话说得很过分，可是她说得对，他真正想帮助的人是沈小荻。可这又有什么不对呢？一个男人不能放开去爱他的意中人，那帮一帮困难中的她又怎么了？

两人怒发冲冠地对视了五分钟，就在宣萱开始有点害怕的时候，老黑眼里的怒火慢慢熄灭下去了，他垂下头慢慢说：“你可以随便说我，但不要污辱你自己的朋友。我问心无愧，不需要跟任何人解释，也没有心情跟你计较——我已经来接过你了，回不回去是你自己的事，你请自便吧！”

说完老黑径自出了房间，随着房门砰地关上，宣萱愤怒地扔了一个大枕头过去，“去死！”

3

世事总与愿违，不管老黑和沈小荻怎么奔波怎么努力，隋杰的二审还是维持了原判，也就是说，隋杰将要在牢狱里度过他最年富力强的十年了。

从看守所正式转到了监狱，沈小荻也终于可以以家属的身份去探监了。这次探监是老黑陪着沈小荻去的，这也是隋杰事先特别交代过的，他要老黑来作个见证。有些事情必须摆上台面来说清楚了，沈小荻还年轻，不可能在外面等他那么久，何况隋杰出事前他们已经有离婚的打算。

闹闹腾腾一年多，结婚时曾海誓山盟要白头偕老的两个人，谁也没想到会走到今天这一步。从看到对方那一刻起，两人的目光就黏在一起了，他（她）又瘦了，一定吃不好睡不香为我受苦了，一时间真有些忘情地想去相拥而泣。不过隋杰首先控制了自己的感情，他示意老黑拿出早已准备好的离婚协议书给沈小荻，“本来早就应该把事给办了，真没想到突然冒出了这么多麻烦，小荻，对不起，你签了字就解脱了，今后我不会再给你带来任何困扰了。”

沈小荻沉默地接过那份协议书，除了原先讲好的条件，上面特别注明了，隋杰公司的财务问题由他个人负责，与沈小荻没有任何关系。与其说这是一份离婚协议，不如说是隋杰的一篇真情告白，他那么着急地要跟她了断，除了感情上的问题，更多的是怕在经济上给她增加负担。一个人若肯给他的心，那是爱情；若肯给他的物质，那是恩情。人们以为永垂不朽的爱情常常到最后面目全非，恩情却是掺在尘俗沙砾中的金子，越淘到后面越珍贵。

看着沈小荻的脸色平静得没有一丝波澜，老黑赶紧压低声音对她作了个补充：“当时你在我那里做的那份财产鉴证书，我可以帮你们作一份伪证，就说你那房子还是属于你的，这样隋杰的赔款就不会算到你头上来了，可以最大限度地避免你遭到一些不必要的麻烦。”当律师的知法犯法，为了沈小荻，老黑已经豁出去了。

“老黑，我的父母就拜托你了，请你帮我送他们回老家，我的哥哥姐姐会接过这个担子的。另外请再帮我联系下婉玲，让她把蓓蓓带回去……欠你的钱，我也不知道什么时候能还上了，现在说抱歉已经没办法弥补……”隋杰面色颓丧。

在老黑和隋杰交代家事的时候，沈小荻一直在看那份离婚协议书，她看得非常专注，专注得让隋杰觉得每一秒钟都像在等待审判，那么那么漫长。只是谁也不知道，纸上那些字一个也没往沈小荻心里去，她只是需要一点时间来做决定。终于，她抬起头看着隋杰，一字一句地说：“我不同意。”说完她把手里的离婚协议书撕成了两半。

“你——”隋杰和老黑同时着急地看着她。其实对于沈小荻的反应，两人事先也想到了，她是个在关键问题上有点犯傻气的女人，她总是把事情想得很简单，做出一些异于常人的决定，可这次非同儿戏，这可是她一辈子的前程啊！

“小杰，你知道你为什么会落到今天这个地步吗？你太不爱自己了！你活着为了父母、为了孩子、为了妻子、为了兄弟姐妹，就是没有你自己！如果你自私一点，会保护自己一点，一定不会像现在这样！”

“是的，因为我不爱自己，结果连累了你来承担后果，对不起……”

“你放心，我会照顾爸妈，毕竟这边医疗条件好些，对妈妈的身体康复有利。果果呢，暂时先请他妈妈照顾。蓓蓓，如果婉玲不肯带走就让她还在现在的学校读书。至于你的债务，我来还——”沈小荻用力地咬了咬牙，仿佛是为了表示自己的决心。

“你这是做什么？我被判了刑，就算出得去也是十年之后的事了！为什么要陪着我一起死？再说那个债务跟你没有任何关系，你为什么要揽上身？你拿什么来赔？”隋杰急得脸通红。沈小荻不肯离婚，他心里很感激，可她的心意他明白就行了，婚是一定要离的，大家做个了断，也免得今后牵肠挂肚，现在的他少连累一个算一个。

“这个你别管，我会去想办法。只要你在里头好好的，别胡思乱想，就是给我和爸妈吃定心丸。”

“不，这绝对不行，我们不是早就说好办离婚手续的吗？虽然现在迟了几个月，可是我的主意没有变。”

“我改变主意了，当时是你要和莫莉复婚，现在她的想法不同了，我也不会再离开你了。”

隋杰惊讶地瞪大了眼睛，“什么？我什么时候要跟莫莉复婚了？”

“是莫莉告诉我的啊！我搬出来后有一次回去看爸妈，刚好碰到了莫莉，她捧着一大束玫瑰花，还戴着你送的石锁……”沈小荻咬了咬嘴唇，以为已经忘记的伤口又开始隐隐作痛，“算了，咱不说这个了，过去的事就让它过去吧……”

两人关系崩盘前晚的情景一点点回忆了起来，隋杰的脸色变得茄紫。

“不行，一定得说清楚！我那花是送给你的！石锁也是送给你的！当时我去学校找海海，结果看到夏明皓接走了他，我以为你们和好了，心情很不好，就在楼下小店喝酒，我喝醉了……难怪我的石锁不见了，我还以为是我自己喝醉酒丢了！这个女人真不要脸！我费这么大劲才摆脱她，怎么可能还要跟她在一起呢？你为什么不问问我？她是什么人难道你不知道吗？”隋杰的情绪很激动，声音非常大，大到管教已经走过来示意他收敛了，看他那样子简直比药品出事还要觉得冤枉。

虽然被隋杰吼着，可沈小荻心里豁然开朗，最让她内心纠结的事情找到了答案，她没有看错隋杰，她也没有爱错，她更加坚定了自己不离开隋杰的想法。不仅不离开他，而且还要继续追查下去，她始终有一个信念，隋杰不可能以次充好去害人。

然而不离开隋杰不光是一句美丽的誓言就能做到的，她要面对的困难很多很多。她把父母接回了家，当然，冷落多时的儿子海海也该回家了。婉玲已经答应来接蓓蓓回去了，可是蓓蓓怎么也不肯走，说什么也不肯回婉玲那边，她说要等爸爸洗清罪名。像是明白沈小荻支撑这个家不容易，自从隋杰出事后蓓蓓就像变了个人，再也不跟沈小荻作对了，还主动跟海海道了歉，很快还有了个当姐姐的样子管理起海海的学习来。

冷清了几个月的出租屋又有了人气，老人孩子都有了，唯独缺了男主人。隋杰在坐牢，沈小荻的工作早已辞掉，生活来源等于断掉，一家大大小小的担子就得她一肩挑起了，还有隋杰那一身令人想想就崩溃的债务。

沈小荻想来想去，还是只有去找夏明皓。和上次去找老黑鉴证房产一样，这次她又揣上了自己的房产证。

好久不见夏明皓，他还是那副衣冠楚楚、儒雅倜傥的样子，他是个成功的商人，至少在他的脸上看不到风霜的痕迹。可是，他真的就这么一帆风顺吗？沈小荻相信他一定也有过艰难的处境，只是他硬扛着没有让她知道。对男人来说，不让事业的烦恼波及家人是一种品质，可对他身边的女人来说，却失去了共同担当的那种信任，久而久之心渐远离。

夏明皓一见沈小荻心里就一紧，想当年她跟着他养尊处优，不为生活奔波时，总是一副雅致清新的好女儿模样，可现在她不一样了，风尘仆仆步履匆匆，脸上写满了焦虑和失意，这再嫁的一年多来比跟着他七年还老得快。夏明皓赶紧吩咐餐厅上两盅冬虫夏草，好给她补补身子。

沈小荻却不跟他寒暄，一坐下就开门见山，“我想把房子卖了。”

“为什么？你手头很紧吗？”夏明皓吃惊地看着她，其实隋家发生的事情他早有耳闻，他在等着沈小荻做出离开的决定，他相信那是迟早的事情。私下想想的时候，还真有点不厚道地自己偷着乐。可为什么她要卖房子呢？

“我老公欠了很多钱，我得给他还债，虽然把这房子卖了还不够钱，但凑一点是一点。”

“你——疯了？你不是要跟他离婚吗？你还管他那么多做什么？”

沈小荻忧郁的脸上突然浮起一丝羞涩的笑容，“我们不离了……”

夏明皓倒吸一口凉气，“你不是准备等他一辈子吧？……好，你离不离婚我没办法干涉，但这房子是我给你的，你应该留着养老，不能这么瞎折腾。”

“正因为是你给我的，所以我要卖之前得先征求下你的意见。不管怎么样我是要卖掉这个房子了，如果你要的话就给你。”沈小荻从包里摸摸索索地拿出了自己的房产证。她低着头，脸上热辣辣的，心在怦怦乱跳，一方面是怕夏明皓拒绝，二来自己实在很惭愧，无论如何，为二婚卖掉前夫给的房子，还要硬卖给前夫，分明有些无理耍赖的德性。可是她真的没有别的办法了，身边环境好又愿意帮她的人，还是这个曾让她爱恨交织的前夫。

好在夏明皓并没有介意她的无赖，他叹了口气，“如果你真的决定了，我也没办法。这样吧，你需要多少钱我先给你，房子你还是自己留着吧。”

“不，我今天只是来卖房子的，我不是强盗打劫——”沈小荻的脸涨得通红，羞愧得险些要夺路而逃了，可是为了隋杰她还得硬着头皮说下去，“我再说一遍，这房子与其卖给别人不如卖给你，你要就要，不要我就去中介挂牌了。”

“行行行，房产证你就搁在我这里，明天我会让财务给你转款两百万，就当是我借给你的吧，你还得上就以后慢慢还，还不上这房子就抵押给我了，我让他们转户到海海名下，你看这样行吗？”

“不行，现在房价跌了，这房子值不了两百万，你就让财务转一百二十万吧。”沈小荻眼睛不敢跟夏明皓对视，虽然强调自己不是强盗，但这种强卖强借的方式也跟强盗无异了。突然间她心里有些酸酸的，这世上也只有夏明皓这么一个男人能让她这么任性地要求了，即使在隋杰面前她也不会这样放肆。大概是心里一直耿耿于怀，觉得夏明皓欠她的吧。可是夏明皓真的欠她吗？就算欠她什么，到今天也早就连本带利还清楚了，从夏明皓答应给她这笔钱起，就是她欠他的了。

“说真的，我挺佩服你的。不过我还是要提醒你，女人不要为男人牺牲太多，男人天生喜欢付出多过得到，男人最不愿承受的就是女人的恩情，到头来他不是把恩情当成活该，就是会因为偿还不了而逃跑。”

沈小荻全身一颤，这句话触到了她的隐忧。

夏明皓看出了沈小荻的些许动摇，但他没有乘胜追击，而是体谅地转移了话题，“不管怎么样你回来就好，今后我每周都来接你和海海，咱们吃个饭、聚一聚，有空就带他去玩玩，别让海海长大了心里有什么遗憾。”

话说到海海头上，沈小荻的眼睛终于潮了，她使劲眨着眼睛不让眼泪流出来，尴尬地掩饰着，“今天这辣椒好辣！”

夏明皓于心不忍，干脆岔开话题问起沈小荻在四川的情况，沈小荻果然放松了下来。两人谈天论地，一个事无巨细都好奇追问，一个绘声绘色讲述入微，这顿饭倒成了他们分手以来最融洽最愉快的一餐。

沈小荻突然感叹，“你啊，真的是个好人，一定会有很多女孩子喜欢你。”

夏明皓哑然失笑，“我有什么让人喜欢的呢？”

“那还用问吗？你帅，你事业有成，你善良，你大度，心细如尘而且体贴入微……不过后面这些理由是我们分手之后才发现的。”沈小荻思索着措词，虽然这些词有点像拍马屁，但她觉得应该说出她最真实的感受。

“谢谢你能这么评价我，其实我也是咱们分手后才真正认识你的。我不知道你是这么一个有能量的女人，我真是有眼不识泰山，没福气啊……假设，我是说假设，没有隋杰，你还会再给我机会吗？”

笑容凝结在沈小荻脸上，她有些慌乱地低下头，“不，别开玩笑了。”

还好夏明皓只是点到为止，他立刻聪明地笑了起来，“瞧把你吓的，咱不是假设吗？行了，赶紧吃饭吧！”

走出餐厅时，沈小荻的心热乎乎的，身上也特别有力气，她突然发现自己并不孤单，虽然隋杰遭到了不公平的待遇，但生活并不是一黑到底的，有这么多朋友帮她，她和隋杰一定会渡过难关。

明天会好的，一切都会好的，沈小荻暗暗给自己打气。

4

在从老黑家搬出来后没几天，宣萱自己又搬了回去。

老黑这家伙真够狠心的，只在第一晚来接了宣萱一次，象征地说了声是送钱来的，可在宣萱这里碰了个小小钉子，他竟然立马就走了，过后连电话也没来一个。宣萱天天住酒店，开销大得肉疼，搬回公司宿舍吧又拉不下这个面子，大家都知道她有个金龟婿律师男友，就这么回去让她脸往哪里搁啊！宣萱仿佛听到了别人私下里的议论:看吧,又失恋了!她一定有问题,要不然一结婚就离婚,好不容易逮个再嫁对象却怎么也嫁不了。

嫁人,嫁人,在中国,一个女人是否成功主要得看她能不能嫁掉,就像衡量一个男人是否成功得看他有没有钱。没人关心女人幸不幸福,连女人自己也不关心。宣萱就常常被一些生活质量很差只不过是把自己嫁掉了的女人同情:你怎么还没再结婚啊!女人没结婚就像男人没钱一样在同性中抬不起头。每到这时候宣萱在心里冷笑,你们结了婚又怎么样呢?老公不是照样在外找情人包小蜜,把你们丢在家里洗衣做饭带孩子,这样廉价而愚蠢的婚姻难道比她单身一个人强吗?

不管宣萱怎么想,她毕竟生活在红尘俗世中,来自社会和家里的压力太大了。她现在最怕的就是父母来电话,他们每次欲问又止,她知道,父母内心的焦虑十倍于她,只是心疼她,想催她又不敢逼得太紧。老家总有那么一些亲戚在有意无意提醒他们家里还有个老大难,有些热心的还不停在张罗帮宣萱介绍对象。每逢碰到这种事宣萱就哭笑不得,她从读大学开始就离开家乡了,尽管没有在外面扎下根,却已脱胎换骨习惯了外面的世界,不可能再回去生活了。一想到父辈那种几十年如一日的生活她就很崩溃,何况她家无权无势又无财,她回去又能做什么呢?她宁愿在城市的边缘漂着,即使她成为深圳的老大难,也不要嫁内地的老大难。为了父母,只有赶在青春凋谢前把自己设法再嫁掉。

可她一想到这个就要哭。为什么现在的男人可以心安理得地享受女人的爱情和身体,却不愿意为女人付出一生的承诺呢?老黑也老大不小了,家里人也不是不催,可他就是一副神游太空的样子,不肯回到现实中来。这次离家出走,是宣萱不得已为之的挟天子以令诸侯的一招逼婚计。

只是她没想到,搬出来之后并没有让老黑乖乖就范,反而让她自己陷入了更深的恐慌。老黑迟迟不谈结婚,老黑不肯带她见父母,老黑不给她台阶下……老黑有诸多不是,可是,在她交往过的对象中还是条件最好、离结婚最近的。和老黑交往之后,两人的事迟迟不能落实,宣萱也试着偷偷再去相亲,也不是没有过条件不错的人,可她在挑剔着别人,别人也在挑剔着她,总是有点牛头不对马嘴的感觉。她明白,她的心已经放在了老黑身上,很难再接受其他人了。老黑不好,可谁又能担保别人更好呢?说不定人家的问题比老黑还大。她悲哀地发现,她没有勇气再尝试一次和一个人从相互琢磨到建立信任的过程了。

她又开通了停了好长时间没用的监控软件。从监控老黑的电话和信息来看，除了律师事务所的公事，他唯一联系频密的女人就是沈小荻了。隋杰二审败诉后，现在老黑是公然以照顾朋友老婆的名义在为沈小荻忙，虽然他们的联系都是围绕隋家的事，可宣萱再也忍不住了。如果她再赌气下去，老黑这个最靠谱的对象就算彻底没了，说不定他还会成为沈小荻的第三任老公。不行，宣萱给老黑主动发了个信息：我想通了，你来接我回家吧。

老黑在半小时后回了信息：想通了就好，你打个的自己回去吧，我今天有重要事情实在走不开。

什么重要事，不就是沈小荻的事吗？宣萱气得差点把手机摔了，可是想想还是忍了，千山万水都过来了，也许就差那么一哆嗦了，她得忍。这笔账给老黑记上，日后再跟他算总账。

宣萱拎着她的大箱小包下的士的时候，一个行李包被挂破了，那包里正好装着她乱七八糟的一堆饰品，她一路闷头拖行李，饰品一路往下掉，直到一个保安看到了，冲着她大喊："你的东西掉了！"

宣萱回头一看，她那些心爱的发夹们、水晶们从下的士的地方开始散落，一直落到她脚下，她慌得把行李往地下乱七八糟一堆，掉头就去捡她的宝贝。呀，这个发夹摔成两半了，那个水晶链裂了。保安也过来帮忙给她捡东西，当保安把一大捧饰品放在宣萱手上时，发现她哭了。保安心里直犯嘀咕，女人真是麻烦，为个发夹也能哭成这样。

有保安帮忙提行李，哭花脸的宣萱总算是到了家。一进门，宣萱顿时气结，说有重要事情不能来接她的老黑正站在客厅喝水！刚止住的泪像爆管的水一样喷涌而出，她扭头就要折回去，这日子没法过了！就是穷死饿死也不要像乞丐一样来求老黑娶她！

老黑扔了水杯慌忙来拉她，同时用自己的身体挡住了门，"对不起对不起，我比你早五分钟到家，刚给你打电话你没接，我特地推掉了后面的事情，打算回家来换身衣服就去接你的。"他说的是实情，只是慢了一步，却惹得宣萱的委屈崩溃了。

宣萱定睛一看，老黑一身西服革履的，的确是刚从外面回来的样子，他有个习惯，除了办正事绝对不会穿正装出门，他不是有意在家闲着不去接她的。可她还是越想越委屈，"你不要我不想接我回来就直接把话说清楚，别让我像个傻子一样搬来搬去！让我走！这次我不会再回来了！”

平时在法庭上雄辩如滔的老黑解释得分外吃力，“别傻了，我要不想你回来那晚会去接你吗？上午你给我发信息我不也说了你回来就好吗？今天有个新案子要跑，我是没办法。你看我这不是提前回来了吗？既然是去接你，难道你就忍心让我穿着这西装去给你当搬运工？”

宣萱还是哭得一塌糊涂，但手里的行李已经渐渐松了开来，老黑趁势把行李接了过来，一把搂住了她，像哄小孩似的摸着她的头发，“好了好了别哭了，都是我不好，前些日子为隋杰的事情冷落了你，以后咱们不闹了，好好过日子，行不？”

宣萱心已经软了，嘴上却还要找个台阶下，“你说不闹就不闹吗？你害我这么没有面子，总得有个说法吧？”

“行，我给你买个你最喜欢的水晶，你不是老唠叨什么碧玺？就买个最好的碧玺，就当是我给你赔罪，好吗？”

说到宣萱的心爱之物，宣萱心里一喜，“这可是你硬要给我买的，以后可别说我乱花你的钱。”

“是是是，是我逼着你要这个礼物的。”见事情平息，老黑总算也有了笑脸。

两人这晚在外头吃的饭，饭后又手拉手去看了场电影。这晚上映的是一个风花雪月的爱情片，宣萱感动得直掉泪，她不得不承认不管什么年纪，爱情对女人都是最直捣心扉的诱惑。唯一杀风景的是，老黑在放映中途打瞌睡了。周围一对对你侬我侬的情侣，老黑却在这里旁若无人地扯起了鼻鼾，惹来别人嫌恶的白眼。

宣萱如坐针毡，赶紧去推醒这该死的黑胖子，可他端正坐好看了几分钟，渐渐头又耷拉了下去。唉，真不知这段时间他的瞎忙会这么累，宣萱有些生气，却也无可奈何，只好再次推醒他，“行了，看你坐在这里像坐牢一样，我们不看了！回家吧！”

老黑如获大赦，从座位上一跃而起。

别看老黑一到电影院就打瞌睡，可回到家就精神了。一进门，他心急地把宣萱一把抱了起来，轻轻扔在了床上，连衣服也没脱就扑了上去。宣萱奋力挣扎着，“等一会儿，我们还没洗澡！”

“不洗了，我就喜欢你没洗的味道。”老黑坏坏地往她怀里钻。

宣萱挣扎了一会儿，渐渐迷失在他袭心而来的男人味道里。

小别胜新婚，这晚他们仿佛又回到了第一次时的激情。老黑又像往常那样自律地戴上套时，宣萱想帮他取掉那层讨厌的薄膜。老黑却异常清醒地拦住她，“不行，会怀孕的。”

“不要紧，我给你生个孩子吧！”每个女人在动情的时候都跟心爱的人说过这句话，宣萱也不例外。她想要个孩子很久了，每次在外面看到别人白白胖胖的小孩就迈不动步，很多人不都是奉子成婚的吗，她想要为老黑怀个孩子，一个男人可以不要婚姻总不能不要孩子吧，特别是老黑这种农村出来的男人，骨子里应该还是传统的。有时她甚至冲动地想过，实在找不到人结婚也要当一回妈妈，当个单身母亲。

黑暗中，老黑的动作凝固了。他没有回答宣萱的问题，而是尴尬地笑着，“嘿，今天太累了，我先抽根烟。”

宣萱心里不好受，但还是聪明地把话题偏了点，“隋杰在里头怎么样？沈小荻一个人带着老人孩子能行吗？”

一说到老黑最关心的人，他果然有了聊天的兴致，“沈小荻不肯跟他离婚，表面上隋杰挺急的，其实这事对他有很大的鼓励。真没想到沈小荻这么有情有义，隋杰这小子，说倒霉吧够倒霉的，可也有他的福气。”

“那你打算以后怎么办？把他们两口子的事情管到底吗？”虽然对老黑的行踪了如指掌，宣萱还是忍不住想知道老黑最内心的想法。

“他们这个家现在老的老、病的病、小的小，沈小荻挺不容易的，我要是不帮她，怎么对得住隋杰？”

有了上次拌嘴冷战的经验，宣萱不敢再用沈小荻来顶他的雷，只有借着话题回到她的目的上，“是啊，是应该多帮帮她，我看你跟她家海海处得特别好，既然这么喜欢小孩子，咱们自己生一个不好吗？”

老黑奇怪地回答：“孩子真的那么重要吗？这个世界已经这么拥挤了，我们生存的环境这么糟糕，为什么还要生孩子出来让他们受苦？”

宣萱很惊讶，但还是故作轻松地用开玩笑的语气说：“你不会想丁克吧？我可是要成家生孩子的！你要这么前卫的话我就早点闪人！”

“咱俩现在这样不是很好吗？等以后咱们老了，就回老家买个带花园的房子，种种菜养几条狗，咱忙忙碌碌一辈子不就是为了那种生活吗？何必生孩子……你看隋杰多聪明多有能力一个人，就是为了财产为了孩子的事想不开，搞得鸡飞狗跳的，我想想都害怕，还好我跟前妻没孩子……”

这是老黑唯一一次对宣萱谈到他对将来的打算，虽然话题很遥远也没有涉及结不结婚的正题，但他的养老计划是把宣萱列在其中的，这让宣萱感到有些安慰，对老黑的希望又重新燃烧起来。她想老黑还是想跟她白头到老的，只是前段婚姻的阴影很难消除，他需要一个女人来为他做心理疏导。

就在宣萱打算帮老黑再做下辅导时，床头柜上老黑的电话响了，老黑急忙拿了起来，只是一秒钟时间，眼尖的宣萱已看到来电显示是沈小荻的名字。不知她在电话里说了些什么，老黑满口答应着："好，我马上就来。"

"我有点急事要出去，你先睡觉吧！"老黑头也不回地跟宣萱说着，他急匆匆地穿着衣服，一副有国家大事急需他处理的样子，刚才在电影院里的犯困和床上的疲惫完全不见了。

一分钟之后，大门被着急出门的老黑重重地关上了，这声重"砰"回荡在房子里，也回荡在宣萱心里。

宣萱还是保持刚才的姿势一动不动，眼泪蜿蜿蜒蜒地顺着她的脸颊、下巴，流到了心口。

5

养家，养家。

现在沈小荻满脑子全是这样的词。夏明皓借给她那一百二十万交了一部分罚金和赔款，仍然差一大截子钱。对于掏光家底的沈小荻和隋杰来说，如何还剩下的钱真是个大难题。沈小荻已经好长时间没有上班了，手头的积蓄全用在了母亲治病上，往后一家人的生计也成了让沈小荻忧心忡忡的事情。

工作，不是没有去找过。以前有隋杰养家，沈小荻并没有觉得自己做媒体工作有什么不好，现在才发现对于这个家来说，那点收入太微薄。让沈小荻更下不了决心去上班的是，瘫在床上的母亲需要人照顾，上学的海海和周末回家的蓓蓓需要人监管，家里的日常家务也得有人做，不能全指望年迈的父亲。如果上班的话，势必要耗去绝大部分时间，沈小荻得不偿失。

可不上班又能做什么呢？除了做媒体，沈小荻别无长技，而媒体工作是个不可能帮隋杰还债的活计。沈小荻现在发疯似的想赚一大笔银子，而这样的可能性无异于中六合彩了。她想过要开个店,可做什么好呢?听说餐饮周转快?可店面、装修、人工哪样不是让她头痛的啊!再说她一点管理经验也没有,到时只怕连本钱都要亏个精光。听说做服装利润高?进货、卖货,这些想一下就发晕,她连打扮自己都嫌麻烦,又哪有那个眼光去挑最好销的款式呢?做生意是需要本钱的,做生意也是有风险的,她现在已经没有任何东西可以拿去博了。她不得不承认,最适合她的角色是贤妻良母,可现在她已经没有男人可以依靠。

帮,不是没人帮的。

夏明皓那里已张了个让沈小荻一生无地自容的口了,夏明皓对她已仁至义尽,虽然他还愿意帮她更多,但她如何能有脸让前夫来帮她养二婚的家呢?无论如何她不能再让夏明皓管了。

隋杰公司注册时借了老黑不少银子,眼见着树倒猢狲散,很难指望隋杰还上钱了,老黑却自始至终都没逼过隋家,还尽力尽心地帮忙跑腿。他太明白沈小荻的难处了,时常给家里送这送那不说,还有几回拿钱出来给沈小荻,沈小荻坚决不肯要。平时家里有事需要男人时就很麻烦老黑了,她又如何能再要他的钱呢?

日子,一天比一天捉襟见肘起来。

沈小荻自幼被父母宠爱,跟着夏明皓经济上也没操过心,即使第一次离婚时经济上有过落差,很快也调整到了平常百姓的生活,可从来没像眼下这么难过。物价那么高,海海和蓓蓓长身体需要改善伙食,母亲每天要请大夫上门针灸,蓓蓓的寄宿学校费用那么高……沈小荻每天都在为第二天的生活费算计,怎么样才可以安排合理。钱啊钱啊,她生平第一次觉得每一分钱对她都那么重要。

她不再去超市买菜了,走上几里路有个走鬼档的菜市场,每天到黄昏的时候去,虽然那里的菜大都有些蔫叶,却是全市最便宜的蔬菜肉禽。第一次去这种地方时,沈小荻脸上还有些热辣辣的,怕碰到熟人,可到那里一看,和她差不多年龄和打扮的女人也不少呢,人家能过这样的生活她为什么不可以呢?她并不比别人金贵。她坦然了。

母亲躺在床上不能动弹,沈小荻会一天几次地为她擦身按摩,深圳这么热的天气,居然没让她长过褥疮。母亲常常握着沈小荻的手老泪纵横,就是亲生女儿也未必能做到沈小荻这样啊!终于有一天,父亲拿出了一个存折给沈小荻,“我跟小杰他二姐打过电话了,这几天她就来深圳接我们回去。这些钱是我们老两口攒下的,你留着吧。小杰拖累你了,我们心里很过意不去……你也别再等他了，早点去办手续吧！趁着年轻还能再找个人……”父亲说着这些违心的话，眼睛红红的。

沈小荻心一酸，赶紧把存折塞到了母亲枕头下，“我不离开这个家，你们也不要离开，隋杰迟早会回来的，你们要有信心。”

这个周末，心事重重的沈小荻带着海海去看老爸老妈。好长时间没来了，老妈给他们做了一桌子菜，海海一进门就扑到饭桌前，眼睛发亮地喊着：“哇，猪肉炖粉条！哇，大螃蟹！哇……”

“别哇啦，全是给你做的，赶紧洗手去！”老妈心疼地看着外孙，心想这孩子最近肯定吃得不好，不然怎么会这么馋呢。再看看沈小荻，也是一副眼青青脸菜菜的样子，看了真让她难过。这孩子从小听话，没想到长大了为了婚姻居然跟父母这么顶着心干，老妈真是又生气又心疼。

对着一桌丰盛的菜肴，沈小荻只是扒拉了几下筷子就说饱了，借着这点空档，她开了书房的电脑，在网上找起商品信息来，她还是没有放弃做点生意帮隋杰还债的想法。老妈忍不住开始唠叨：“饱什么饱！你都快瘦成猴儿了！赶紧再去吃一碗饭！”

沈小荻挤出一个僵硬的笑脸，“妈，你就别瞎操心了，你和老爸陪海海吃吧！”

老妈叹了口气，“你也三十几了，按说我早不该管你的闲事了，可你一天比一天过得糟糕，你让妈怎么吃得下睡得着呢？”

“妈，对不起……”

“你的糊涂事情干了这么多了，也该够了，你还真打算这么耗下去吗？他爸妈不是有五个孩子吗？好歹也不能让你一个人侍候吧？轮也该轮到他哥哥姐姐了，既然隋杰没指望再出来了，他爸妈还在这里耗着做什么？我看是想拖死你吧？”

沈小荻目不转睛地看着电脑屏幕，装作没听到老妈的话。

见她这副样子，老妈的语气软了下来，“小荻，不是妈不帮你，他们家是个无底洞啊！我和你老爸就那点退休工资，好不容易攒点钱又全套在股票里了，剩下的只有你这套房子了，总不能让我们住回乡下去吧？……”

“妈！”沈小荻打断了她的话，“我什么时候要卖房子了？我说过，我会解决我自己的事，你和老爸就不要管那么多了！”

老妈还不知道这房子已经卖给夏明皓了。几乎是逃跑般的，沈小荻赶紧离开了老妈家，拖着疲惫的身子在返家的路上慢慢走着，在某个瞬间她突然感到特别无力特别灰心，要为隋杰还债为他洗清冤情的勇气开始在动摇，就像大家说的那样，她只是个女人啊，她根本担不起这副担子，为什么要硬扛呢？

无助的时候，她想到了宣萱，好些日子没她消息了，这个最好的闺中蜜友也许能帮她解解压想想办法。

一个小时后，两个女人在一家茶餐厅碰头了，宣萱行色匆匆地从公司赶过来，一身白领装束，手里还拎着她的电脑包。

沈小荻抱歉地说："对不起，忘记你周六也上班了，你有事应该告诉我啊！"

"跟我说这些客气话干什么！咱们俩是什么关系！"宣萱看来气色也不太好，这些日子虽是搬回了老黑家，但她心里的结并没有打开。经历过这么多事，她也明白光闹是没办法降服一个男人的，结果只会跟莫莉一样，可像沈小荻那样一味地跟从又怎么样呢？她并不觉得有爱的沈小荻就比她幸福，尽管她一直嫉妒着沈小荻。

沈小荻眼下的烦恼自然是比她大得多了，一见面她就滔滔不绝地说了起来。沈小荻是憋坏了，所有的苦水都只能在宣萱这里倒，宣萱静静地听着，一直没有做任何评论，她知道沈小荻现在也只需要她的倾听。在听的过程，宣萱把沈小荻的将来设想了无数种可能。第一种，是最好的结局，隋杰的案子出现转机，他洗清冤情出狱，和沈小荻重归于好，从此夫妻和美，老黑也死心回头跟她结婚。不过目前来看这种可能性为零。第二种，担不起隋家重担的沈小荻整天这么悲悲戚戚下去，那她的死黑胖子一定要英雄救美，一来二去说不定跟沈小荻迸出火花，还真的演一出"兄终弟极"的戏来。第三种，沈小荻自己找到活路了，不需要老黑帮忙了，她可以自己担起所有的事……对，让沈小荻自己找到一条活路，这恐怕是皆大欢喜的好事。

宣萱目不转睛地看着沈小荻絮絮叨叨的嘴，脑子里就这么不停地高速运转着。终于得出一个结论，她得帮沈小荻，要比老黑还要显得上心，这才是舍得孩子套着狼的奇招。虽然帮助沈小荻找到赚钱的路子，比帮那扶不起的阿斗还难，但也好过眼睁睁看着男朋友被自己最好的朋友抢走。

宣萱作了决定之后，心倒是定了很多，开始认真地帮沈小荻分析起来，"我听明白了，你现在最需要的是一种既能赚很多钱又不需要坐班还不需要投入太多成本的活儿，说实在话，要是在以前，我一定告诉你，这活儿除了当骗子之外再没别的法子了。”

沈小荻脸一红，羞愧地低下头去，“我不是偷懒不工作，也不是眼高手低贪钱，只是家里的事逼得我没办法……”

“好在你生在了网络时代，我告诉你，你可以去开个网店，既不用去注册交税，也不用投太多钱，只要你摸清开网店的诀窍，就算卖空气你也能赚大钱。”宣萱一本正经地说着，心里却在暗自发笑，鬼才相信沈小荻能做得了生意。宣萱对自己的说法也没有多少认同，只是对于毫无头绪的沈小荻，瞎打乱撞碰运气也许是唯一的办法了。

宣萱只是随便这么一说，却让沈小荻听进了耳，一连好几天，她没日没夜地泡在网上，从一个不知网购为何物的菜鸟晋级到了熟知买卖程序的入门汉，她欣喜地发现，开网店还真是个不犯法、不坐班、低成本的好主意，蓓蓓一听沈小荻要开网店，第一个跳起来赞成，“我支持荻姨自己创业！我所有的休息时间都可以帮你看铺子，放心吧，网上买卖东西我已经学会啦！我会帮荻姨打理店铺的！”

沈小荻笑，一个十岁小姑娘能帮上什么忙。这些日子蓓蓓再也不跟家里人闹了，跟沈小荻、海海也越来越亲近，也许她明白了沈小荻是这个家的依靠。没想到一场灾难，竟然帮沈小荻收服了这个最难管的小孩。

为要选什么商品来卖，小荻发了愁。最好是不需要垫什么资金进货的生意，那就只有自己手工制作的东西了。除了跟母亲学的一手家乡小吃，她还没别的拿手的东西。蓓蓓出了个主意，“那就卖荻姨做的泡椒凤爪吧，像我一样贪吃的小孩多着呢！”

自家的小孩喜欢吃，不代表别人也喜欢吃啊！沈小荻决定做一个实验。她做了十斤泡椒凤爪，给所有认识的左邻右舍都送去了一碗，然后忐忑不安地等着别人的反馈。很快，邻居们来还碗的时候，个个都跷着大拇指说:“真好吃！什么时候你还做？”

白吃的当然味道不错，如果让你们花钱还会喜欢吗？沈小荻心里还是没有底，她又做了一次，决定去那个走鬼档的菜市场卖。她和蓓蓓推着一个整理箱盛着的泡椒凤爪，赶在下午四点菜市场人最多的时候去了。找了一个空档，沈小荻摆好了东西，可心里已经非常后悔来了，这人来人往肯定会有邻居照面，到时她该怎么说呢？沈小荻啊沈小荻，一个读过大学过过小康生活的女人，为什么要把自己搞成一个菜贩呢？人家是往高处走，她倒好，每况愈下……

就在她心情灰暗到极点，打算收档走人的时候。蓓蓓大声吆喝起来："大家快来看啦，家乡小吃泡椒凤爪！干净卫生味道一流！"

很快有几个大妈围了上来，七嘴八舌地问："这好吃吗？多少钱一斤啊？能尝尝吗？"

沈小荻涨红了脸，一句话也答不上来。伶牙俐齿的蓓蓓替她解了围，"您尝尝吧，味道不好不要钱！这是我阿姨亲手做的，您看她这么干净一个人，做出来的东西肯定不会差的！我爸爸被人冤枉坐牢了，我们出来卖点家乡小吃讨生活，求各位叔叔阿姨爷爷奶奶帮帮我们！"

的确，衣着整洁容貌清秀的沈小荻压根就不像个菜贩，蓓蓓这么一说，马上就有更多人围着来了，"给我也尝尝！"

半个小时后，十斤泡椒凤爪以低出市场价 10%的价格全部卖光。

回家的路上，沈小荻步履轻快地提着空空的整理箱，蓓蓓应景地唱起了歌："日落西山红霞飞，战士打靶把营归……"

6

没多久，夏明皓从海海那里知道了沈小荻当上菜贩的消息。海海嘟囔着投诉，妈妈把家里搞得到处是坛坛罐罐，里里外外一股子酸臭味，他现在闻到那个味道就想吐，以后都不要再吃泡椒凤爪了。

这真让夏明皓哭笑不得，沈小荻不肯接受他高于房价那几十万的帮助，是因为自尊心很强，可抛头露面跟一帮菜贩子混在一块，她反而不顾及什么尊严和脸面了，要是他夏明皓哪天落到这个地步，一定是干不来的。这个倔犟的女人啊！让夏明皓心生怜悯，却又打心眼里佩服，这种活也只有她这么坚韧的女人才能做，不管她这么做能不能救隋家，共患难这份承诺她是做到了百分百。夏明皓真嫉妒那个坐在牢里的倒霉蛋，同样做过沈小荻的丈夫，为什么他没能看到沈小荻这么好呢？早知道这样，当年公司几次面临困境时也应该让沈小荻参与进来啊！

再约沈小荻见面时，他发现沈小荻的脸色明显比上次好多了，看来劳动带给了她快乐。正如海海所说的，沈小荻一走动，衣服里隐隐约约便飘出一些酸味，再看她的手指，到处脱皮起皱，显然是经常泡水洗菜、切辣椒的缘故。夏明皓知道她的脾气，也不敢指责她的做法有什么不对，只是关心地问："听说你在网上开店了？生意怎么样？"

"生意是好，现在我们一家人整天忙得要死，光市区的货都做不过来，只是为了争取顾客，我们的价格压得比较低，利润很微薄。当然，不管怎么样，这个头算是开得不错。"

做软件起家的夏明皓对网购这种形式还是比较有认识的，他的问题一下问到了点子上，"你们是怎么包装的？"

"就是我们自己抽的真空包装啊！不这么包装的话怎么邮寄啊！没等到客人手里东西就已经坏了！"

"有没有打算去注册和拿食检证呢？"

"那得花钱啊，我们还不知道能不能长久做下去呢！万一哪天卖不动或者不想做了，注册的钱就白花了。"

"那可不行。你们卖的是食品啊！万一哪天客人吃了出毛病，不管是不是你们的问题都会算到你头上，注册和送检的钱一定不能省，一来是增加产品的信誉度，二来也避免因为食品安全问题出事。"

沈小荻打了个冷战，她想起了隋杰，是啊，食品和药品一样，都是容易给人抓把柄的，她不能再让隋杰的事情重演了。想着便对夏明皓充满了感激，"你说得太对了，怎么我就没想到这个呢？我光琢磨着怎么样才可以提高产量……看来还是得先把基础的问题给解决了！"

这是夏明皓第一次看到沈小荻这么真诚地认同他的意见，不由来了兴致，"要不要我来投资？咱们可以把它做成一个品牌，你可以去研制一系列的家乡风味小吃出来，然后找个场地，请些工人，批量生产，你要想靠自己亲手做来赚钱，那做十年都赚不到你需要的钱！只有上规模，成为正式军，你才有希望。"

夏明皓的建议让沈小荻非常心动，但她仍是闪烁着惊喜的眼睛，半天才回答："这个，我得跟家里人好好商量。"

所谓跟家里人商量，无非是要争得隋杰的同意。不管沈小荻的出发点是什么，毕竟让前夫投资她的生意，这很容易引起隋杰的不舒服。在前往监狱的车上,沈小荻心潮起伏。其实不用问隋杰她也知道,隋杰并不想她跟夏明皓还有什么瓜葛,到时他那臭脾气又要来个一刀切,要给她自由让她重新嫁人了。

爱,太自私让人崩溃,太无私同样是种负累,如果失去了原则作为底线的话。

再相见,仍然是相视无言,分开时累积了多少想念的话,太多埋怨和叮嘱,到这时竟然一句话也说不出来。心,像在烤炉上翻转的麦芽糖,渐渐酥软融化。寂寞铁窗的冤屈和痛苦,肩负重担的奔波和劳累,到这个时候都消散成了眼里的一层薄雾,他(她)吃的苦比我还要多得多,我这又算什么……

沈小荻决定还是把她的想法告诉隋杰,不管他同不同意,他是家里的男主人,有权决定如何去留。"老公,这些日子我在网上开个了店,经营一些家乡风味小吃,生意真的很好,可我实在忙不过来……虽然现在开网店是法律允许的,不过做这种食品类的东西最好是有注册商标,有食检证明,这样生意才可以长久做得下去……夏明皓说他愿意投资参股,他只是投点资金,怎么经营都由我来掌控……"尽管心里没有半丝暧昧,沈小荻说得还是有点磕磕巴巴。她真怕情绪化的隋杰又生气。

然而今天隋杰脸色非常平静,"人家在我们危难的时候伸手,不管他是为了什么,我们都应该感谢他。只要你觉得这个生意是有前途的,你就大胆地去做吧,我不能亲自帮你,只能在心里为你祷告,希望老天有眼,能帮你顺顺利利完成你的愿望。"

沈小荻惊喜地看着隋杰,"这么说你不反对?"

"我为什么要反对?以前就是我不相信你,老觉得你可以有更好的选择,才让我们之间有那么多误会。你为我们的家吃了太多苦,如果在这个时候我还拖你后腿,我还是人吗?"

"老公!"沈小荻后面的话哽住了。

隋杰眼里也潮潮的,"不过我有件事情要拜托你,你帮我去看看果果好吗?从出事后我就没见过他了,莫莉是不会带他来见我的,我也没脸见孩子……可是我很想知道他的腿恢复得怎么样了,很想看看他长胖长高了点没有……"

沈小荻拼命地点头,"都是我不好,这段时间心思全在家里了,也没能抽时间去看看他。我一定去,你放心!我会给你带他的照片来的!……你在里面要好好保重,只要活着,生活就会有希望,有转机,有奇迹……"

带着隋杰的盼望,沈小荻带着海海去了趟莫莉家。

都说孩子不记仇，满肚子委屈的海海随着时间流逝似乎已经忘记了过去的事，他没有给沈小荻忙中添乱，他不计较跟着妈妈环境艰苦，这已经让沈小荻很知足了。她以为海海真的是小孩子没记性，把那次果果掉下山的阴影给忘了，可这天她要带着海海去莫莉家，海海一百个不愿意，他嘟着嘴，“我不想去。”

“为什么不想去？那么久没看到弟弟了，你就不想他吗？”

“他怪我推他下山的，他不是我弟弟。”

“你——”沈小荻听到这话很有点上火，但控制住了情绪，“乖儿子，没有人怪你，你看弟弟摔断了腿，好长时间都不能走路不能上幼儿园，他很可怜啊！还有他爸爸现在不能去看他，他多孤单啊！”

海海低下头不说话了。承诺等回来给海海买几张游戏点卡，海海这才乖乖听话跟沈小荻走。沈小荻叮嘱海海不要乱说话，特别是隋家的事情不能跟果果说，海海倒是一口答应了。

沈小荻给果果买了一大堆衣服玩具，惴惴不安地出发了。她有些惭愧，这些日子的确太疏忽果果了，隋杰入狱，母亲病重，生计艰难，哪一样不是耗尽了她的心神，而果果，这个曾经让她的生活掀起无数波澜的孩子，她曾经视同亲生尽心疼爱过的孩子，他还好吗？这段时间父母也有跟果果打过电话，可莫莉总是不咸不淡地说果果一切都好，隋杰入狱后她已经不让果果跟老人通话了。想到这里沈小荻的心变得急切起来。急切之外，又有很多担心，去看果果肯定会碰着莫莉，到时她会不会不让他们见果果？隋杰出事这么久了，莫莉对隋家不闻不问，看起来她是对隋杰彻底放弃了，不过这么长时间没来要过果果的抚养费，也算是让沈小荻安宁了一阵。

幸运的是，刚走到莫莉家楼下小区就碰见了果果。一些孩子们正在小区里打羽毛球，果果孤单地坐在一旁，目不转睛地看着他们玩。沈小荻心里一热，脱口而出：“果果！果果！”

“荻姨！哥哥！”果果回头看到他们，兴奋地跑了过来。

果果能走能跑了，腿伤已经没问题了，个头也长高了不少，看起来莫莉照顾得还是不错的，沈小荻乐得一把抱住他，在他脸上亲了一下。果果下意识地用袖子擦了擦沈小荻亲过的地方，尽管看到沈小荻很高兴，可他还是不喜欢这个动作。沈小荻乐了，“怎么不喜欢荻姨亲你了？对对对，是荻姨不好，果果现在是大人了，不兴像小孩儿一样亲了。”

果果没有跟沈小荻继续亲热，却笑容满面地主动去牵海海，“哥哥，我好想你！”

海海把手一甩，装作去看打羽毛球的孩子们。

“哥哥！”果果又大声喊。

“海海！”沈小荻加重语气地叫。

“哦。”海海这才极不情愿地转过头来。

沈小荻拉着两个孩子在小区里的长凳上坐下，一样样给果果拿礼物，果果的心却不在礼物上，着急地问：“我爸爸呢？他怎么好久不来看我了？”

“这个……你妈妈没有跟你说吗？”沈小荻小心地想着措词。

“妈妈说爸爸不要我了……”果果眼里噙着泪。

沈小荻不忍心告诉他真相，也想反驳一下莫莉这种伤人心的话。“果果，你爸爸调到外地工作去了，他怎么会不要你呢？只是他要工作没有办法照顾你，你要乖乖的，他一定会回来……”

“妈妈撒谎——”一直没吭气的海海突然冒出一句，“你爸爸坐牢了，他再也回不来了！”

“海海——”沈小荻慌乱地吼着海海，这孩子，怎么把来时叮嘱过的话全忘了呢？

可已经迟了，平时在海海面前温顺得像个小猫一样的果果现在像被黄蜂蜇了屁股一样，他的脸涨得通红，声音异常尖锐地叫着：“我爸爸不会坐牢！你爸爸才坐牢！”

“你爸爸用毒药害人，你爸爸是坏人！”海海的嗓门也很大。

“夏海海——”沈小荻对海海怒目圆睁，这时果果已经哭起来了。她赶紧过去给果果擦眼泪，“果果别听哥哥胡说，他是逗你玩呢。”

海海住了嘴，委屈地跑开了，明明他说的是事实，为什么妈妈不站在他这边呢？

就在这时，莫莉拎着两袋食品站在了他们身旁，她刚买菜回来，远远便看到了这不请自到的娘俩，“儿子，他们欺负你了吗？”

果果一抽一噎地，“哥哥说我爸爸坐牢了……妈妈，爸爸真的坐牢了吗？”

“姓沈的，你是什么意思？带着你儿子上门闹事吗？他隋杰坐牢也好，死了也好，跟我们没有任何关系了，以后你要是再敢来这里搞事，我会马上报警！”

沈小荻尴尬地一言不答，她怕事情闹下去两个孩子更难过。

就在沈小荻尴尬地被莫莉质骂的时候，果果追到了刚刚跑开的海海身边，他要知道答案。眼泪还挂在他脸上，但他已经能稍平静一些地问海海了，“哥哥，你为什么要说我爸爸坐牢了？”

“他明明就是坐牢了，这次就是他让我和妈妈来看你的……”

果果不再追问，泪水簌簌直掉。海海想起了来时妈妈的嘱咐，他有些不忍心起来，“你别哭，我妈妈说杰叔叔是被冤枉的，她一直在想办法救他。”

“你相信我爸爸是被冤枉的吗？”果果睁大眼睛看着海海。

“相信，只要你相信我没有推你下山，我就相信杰叔叔没有害人，我妈妈也相信。”

果果沉默了几秒钟，吞吞吐吐地说出一句：“本来，本来就不是你推我下山的。”

“那是谁？你知道是谁吗？”海海惊讶地问。

果果正要说些什么，却被莫莉走过来用力一拉，“回家！以后不准你跟这些野孩子玩！”她刚才已经把沈小荻骂得狗血淋头了，很是解气。

海海睁着迷惑的眼睛，表情奇怪地看着一步两回头的果果。

7

果果吞吞吐吐的半句话，在沈小荻心里掀起了不小的波澜，她特别想找到孩子，把当时那件事情弄个水落石出，毕竟这件事是引起家庭矛盾的导火索。可莫莉把果果看得那么死，沈小荻怎么样才能和他说上话呢？

最好的办法当然是去果果所在的幼儿园找他，虽然幼儿园管理也严密，但说说话不带他走，老师们应该不会太反对。沈小荻先直奔莫莉家小区的幼儿园，最初果果就是在这里读书的，然而老师说学校没有这个孩子。再找遍方圆两公里内的幼儿园，也没有任何一家有果果的消息。算起来果果正读着幼儿班大班，下半年他也该上学了，怎么会不在册呢？难道莫莉舍近求远送他去别的地方了？

沈小荻跑了一上午，正在犹豫着是不是再去莫莉家跑一趟时，她的手机上显示了一个陌生的电话号码，接起来听到一个熟悉的童音，“荻姨——”

“果果！”沈小荻又惊又喜，“你在哪里？”

“我在家，妈妈上班去了，我偷偷翻了她的电话本……”果果的声音听起来很紧张，“我想知道我爸爸到底在哪里？你快点告诉我。”

“你爸爸……”沈小荻犹豫着不知怎么说，但想想事情已经闹到这个地步了，她决定要告诉果果真相，“爸爸公司进了一种药，名字叫氧氟沙星，前段时间你妈妈上班的康健医院出了事故，因为有人注射了爸爸公司卖的这种药差点没命了。现在爸爸被警察带走调查情况，暂时不能来看你，但他没有罪只是警察还没有抓到真正的坏人。我们一直在想办法救他，你一定要相信你爸爸！”

果果表现得比昨天好多了，他没有再哭，而且显示出了一份与他年龄极不相符的冷静。“荻姨你告诉我，我怎么样才可以帮到我爸爸，我不要我爸爸坐牢。”

“好孩子，你好好学习养好身体，就是对你爸爸最大的帮助……对了，你怎么会在家里，没有去上幼儿园？”

“妈妈说在幼儿园根本学不到什么东西，反正没多久我就要上小学了，让我现在待在家里玩……”

“老天！”沈小荻惊呼，这都什么年代了，这么小的孩子怎么可以离群呢？这几年父母离婚、争夺抚养权、摔伤养病，已经很耽误果果的学业了，莫莉居然还不让果果把功课补回来！就算在幼儿园真的学不到什么，也可以跟孩子们一起玩啊！同样是做妈的人，沈小荻真无法理解莫莉到底在想些什么，但果果是莫莉的亲生儿子，她要怎么决定孩子的前程是别人管不着的。沈小荻心里还惦记着海海的事，不由得问道：“海海说你好像知道是谁把你推下山的？告诉荻姨是怎么回事好吗？”

“妈妈回来了，不说了——”果果沉默了几秒钟，突然慌乱地挂了电话。

不知道果果那边到底是什么情况，沈小荻不敢乱给果果打电话，她怕莫莉对孩子做出什么令人担心的事情出来。看来果果跟着妈妈的日子并不好过，莫莉为什么要这样对自己亲生的孩子呢？沈小荻心里有一千个一万个疑问，但她实在没有精力也没有能力去追究了。

有了合作办食品加工厂的主意，夏明皓投资参股的钱很快打到了沈小荻的账上。注册、送检、跑批文、租场地，沈小荻整天跑得马不停蹄，可光产品加工、网店销售发货就忙得她四脚朝天了，一时间沈小荻也很难找到能跟着她吃苦创业的工人，眼见着货根本接不上销售的趟了。怎么办？

母亲让父亲打了个电话。第三天，沈小荻在外面跑了一天，晒得面红耳赤地回到家。平时上三楼只是抬腿工夫就到，今天却上得头晕目眩，想到家里还有上百斤的鸡爪等着她泡制，腿就开始哆嗦，一阵酸气顿时从胃里涌出来，差两步就到家门口了，她却软软地滑坐在楼梯上，欲呕无力地喘着气。

听到门外的动静，家里门打开了，大姐探出头来，响起了她大呼小叫的粗嗓门，“老弟嫂，你怎么坐在这里？……啊，快出来帮忙啊！咱家小荻晕倒了！”

几个女人从家里跑出来了，原来大姐、二嫂、四姐全来了。女人们忙乱地把沈小荻扶到屋里，擦把毛巾喝口凉茶吹吹风扇，沈小荻总算是缓了过来。她看到客厅里摆着几个大盆，里头堆放着妯娌们已经处理好的鸡爪。姐姐们是来给她帮手的，一到家就挽起袖子干上了活儿，几个姐姐全是家里的一把好手，别的帮不上沈小荻的忙，做家乡小吃可是轻车熟路。真是雪中送炭啊！沈小荻肩上的担子有人一起担了，可她心里的压力感觉更大了。她有且仅有这一次机会，这次是倾全家之力在搏，只许成功不能失败。

老黑发现宣萱最近变了。

前些日子对他为沈小荻跑腿的事情很是怄气，可自从她离家出走又搬回后，对沈小荻的事反而比他还上心了，建议沈小荻开网店就是她的主意，起初老黑觉得这建议比较适合沈小荻的现状，但当沈小荻决定卖家乡小吃的时候，他觉得这简直太可笑了。在他眼里，沈小荻不是做生意的料，也不是能独挑江山的女强人，何苦来呢？她那样的女人，天生就该是做贤妻良母的，只是她运气不好罢了。真的要做生意，也应该挑个轻松的、雅致的、与文化沾点边的事，这样才适合沈小荻。为这事老黑没少劝沈小荻，可这个平日温柔的女人一决定要做什么事就比驴还犟。

这天晚上，老黑闷闷不乐地从隋家回来，他简直被那满屋的酸味给熏倒了，尽管沈小荻一再解释很快找场地现在只是过渡一下，老黑心里挺不是滋味的。他不忍心看到沈小荻沦落成这个样子，但他没有理由去接过这副担子，怕的还是一个有所图谋的说法。真他妈窝囊！出了隋家门，憋着一口气的老黑在墙上狠狠地捶了一拳，黑乎乎的楼道里看不清楚，谁知墙上居然有一颗钉子，老黑的手顿时扎得皮绽血流。

一小时后，手上包扎着层层纱布的老黑垂头丧气地回到了家，家里黑灯瞎火的，宣萱又没回来。他不主动找她，她就会把自己的夜生活安排得满满的。老黑有些失望地拨通了宣萱的电话，谁知铃声在门口响起，她刚好开锁进门了。她哼着小曲转动着手里的钥匙，自顾自地走来走去换鞋洗手倒水，心情很是不错的样子，完全没留意老黑受伤的手和郁闷的表情。

老黑清了清嗓子。宣萱转过头来，“哟，你今天怎么这么早回来了？怎么不开灯呢？”她只看了老黑一眼就按开了电视，还是没看到老黑的伤手。

老黑忍不住自己告诉她，“我的手受伤了。”

宣萱这才注意到，赶紧扔了杯子跑过来看，“你这是在哪弄伤的啊？”

老黑像个孩子一样诉着苦，“在沈小荻家楼下，不小心，不心给挂到了。”

一听说是在沈小荻家受的伤，宣萱紧张的表情凝固了，她回到刚才的地方去端水杯，话里有话地说道：“这个伤可挂得真奇怪啊！既然是在她家受的伤，那得要她好好关心一下。”

老黑没听出她话里的讽刺，倒是说起了自己关心的话题，“宣萱，你就不能劝劝沈小荻吗？她弄那个什么家乡小吃，搞得跟个菜贩子一样，哪里是她应该做的生意？这不是你出的主意吧？你是她最好的朋友，她会听你的，去劝劝她吧，现在收手还来得及！”

“哦？她是我最好的朋友吗？怎么我不觉得呢？”宣萱夸张地挑起了眉，“我怎么觉得你对她的事比我还要关心呢？”

“你——”老黑这才回过神来，半是惊讶半是生气地瞪着宣萱。

“你认为她会这么听我摆布吗？她要做什么我从来都管不了，她不想做的事就是刀架在脖子上也奈何不了。”

“那你为什么要建议她做网店？那不是你出的主意吗？你明知道她不是个做生意的料！”

“好，我问你，你给过他们两口子建议吗？他们结婚、争孩子、打官司，哪一次不是你出的主意？哪一次不是你在中间掺和？”

“我那不是为他们好吗？”

“难道我想她混得惨吗？她过得越差，你就越想帮她，我为什么要把你往她那边推？我给她出主意，不过和你一样是为她好！”

老黑有些理亏，话便软了下来，“是，我们都是为她好，可有些不适合她的生意会害了她的，你还是劝劝她吧。”

“我就搞不懂了，既然是沈小荻自己决定要做的，为什么你就不能像沈小荻的前夫一样支持她呢？人家可是要钱有钱，要人有人，这次沈小荻要办食品加工厂，人家出谋划策不说，一点折扣也没打就为她投资了二十万！”

老黑惊讶地瞪大了眼睛，这消息他还是第一次听到。

宣萱痛快地乘胜追击，“人家夏明皓对沈小荻真是有情有义！我看沈小荻这次要是办不成公司，也没什么好怕的，她对隋杰也算是仁至义尽了，可以问心无愧地跟夏明皓覆水重收了。”

老黑脸色非常难看，“这是沈小荻自己的意思吗？”

宣萱哼了一声，未置可否地算是回答。看到老黑这副心里难受又说不出来的表情，她心里真是舒服极了，老黑大概以为他是沈小荻现在唯一的依靠吧？这下好，热脸贴到人家冷屁股上，原来人家早有金光大道可走了，看他以后还上蹿下跳地瞎忙不！

老黑的确是很难受，因为他爱上了一个他不可能得到的人。

他还记得第一次见到沈小荻的情形，记得她的月白色衣裳和棋子般黑白分明的眼睛，那个幸福如花，纯净如水的小女人，让人看一眼都替她感到快乐。老黑做律师很多年，尔虞我诈的案件天天都在经历，为了老公为了孩子为了财产，多少众人眼里的优秀女人在老黑面前本性毕露，老黑一直对离婚女人没好感，觉得没有问题的女人是不会离婚的。但沈小荻的出现颠覆了他的印象，看到沈小荻第一眼，他就认定这个有点冒傻气的女人是与众不同的。自认阅人无数的他曾经被女人深深伤害过，让他失去了信任和勇气，如果说还有什么能打动他的，只有沈小荻这种经历岁月却不变颜色的纯真了。打动归打动，他并没有动任何绮念，和隋杰的感情不允许他做出挖墙脚的事情，他也不忍心表白什么去搅乱沈小荻平静的生活。

可事情出他意料地发展着，命运把孤苦无助的沈小荻推到了他身边，他发誓他尽了全力去救隋杰，只是他的力量太渺小了。在隋杰的案子尘埃落定那一瞬间，他想了很多很多，种种不可能也不敢想的事情变成看得清的想象，他是有理由陪伴在沈小荻身边的。可沈小荻铁了心要等隋杰，每多留在她身边一秒，想靠近却又不能的矛盾和痛苦就多折磨他一分。有时候他真羡慕夏明皓，起码可以像个男人一样正大光明地帮助沈小荻追求沈小荻，而他只能遵守着“朋友妻不可欺”的诺言，假装道貌岸然地做个伪君子。

对于宣萱，他承认自己对她不够上心。宣萱来回折腾为的是什么心事他全明白，他知道他该有个交代了，可对她总是缺少了点什么，一些像对沈小荻那样充满心动、怜惜、欣赏、敬佩的复杂感觉。某种意义上，她是沈小荻的替代品，除非他和沈小荻之间永远不能再迈进，他就会给宣萱名分，但那绝不是现在。

老黑像个等待宣判结果的杀人犯，绝望中又有一丝幻想地等着最后一刻到来。今天宣萱说的夏明皓与沈小荻会和好的消息是真的吗？老黑不会去追问，但他想，这个答案很快可以看到。

8

沈小荻很快在郊区找着了场地，几姐妹分了工，采购、加工、包装、送货全齐了，沈小荻的批文很快就要拿到了，她们注册的“老隋家”家乡风味小吃很快就可以名正言顺地销售了。在有注册品牌的小吃正式面市之前，沈小荻经营的网店生意也格外火爆，不得不请了精通网店经营的客服来帮忙。就在大家以为生意快要上路的时候，一场意想不到的食品风波席卷了全国，毒奶毒针搞得人心惶惶，一时间，有牌有证的东西都没人敢吃了，何况隋家这证照不全的东西。

网店一连几天的销售都降到了零，眼见着分装好的小吃都快堆成山了，几个姐姐只好把做好的小吃拿到走鬼档的菜场去卖。这一卖，没想到闹了一场事出来。

广东人把没有固定摊位、挑担小卖、见着城管就跑的叫做走鬼档。姐姐们去卖小吃的地方，就是这么一个无牌无照的菜场。所谓的菜场，其实是一截尚未修通的大马路，因为拆迁户不肯搬一直在扯皮，马路也就修了一半停工了，成为附近菜贩的聚集地，附近居民多超市少所以菜贩生意格外好。每到黄昏时分，这里就人声鼎沸脏乱不堪，每天散场后，这里一准跟十二级台风袭击过的现场一样。有人来查了菜贩就一哄而散，警报一解除一切还照旧，一直让城管极为头痛。

这天蓓蓓带着姐姐们抬着几箱小吃来，早早占据了一个打眼的位置。可没多久平时常在这里摆摊的鱼贩子来了，这是一个五大三粗的汉子，一见几个女人占了他常霸的位置就开吼了，“这是我的地方！赶紧给我搬一边去！”

几个姐姐不甘示弱，七嘴八舌地嚷着：“这地方你买了租了写了你的名字吗？”“先到先得，明天你早点来吧！”

鱼贩说不过这帮女人，悻悻地转身走了。蓓蓓高声吆喝起来，和以前来卖时一样，她们的摊位前很快积聚了很多人。就在姐姐们忙得不可开交的时候，气势汹汹的鱼贩带着好几个抄木棒拿砖头的人来了，鱼贩拿着一块砖头，恶狠狠地往她们的整理箱上一拍，“这地方是我的，谁要想坏规矩，我们让她好看！”

四嫂最先怕了，扯扯大姐的衣角，“算了让给他吧，咱们搬到那边上去。”

大姐在家就是天不怕地不怕的性子，见这鱼贩这么多人反而更激起了她的火气，顶在前面跟鱼贩吵。“你带几个人来我们就得让吗？我就不信没个说理的地方了！”

“你们这做的不干不净是什么玩意？会吃死人的，大家不要买！”

“你胡说，这是我荻姨亲手做的！你们是坏人！”气愤的蓓蓓也冲过来跟鱼贩骂。

鱼贩随手一抬就把蓓蓓甩在了地上，接着一脚飞起，整理箱被踢翻在地，凤爪、萝卜散了一地，泡菜水的味道酸气冲天。大姐一看蓓蓓被打，辛辛苦苦做成的东西全废了，气得跟鱼贩厮打起来。眼见大姐动了手，几姐妹也冲上去帮忙，鱼贩带来的人也加入了战团，只听得尖叫声此起彼伏。

男人和女人打架，并不代表力气小的女人就一定吃亏。鱼贩带来的几个男人虽然拿着武器气势汹汹，真和这几个女人打起架来却下不了狠手，倒是女人们指甲、牙齿、头、手、脚一并用上，把男人们打得鬼哭狼嚎，群殴很快引来了治安巡防员，看到穿制服的人一出现，大家这才停了手。看看，男人个个脸上臂上挂了彩，女人们却还斗志昂扬。

沈小荻这晚是从派出所领回姐姐们的，非法摆摊已经被城管罚了钱，打群架更是受了警察教育，至于鱼贩们受了轻伤，沈小荻自然得赔些医药费。赔着笑脸听完训斥，保证下次不再干这非法营生，沈小荻这才领回了姐姐们。

从派出所一出来，大姐一脸歉疚地说：“都是我不好，不懂这城里的规矩，我们乡下赶场从来都是先到先得。没想到这城里，自家做的东西也不能随便乱卖……唉，早知道就把那摊位让给那个鱼贩子了，不该惹这一堆麻烦。”

沈小荻笑着安慰：“没事，总算你们打架打赢了，我脸上也有光。蓓蓓，你那么小可不要再跟大人去打架了，万一他们打伤你怎么办？”

“谁让他们说你做的东西不干净，我就是生气！”蓓蓓还是气嘟嘟的。

沈小荻心里一热，蓓蓓这丫头总算是把她当自己亲人了。

出了这事之后，沈小荻心里挺犯愁的，看来再去走鬼档卖东西是不太可能了，再说那也走不了多少量。还是得看好一个铺面，有个定点销售的地方，才能正式地经营生意。第二天，沈小荻把附近人气旺的街道都摸查了一遍，顶下一个旺铺需要不少钱，她根本不敢把手头那点有限的资金押出去。怎么办呢？

忧心如焚的沈小荻走到一家报刊亭遮阳，她留意到报刊亭的老板除了摆放些报纸、小零食，还放了个冰柜卖冰淇淋和矿泉水。沈小荻心里一动，赶紧掏钱买了份报纸，闲聊式地开问了，"老板，你开这店生意好吗？"

"好个鬼！不过是混口饭吃。"

"我看你这冰柜还空空的，怎么不多放点东西来卖啊？"

"进多了卖不动有什么用！天气一转凉，冰柜也就是做做样子了。"

"我倒是有个好主意，"沈小荻从包里拿出她刚在工商局拿到的营业执照给对方看，以示她不是个骗子，"我是做家乡风味小吃的，能不能拿些来放到你这里卖卖？你不用担心，咱们卖完了再付钱，卖不动全部收回！我现在要打开市场，只要收回成本钱就行了！"

报刊亭的老板一口答应了沈小荻。

很快，几天之内沈小荻把她们能送货又靠近居民区的报刊亭都跑遍了，建立了老隋家家乡小吃的第一个固定销售网络。别看为食品安全问题搞得现在人心惶惶，好多跨国食品企业都捉襟见肘，但民以食为天，风声稍过，馋嘴不怕死的人们又开始蠢蠢欲动了。口味一流、新鲜干净的家乡小吃在以蚕食的方式入侵以隋家为中心、辐射方圆几公里的地方。

很快有人根据包装袋上的电话来联系沈小荻了，要求现款进货！

接到这一个主动找上门的分销商电话时，沈小荻根本不知道怎么跟人谈生意，结结巴巴的，人家说什么价格就是什么，诸多苛刻的附加要求沈小荻也一一答应。大姐埋怨沈小荻把价格压得太低根本没什么钱赚，沈小荻却一副乐呵呵的样子，"有一点点利润就行了，我们多留一点空间给分销商。"

沈小荻的生意找到出路了，有一个人却是喜忧参半，那就是夏明皓。他投的钱居然没有被砸在水里，而且让沈小荻有模有样地折腾出了动静，他比自己赚第一笔银子的时候还开心，可沈小荻赚钱独立了，也就意味着她跟隋家更难舍难离了。

这天沈小荻来找他了，按他们的约定，隔些时候沈小荻就要来向他这个大股东汇报下公司情况，其实这也就是夏明皓的借口，想多些机会见见沈小荻罢了。一坐下来，沈小荻就拿出几张纸，是这个月的财务报表，夏明皓瞟了一眼报表就放到一边，听沈小荻汇报起公司经营状况来。她把这事太当真了，不仅报表做得清清楚楚，连对夏明皓说话的表情都变成了一副下属对上司的样子。

这么多年过去了，从相守到陌路，从远离到携手，夫妻、亲戚、朋友、合作伙伴，每一次他们关系的转变都不是夏明皓真正内心所想的。就像现在一样，他为她做的一切都是为了让她回家，却没想到把她推得更远。

沈小荻留意到了夏明皓的沉默，困惑地问："是不是我说得不够清楚？要不要再重复一遍？"说着她又要去拿桌面上的报表。

夏明皓一把捉住了她的手，紧紧握住不松开。沈小荻紧张地想抽回来，"你干什么？"

不管这西餐厅里有没有人注意他们，夏明皓再也压抑不了心里的那些话，"小荻，给我一个机会让我们重新开始吧！我们可以一起把这个生意经营下去，替隋杰还债帮他照顾父母家人，只要你回到我身边来。我已经错过了你一次，再也不能错过第二次了。"

沈小荻的脸憋得通红，慌乱地拿起电话来，她真希望这时候谁会打电话来，好让她可以逃避这个尴尬的问题。夏明皓看透了她的心思，一把拿过了她的电话，"别再躲我好吗？我在想什么其实你一直都是知道的，你心里还是有我的对吗？如果是因为隋杰，你已经很对得起他了，难道我现在做得还不好吗？"

"如果是几年前你跟我说这样的话，我会跪下来吻你的鞋……"沈小荻深呼了一口气，让自己慢慢平静下来，她脸上浮起了一丝自嘲的笑，"因为在我以前的生活里，你就是我的天。是的，我曾经以为自己很爱你，但现在我明白了，真正的爱不是那样的，爱不是施舍和依附，爱是有快乐有痛苦有血有肉的……你帮了我，我很感激，但如果要为这份感激放弃我的爱，我宁愿把一切都还给你……对不起……"

"我不是这个意思……"夏明皓紧握沈小荻的力量在一点点流失，手也在痛苦地一点点松开。

"你不要觉得我辛苦就同情我，现在我所做的一切都是心甘情愿的，不管将来怎么样我都不后悔。"说完这句话，沈小荻已经能顺利地把自己的手抽出来了，她给了夏明皓一分钟时间，然后轻声问："希望我没有伤害你，如果你要撤资的话，我不会怪你的……"

这时夏明皓已经恢复镇定了，他强笑着故作大方，"都是我不好，有眼无珠，老天爷应该惩罚我……你好好做生意，不要担心那些事情，如果我这点风度都没有的话，也不会在社会上混到今天了。让我，让我祝你……心想事成吧！"夏明皓举起酒杯与沈小荻碰了碰，酒水和着流不出的眼泪一起咽下。她的心想事成，一定是与他无关的，他早该明白，爱覆水难收，爱没有重来。

沈小荻一直用歉疚的眼神看着他，为了让他消化这份尴尬和难过，她体谅地站起身来，"海海明天要考试，我早点回去好吗？"

"嗯……你走吧！"

一转身，她与一个高大的男人撞上了，是老黑。今天老黑和宣萱刚好也来这家餐厅吃饭，谁知一进门就看到夏明皓在跟沈小荻拉拉扯扯，老黑想换个地方去吃饭，宣萱却拽着他走了过来，她想让老黑看清楚，人家沈小荻跟夏明皓好着呢！可没想到听到他们的对话竟是这样。见沈小荻拒绝夏明皓，老黑心里自然是乐开了花，宣萱却是心直往下沉。当事的两个人一个伤心一个内疚，直到这时才发现老黑和宣萱站在了身后。

寒暄了几句，各怀心事的四个人自然是很快话别了。

沈小荻急匆匆地赶往回家的路上，刚才夏明皓的表白只在她心里掀起了小小的涟漪。应该说夏明皓这次表白是很不合时宜的，沈小荻现在一门心思就是她的生意，如果一个人有一大家子要养，哪有什么心情来情情爱爱呢？沈小荻忽然理解了男人们常说"先立业后成家"的想法。

她那刚才一直盼它响的电话迟到地唱起了歌，那头是一个熟悉的童音："荻姨，我发现了妈妈的一个秘密。"

Second Marriage

2婚

第七章

老婆，让我背你回家

沈小荻安静地趴在隋杰的背上，把脸紧贴着他。他的身体好暖和，暖得就像冰天雪地里突然送来的一炉炭火，暖得一股倦意从脚尖直往上冒，一点点模糊了她的意识。

“老婆，让我背你回家吧！你累了这么久，该好好休息了。老婆，有我在，不要怕。”

在睡过去之前，隋杰的声音从很遥远的地方飘来。

1

每个人都有自己的秘密，果果心里藏了一个秘密，他决定永远不要说出来。在他出事那天，他和海海站在山上放纸飞机的时候，突然他闻到了一种熟悉的香味，就在他准备转过身来看个究竟时，一双手从背后把他推了出去。在空中翻腾的那几秒钟时间里，他很清晰地明白了，那香水的味道是属于妈妈的。

明明知道是妈妈把他推下山的，果果还是选择了沉默，甚至选择了跟妈妈在一起生活。从他有记忆开始，爸爸妈妈就为了争夺他天天上演世界大战，小小的果果有一个心愿，希望爸爸妈妈不要再吵架了，一家人高高兴兴地生活在一起，这样他就不用跟他们中间的任何一个分开了。他爱爸爸也爱妈妈，尽管他没有办法改变大人们的世界。

当听说爸爸坐牢了之后，果果觉得难受极了。一连好多天，他都闷在家里不想出门，他害怕别人说他是坏蛋的儿子。闷在家里的日子，除了看电视就只是自己玩玩具了，妈妈每天得倒班，家里除了钟点工来收拾家做做饭，果果再也见不到外人。这天他的遥控车失控钻到妈妈的床底下去了，果果爬进去拿汽车时，看到家里常用的药箱旁放了一个大纸盒，果果好奇地打开一看，里头装着一个个小纸盒子，果果拿出一盒来，上头他只认识一个字："星"。这个字是沈小荻教过他的，他举起小盒子摇了摇，里面好像有什么东西在晃，其实这种包装的盒子他见过很多了，平时医院里的护士姐姐就是从这里头拿药配水给别人打针的。

妈妈为什么要藏着一大盒药在家里呢？果果突然很想把这个秘密告诉荻姨，一个人心里藏着太多秘密真是太难受了。

听完果果的电话，沈小荻立刻让回家的的士转向了莫莉家的方向，一路她都在心潮澎湃。究竟那是什么药盒呢？“星”会不会是氧氟沙星呢？虽说身为护士的莫莉在家里藏着一些药也没什么稀奇，但如果这药刚好跟隋杰公司出事的药有关系，那一切就很可疑很可怕了。隋杰的案子调查了那么久，她一直是在漫天迷雾中摸索前行，苦苦寻找着真相的突破口，现在是她最接近真相的一刻，怎么不让她激动万分呢？

果果搭着凳子从猫眼里看到沈小荻的时候，吓得不敢开门。沈小荻在门口着急地喊着：“果果，你赶紧开门啊！”

“我妈妈不让别人到我家来！她知道了会打我的！”隔着一扇门，果果吓得声音里带哭腔了。

“你不是说你妈妈上夜班了吗？荻姨进来看一下就走！”

“我不开，我害怕……”

“别怕宝贝，荻姨不会伤害你，你不是想帮你爸爸吗？……”沈小荻几乎在诱导孩子了，今天这道门她说什么也要闯进去，哪怕里面是龙潭虎穴。

门开了，脸上挂着泪的果果忧郁地看着沈小荻。沈小荻跟着他走进卧室，一起趴在地上钻进床底下去。拖出那个大纸盒来，当沈小荻拿起那个写着“氧氟沙星”注射液的药盒时，她心里顿时万马奔腾。可是，在果果面前她得稳住情绪，这时候乱了阵脚，真相就会再次与她擦肩而过。

“好果果，这盒药荻姨先拿回去给爸爸看一下，你帮了爸爸一个大忙，爸爸会奖励你的。一会儿你就乖乖睡觉，妈妈回来了你什么都不要说，免得她骂你，好吗？”

果果睁着大眼睛，高兴地问：“我真的帮到爸爸了吗？”

“是的，你是爸爸的好儿子，他会为你骄傲的！”沈小荻抚去了果果头上沾的灰尘，眼里充满了感激。

沈小荻第一个电话自然是打给老黑，尽管听沈小荻说拿到了这蹊跷的药盒，老黑在电话那头却显得有些犹豫，“能不能明天早上再处理这事？”

从来不提过分要求的沈小荻第一次如此态度坚决地要求着：“不，我现在守在莫莉家附近都不敢走开，我好怕果果露了马脚让她发现我拿走了药盒，那隋杰就永远也别想出来了！你出来吧，求你了！”

老黑再没有打折，“行，我马上来！”

沈小荻不知道，因为这晚撞见她和夏明皓，让老黑和宣萱的关系走向了崩溃。

看着沈小荻和夏明皓走了，宣萱说什么也不肯坐下来吃这顿饭了。她生着闷气在前头冲，老黑一头雾水地跟在后面喊："好好的又怎么了？我没招你惹你啊！"

宣萱的眼泪在打转，酸气一个劲地往上涌。饿着肚子回到家，宣萱已经平静下来了，她一脸严肃地坐在了餐桌前，示意老黑也坐下。老黑却往厨房里闪，"你不饿我还饿呢，我去煮点面。"

"饿你一次不行吗？我只耽误你十分钟时间，话说完了我就走。"

老黑无奈地把半边屁股靠在了椅子边上，保持一个听完随时起身的状态，虽是勉强坐下了，嘴上已经不耐烦地催着："有什么话就快说吧！你怎么越来越任性了？你到底想怎么样？"

见他这副模样，宣萱心里更凉了，"是的，我任性，在你心里，不管我怎么做都比不上沈小荻是吗？"

"这就是你要说的话吗？我不想跟你讨论这种无趣的话题！"老黑虚张声势地嚷着，起身就往厨房里走，其实是想逃避这个话题，他不敢面对宣萱锐利的眼神。

"贺宇轩！你敢像个男人一样跟我发誓，你真的不爱沈小荻吗？"

老黑怔住了，半天没有回答。

"从认识我的那一天到现在，你心里真正地在意过我吗？是的，她善良到伟大，每个男人都想帮她，你有这个权利。每次只要她召唤，你就会像接到圣旨一样赶过去，可在她心里你不过是老公的朋友而已，你爱她，却永远都不能说出来。我知道你很痛苦……那次你在她家受伤了，你心情很糟糕，可你知道我的心比你更痛吗？你为什么要折磨自己也折磨我呢？我就那么一无是处吗？为什么你不肯睁大眼睛看一看我？也许我不像沈小荻那样好，可我心里是实实在在地装着你的，我才是你真正需要的人……"

宣萱的语气并不重，每一句话却像抽在老黑心上，让他羞惭地沉默着。

宣萱笑了，却比流泪更让人心酸，"我觉得我和你都很可怜，我像个疯子一样狂热地爱着你，你却像个傻子一样卑微地爱着她。月亮追赶着地球，地球追赶着太阳，你永远得不到她，我也永远得不到你……我够了，我够了……"宣萱喃喃自语着，疲惫地站了起来，她要去收拾自己的东西，离开这个不属于她的地方。

老黑拉住了她的手腕，"你要去哪里？"一句话没有问完，他的电话响了起来，是沈小荻的，隋杰的案子有转机，此事非同小可。可眼下宣萱这么伤心，老黑怎么能在这时候离开呢？

宣萱从他的话语中听出了犹豫，沉默地看着老黑，她要看看老黑到底会做出什么选择。然而老黑让她失望了，他答应了沈小荻马上过去。放下电话他磕磕巴巴地跟宣萱解释:“隋杰的案子找到了新证据,我现在得马上赶过去,等我回来咱们好好谈谈好吗?”

“不用了……”宣萱厌恶地想甩开他的手,老黑着急地抓紧不放,拉扯间宣萱手腕上戴着的碧玺手链断了,珠子滴滴答答散落了一地。那是上次她和老黑生气时,老黑给她买的道歉礼物,宣萱把它看成是他们感情的信物,可如今这手链竟然就这样断了,是不是昭示这感情到了尽头?宣萱脑子一空,傻傻地站在原地。

老黑并不知道此刻宣萱的想法,只是一个劲地道歉:“别生气了,乖乖在家等我回来好吗?我要和你好好谈谈,那手链……摔坏了咱们再买个新的。我得走了,你在家听话啊!”

和往常一样,老黑边说边往外走,随着大门徐徐关上,宣萱的泪像刚才断线的手链珠子一样滴滴答答跌落下来。

在莫莉家小区门口,老黑与急得一头汗的沈小荻会合了。沈小荻一见老黑就像看到救命恩人一样,“你总算来了!”

借着便利店的灯光,老黑仔细检查了那盒从莫莉家偷出来的药,然后肯定地告诉沈小荻:“这就是隋杰公司出事药品的那个批次,出事之后,公司所有的药品都被收回上缴了,莫莉不可能从别的途径再拿到这批药,除非……”

“除非她出事前就把这批药给换出来了,是吗?”

老黑点了点头,补充道:“这是我们的推断,这证据足够我们向检察院提出抗诉了,只要检察院批准了就可以申请公安拘留审讯莫莉。”

“老天!这程序太长了!等我们办完这一串手续,果果早就跟他妈妈把什么都招了!”

老黑从来没见过沈小荻情绪这么激动,他稍一思忖,“好,不管怎么样,我们现在就去派出所,只要有一线希望就要去努力。”

到了最近的派出所,结果和老黑预计的一样,就凭一盒来历不明的药,是没办法立刻抓人的。办案的民警跟老黑很熟,为难地跟他说:“你也知道我们不能随便抓人,还是明天一早你们就去办手续,只要拿到批文,我们第一时间行动,行吗?”

“那要是这个时间里嫌疑人跑了呢?要是她把证据毁了呢?那我老公就一辈子被冤枉出不来了!求求你帮帮我们吧!”沈小荻着急地恳求着。

然而民警们同情却又爱莫能助。

没有办法,老黑和沈小荻又回到了莫莉家小区的正门,在对面找了个黑暗的角落守着。这个地方正对着莫莉家所在的那栋楼,莫莉一旦出入就会落入他们眼中。夜里一点钟的样子，莫莉下晚班回家了，她哼着小曲一摇一摆地走进了小区。看来她暂时还不知道这事，只是不知回家后果果会不会告诉她，沈小荻的心稍稍放下又悬了起来。

老黑看透了沈小荻的心思，“你先回去休息吧，我在这里守着，如果晚上她会逃出去，一定要经过这里，那我马上拦住她。”

沈小荻是不可能在这时候走的。

这是一个漫长的夜晚，如果换了以前，老黑想都不敢想会和沈小荻在一起待一整晚，可就是这样从未梦想过的愿望，在这样的情况下尴尬地实现了。老黑觉得他应该快乐，可是看看瞪大眼睛盯着对面的沈小荻，她的焦急她的专注哪有一丝一毫是因为他呢？苦涩的味道充斥着老黑的心。他心里一遍遍回响起宣萱的话：“在她心里你不过是老公的朋友而已……我才是你真正需要的人……”

老黑忽然间噎住了，是的，他是需要宣萱的，他的疲惫有她温暖，他的悲哀有她陪伴，他的快乐有她分享，只是她像影子一样跟着他，让人忽略了还有她的存在。他心神不宁地拨打着宣萱的手机，那边一直处于关机的状态，而家里的电话也一直没人接听。

看到老黑不安的样子，沈小荻突然问道：“你不会是和宣萱吵架了吧？”

老黑苦笑，“我不知道，她总是这样，每隔段时间就要发作一次。”

“那是你没有让她的心踏实下来，男人如果让女人的心是着地的，再穷再苦的生活她都能跟着你捱。”

“宣萱和你不是一样的人，像隋杰这种情况你还肯留下来帮他，你这样的女人真是世上少有……”

“我没有你想象的那么伟大，只是我很清楚，只要我还想要婚姻，跟任何一个男人都会碰到这样或者那样的问题，反正都要解决问题，不如跟一个自己喜欢的人在一起。”

“你就那么喜欢隋杰吗……喜欢到你对其他人都视而不见……是吗？”

沈小荻缓缓地点了点头。老黑的心慢慢地沉下去。

随着路边的车呼啸而过，忽明忽灭的灯光映着沈小荻那张轮廓分明的脸，老黑看到她黑如点漆的眼里分明噙着泪花。“黑哥，谢谢你，为了我……和隋杰，你付出的太多了，我不知怎么报答你……”

老黑突然明白了，其实他的心事沈小荻从来就知道。

2

不眠的一夜。

黎明时分，沈小荻终于扛不住靠着树干打起了盹。因为夜气的寒凉，她抱着自己的双腿蜷缩成一团，微明的天色让她的面容显得格外苍白。老黑却没有一丝睡意，他怔怔地看着沈小荻，只有这个时候，他才能这样肆意地多看她一会儿，就多看一小会儿吧，很快隋杰就会被救出来了，那时笑容就会重回她的脸上，这一次，她和隋杰没有理由再分开了，今后，他再也不可能有这样的机会跟沈小荻在一起。他多想把她抱在怀里，让她的面色回春气色回温，但他知道，这样的举动只会让他们连朋友都做不成。他和她之间，关山重隔，心门紧闭，这辈子注定是无缘无分的人。

突然间，沈小荻全身一颤地醒了，醒来第一件事就是盯着对面，脸上显出一些懊悔的样子，我怎么睡着了呢？

老黑淡淡地说："眯一会儿吧，我一直在盯着。"

感谢的话说太多也许就虚伪了，沈小荻点点头，打电话给大姐让她赶紧来这里换班。有了大姐来换班，老黑和沈小荻可以去办抗诉手续了。老黑调动了他所有的关系，终于拿到了批文。

莫莉这天眼皮一直都在跳，明明上夜班很辛苦平时早上都要睡个懒觉，可一晚的梦里都是鬼影幢幢。一大早她就起床了，推开果果的房间，发现他正睁大眼看着天花板，怎么他也失眠吗？一见莫莉推门进来，果果赶紧闭上眼装睡。如果换了平时，莫莉一定要大声吼他了，但今天莫莉显得很有耐心，她柔声对果果说着："睡不着了吗？妈妈给你做早餐好不好？今天妈妈休息，带你去儿童公园玩吧！"

果果一骨碌爬了起来，小心翼翼地回答着："好。"

莫莉给果果煮上了他最喜欢的面条，想想平时不是买两个包子打发他就是让他吃方便面，莫莉突然有点心疼儿子了。人都说孩子是前世欠的债，她的果果也是吗？果果是个多乖的孩子啊，是她欠儿子的，那次把他从山上推下来，虽然不是她故意的，但她心里真的很难受，这么尽心尽力地照顾儿子都是应该的……因为带着果果，想要再找个男人结婚更难了，日子久了不免很焦躁，可恨的隋杰是吃了秤砣铁了心，明明跟沈小荻搞成那个样子也不肯回到她身边。既然她得不到他，那也不会让他好过……

想到隋杰，莫莉的心一阵刺痛。糟糕，锅里的面条已经煮得太久了。调好味，莫莉吃了一口就咽不下了，这么烂的东西简直是喂猪的。果果却不嫌弃，大口大口吃着她做的面糊糊。看着懂事的儿子，莫莉忍不住摸了摸他的头，“儿子，妈妈做饭不好吃，妈妈脾气又不好，你恨妈妈吗？”

果果摇摇头。昨晚荻姨来过的事情已经到了嘴边，想起荻姨不能说的叮嘱，他压根不敢跟妈妈的眼睛对视。

牵着果果的手去公园，莫莉老觉得浑身上下都不对劲。是这件衣服不好看吗？不是。是今天天气不舒服吗？将晴不晴欲雨未雨的，的确很闷热。但令莫莉感觉不适的还不止是这些，果果乖乖跟着她走，问一句答一句，虽然平时他的话也不多，但今天是带他去儿童公园啊！难道他不高兴？更令莫莉纳闷的是，她总觉得后面有什么人在盯着她看，几次回头却根本没看到有可疑的人。真是邪门了！

莫莉心里犯着嘀咕，从手袋里掏出了一个镜子，借着照镜子，她不时将身后的景物扫来扫去，果然发现有一个中年妇女一直跟着她们走，那女人矮矮胖胖肤色黝黑，衣着打扮很像个农村妇女，奇怪这个人怎么好像有点眼熟，在哪里见过呢？莫莉放缓脚步那人也走慢起来，莫莉突然小跑那人也穷追不舍。好家伙，果然是冲着她来的。莫莉突然一个转身，回头向那人走去。

那人正是接到紧盯莫莉任务的大姐。没想到莫莉会突然回头，怕她看出自己在跟踪，大姐只好硬着头皮往前走，当年莫莉和隋杰新婚回乡时她们曾经见过一面，大姐只有祷告莫莉没有记住她的模样。在和莫莉擦肩而过的瞬间里，大姐分明感受到了莫莉身边有股杀气，她的头皮顿时发麻起来，吓得她僵着身子一个劲往前走。

就在这当头，莫莉伸手要了个的士，带着果果上了车。大姐走出好远才敢回头看，这时莫莉已经没了踪影。糟了，跟丢了！大姐懊恼地捶了自己一拳。

甩掉了那个不知是小偷还是抢劫犯的尾巴，莫莉很是高兴。一会儿给果果买他最喜欢的冰淇淋，一会儿带他玩电动汽车，还难得地给果果买了个面具，母子俩手牵手在公园里闲逛着，莫莉感觉到果果的手心出汗了。她纳闷地问：“你很热吗？”

果果摇摇头，冰淇淋紧紧攥在他手里，已经融化得快流下来了，他还没有要吃的意思。他紧张极了，心里一直想着要不要跟妈妈说荻姨来过的事。

莫莉看出了他的紧张，心里有些难过，弯下腰下柔声说道：“是不是妈妈平时对你太凶？你这么怕妈妈？……对不起，儿子，你原谅妈妈好吗？妈妈一个人带着你，压力很大……”

这是莫莉第一次这么真诚地跟果果说话，那个除了吼就是打的妈妈不见了，她脸上写满了果果很少看到的慈爱和温柔。受到这样的待遇，果果却高兴不起来，他吞吞吐吐地说："妈妈，我要是说件事给你听，你会不会打我？"

"傻孩子！是不是又打烂什么东西了？"莫莉摸了摸果果的头，"只要你承认错误，妈妈保证不打你。"

"荻姨，荻姨来过我们家了……她还拿走了你床底下的小盒子，她说可以救爸爸……"

"你——"莫莉的脸刷地一下失去了颜色。那盒子里的东西在她床底已经放了很长时间了，她努力地让自己忘记还有这么一个东西存在，似乎也真的是选择性地失忆了。然而事实证明，她没有失忆，别人也没有。

有换掉隋杰公司药品的念头时，是隋杰那天明确告诉莫莉，他们之间永远不可能再复合。痛苦像虫子一样日夜噬咬着莫莉的心，莫莉不是不想放下隋杰，她真希望自己可以痛痛快快地把这个人丢到脑后，可是他们分手这么久了，她的生活一直没有什么起色，想再找个比隋杰强的男人，不知怎么就这么难。虽然隋杰和沈小荻现在关系并不好，但莫莉心里明白，他们之间的误会其实不难解除，难道她能眼睁睁地看着隋杰和沈小荻过上幸福的日子吗？不！她得不到的东西别人也别想得到。

那天上着班，莫莉正要给一个病人配药注射，看着药盒上的"氧氟沙星"时她陷入了沉思，她知道，这是隋杰公司代理的产品。假如他的药品出点医疗事故，那他的所谓的事业和家庭一定都会完结……一个疯狂的念头迸了出来，再也刹不住车。每过一段时间，医院就会清理焚毁一批过期药品，莫莉很轻易地从清洁工那里拿到了一些过期的"氧氟沙星"，借着护士工作之便，她调换了护士班刚领到的隋杰公司的药品。接着她请了几天假，兴奋又紧张地等待着消息。

事情正如她希望的那样，医院出事了。其实她的换药手法并不高明，只要深究一下就能找到元凶。可医院为了自己的声誉，把隋杰当成了最好的替罪羊，什么内部责任也没追究就糊弄过去了。作为被定了罪的隋杰那一方，想要取证翻案是非常困难的。隋杰终于锒铛入狱了，他的世界一夜之间被莫莉颠倒了。

莫莉只开心了几天，很快被莫名的沮丧和恐惧取代了。隋杰倒霉了，为什么她不像想象中那么开心呢？她发现自己做了一个很后怕很愚蠢的决定，如果当时医院稍稍追究一下，她不仅陷害隋杰不成，还要搭上自己的一生。将来真相会不会被人发现，这弄得她每天提心吊胆。隋杰的十年徒刑意味着她要独自挑起抚养果果的担子，虽然目前她的收入还能够勉强支付开销，但果果要是再生病呢？果果将来上学怎么办？她不敢想将来。隋杰，这个改变了她一生命运的男人，让她爱之深恨之切的男人，本来以为报复了他心理就会平衡，可她为什么还这么想他呢？

失去了他，生活里再也没有希望和等待了，世界变成了一片汪洋大海。她没有鳃没有鳞不能在这水世界遨游，只有抱着一块浮木，漂到哪儿算哪儿。她不再关心自己是否在一天天老去，她觉得她的青春已经随着隋杰的离去，永远被禁锢在一个冰冷的铁窗里。

那些调换过来的药品，像一个烫手的炸弹，莫莉拿着它们东藏西藏，最后藏到了自己的床底，只有枕着它们入睡，她才觉得安全，仿佛一切都在她掌握中。理智告诉她只要把它们销毁了，真相就将永远埋葬在她心底，可情绪是爱唱对台戏的恶魔，它一次又一次阻止了莫莉销毁药品的举动，她隐隐约约觉得留着它或许还有什么用。其实还能有什么用呢？莫非她还想救隋杰？如果有个什么法子，既不让她承担罪责又能救出隋杰，她想她会毫不犹豫交出这些药品的。销毁还是不销毁？每一天，她就这样在矛盾和痛苦中度过。

莫莉兑现了她的诺言，尽管听到沈小荻拿走药盒的消息，她也没有打骂果果，只是怔怔地发了会儿呆，对于这样的结果，她似乎有些在意料之中，好像等待宣判的死囚终于拿到了判决书，在战战兢兢签上自己名字的那一刻，她心里也有一点尘埃落定的踏实。不过她再也没心思逛公园了，带着果果往回家的路上走。下了公交车，远远地就看到小区门口站了几个穿制服的警察。莫莉一惊，赶紧拉着果果闪到便利店里。她看到警察们拿着一张纸，在向岗亭的保安问些什么。莫非是来抓她的吗？莫非警察手上那张纸是通缉令？想象让莫莉脑子里的血液都凝固了。

莫莉不敢回家了。

尽管莫莉在深圳工作了这么多年，但除了护士阿金她再没有别的朋友。平时一有事莫莉就要找阿金商量的，只有隋杰的案子她没敢说。眼下莫莉有难，已经顾不得多想，立刻拨通了阿金的电话，把隋杰案的来龙去脉告诉了她，莫莉想到她家去暂住几天。一听事情如此严重，阿金在电话那头变得吞吞吐吐起来，她让莫莉先去别处躲一躲，毕竟她也在康健医院工作，到时候别说不清楚以为她也是同谋。

莫莉顿时像被扔进了冰窖。唯一的朋友阿金也拒绝帮她，她又能去哪里呢？戴上墨镜牵着果果，娘俩在街头漫无目的地乱走。半小时后，果果终于忍不住喊累了，“妈妈，我们到底要去哪里啊？我走不动了！我好饿！”

果果一连说了好几遍，目光呆滞的莫莉这才反应过来，她拉着果果进了路边的肯德基，难得地给果果买了很多他爱吃的东西。她突然间好害怕，怕娘俩今后再没机会来吃这个了。看着堆满一桌的食品，早饿得头昏眼花的果果大口大口地吃起来，边吃还不忘追问莫莉：“妈妈，荻姨说她能救爸爸，那是真的吗？”

沈小荻！沈小荻！

果果的话提醒了心乱如麻的莫莉，她心头立刻燃起一把怒火，所有的情绪都指向了一个出口。沈小荻！这一切的一切都是沈小荻造成的，是沈小荻抢走了隋杰，是沈小荻害得她和隋杰对簿公堂，是沈小荻逼自己误伤了果果，是沈小荻骗着果果偷走证据……现在沈小荻把她搞得这么惨，凭什么让沈小荻心想事成？莫莉狠狠地咬了咬嘴唇。

莫莉在超市买了一把水果刀，偷偷揣进了手袋，然后带上果果向隋家出发了。

3

一，二，三……这已经是老黑第五十七次拨打宣萱的电话了，电话那头已经由“您拨的电话已关机”变成了“您拨的用户是空号”。

办完隋杰案子的抗诉手续，老黑终于可以回家换身衣服了。先前忙隋杰的事来不及细想宣萱到底怎么样了，可在回家的路上拨她的电话竟然已经变成空号，老黑这才觉得事情很严重，只怕这次她不是一般的生气了。进了家门，老黑赶紧看鞋柜，和上次一样，她的鞋全不见了，连拖鞋都没留下。她又离家出走了。他心里一沉。

衣服、化妆品、饰物、牙刷……她的东西像小偷扫荡过一样，统统都消失了，只有空气里还残留着她的香水味。老黑没找到她留下的只言片语，只在餐桌上发现有一个纸团包着什么东西。他有些心慌地打开一看，白纸里包着的是一些散落的珠子，正是前晚和她拉扯时摔碎在地的碧玺手链。拈起几粒来看，那些美丽的珠子不少已被摔得开了裂，触目惊心地提醒这昂贵的宝贝已一钱不值。宣萱把她所有东西都拿走了，唯独留下了这串破碎的手珠，是不是意味着他们的感情像这破碎的珠子一样再也无法黏合？

老黑的心痉挛了一下，下意识地又去拨宣萱的电话。第五十八次，空号。打电话到她公司，说已经辞职了，老黑打遍了他知道的宣萱的朋友，没有一个人知道她的下落。老黑猜她可能是回老家了，可这时才发现，他根本没有她家人的联系方式，因为怕她逼婚，他一直很刻意地避开她的家人。

宣萱从老黑的生活里蒸发掉了，这次走得很干净也很决绝。

没有女人的家变得很清静，再也不会面对她的质问和唠叨，也没有人给老黑压力，让他随时预备逃婚了。老黑并没有感到有多么痛苦和悲伤，只是心里空落落的，有一点点苦闷和一点点悲哀，想做些什么却做任何事都提不起神来。以他对宣萱的了解，他相信只要他花工夫去找，是能够找到她的。可是这一次再找到她的话，就一定要给她婚姻了，否则她绝不会再回来。

可对于结婚，他还是下不了决心。下不了决心的原因，仍然跟以前一样，他对能不能和宣萱走完这辈子没有信心。对她没有，对自己也没有。即使是明白了他爱的沈小荻永远也不可能得到，他仍然不愿退而求其次地选择一个明明是自己需要的女人。

是的，他是需要她的。如果说沈小荻代表梦想，那宣萱扮演的就是生活，像空气水分一样必不可少。

他想宣萱了，很想很想，从来没像现在一样想念过一个女人。但是，为了证明他不是个被女人一要挟就就范的男人，老黑赌气地给一个老情人打了电话，在和宣萱同居前，他一直就是这么个左右逢源的男人，现在他要重新过回那种逍遥日子了。老黑在电话里和情人打情骂俏着，说着一些自己都很陌生的话，情人说她马上过来。半小时后，情人卷着一身脂粉香躺在了老黑床上，刚才还愤愤地发誓不被宣萱要挟的老黑却怎么也勃不起来，他连把手伸到情人怀里的欲望都没有。三根烟的工夫后，他难堪地让情人先回家。情人走之前轻蔑地丢下一句话："你丫已经废了！"

老黑心慌地对自己解释着，其实女人都差不多的，换去换来也不外乎就是那些招式，女人太多了，就像吃多了甜食很败胃口，还不如只吃自己习惯的某样小吃还经久耐磨一些。而宣萱，恰恰就是他已经习惯了的小吃。思绪又转回到了宣萱身上。麻木像座宝塔，镇住了思念的河妖，可河妖的眼泪一点一点从塔缝中溢了出来，让老黑的心潮潮的，涩涩的。

为了压下那种酸涩的感觉，老黑打开了一瓶酒，想也不想就对嘴灌了下去。

隋杰案件的抗诉程序走完，就得靠警察去抓莫莉来审讯了。沈小荻想跟着去，特别是当知道大姐被莫莉甩掉了之后，可被警察们一口拒绝了。带着一颗既兴奋又担忧的心，沈小荻回到了家，一路她接了几个电话，都是这些日子联系的超市和商场，他们都同意沈小荻的家乡小吃上架了。真是喜事连连，不过依照现在订单的产量，姐姐们加上请的工人早就忙不过来了，租住的场地眼见也不够了。沈小荻做了一个决定，将食品加工厂转移到老家去，这样成本将更低，姐姐们一听隋杰的案子有转机，她们又有希望回家干活，都高兴得不行。

电话遥控大哥在家筹备场地，姐姐们暂时在深圳顶一段时间，派大姐先回去打理好再转移阵地，把一切安排停当，一直没睡的沈小荻终于感到了疲惫。在床上来回烙着大饼，可怎么也睡不着，她索性起床下楼去走走。

这天晚上的月光很好，清清冷冷地洒了一地。沈小荻忽然很想登高远望，她要看看这圆了的月亮有多么美，有多么亮，能不能照清她的隋杰回家的路。这么一想，脚步便挪向了后山。距上一次来这里，已经有很长时间了，果果出过的事并没有被忘记，只是后来家里发生了更重大的事情，便把这事掩盖了。现在再踏上这熟悉的石阶，以前那翻江倒海的一幕幕又浮现了起来，令沈小荻自己也惊讶的是，她不再感到委屈和气愤了，她觉得生活就像这月亮一样，没永恒的圆满，也不会永远残缺。该是什么样就是什么样，时间总会给坚持的人一个答案。

和她一样夜不能寐的，还有一位老伯，他扛着全套的摄影装备正往山顶走。沈小荻今天心情很好，于是多嘴问了句："这么晚了您这是去干吗啊？"

老伯乐呵呵地回答："我是摄影发烧友啊！难得我这么大岁数了眼不花手不抖的，得学点年轻人的玩意来玩玩。我的装备都是儿子给买的，有了这个我再也不闷啦！今晚我去拍月亮，到山顶上去拍！"

沈小荻乐了，这老伯还知道发烧友啊，看来还真挺时髦的。"您平时常来这里拍照片吗？"

"是啊，早上拍日出，晚上拍月亮，刮风拍风，下雨拍雨，花草鸟鱼，蛇虫鼠蚁，这山头都给我拍遍啦！"

"刮风下雨也来啊！"沈小荻开心地替老伯重复着，突然间她心里一动，"大叔，去年八月十四号，就是台风'黑玫瑰'来过的那次，那天早上您有来拍过照片吗？"

老伯摸着脑袋，努力地回忆着，"记不清了，去年是有几次刚刮过台风我大清早就来拍照片了，可不记得八月十四号有没有来。"

"您拍的作品还在吗？能给我看看吗？哦，是这样，我有个朋友是摄影协会的，他想搞一个深圳民俗民风的影展，要征集一些作品，给我看看您的照片，说不定他能用得上。"沈小荻撒了一个小小的谎，脸已经红了。

一听沈小荻要看他的作品，老伯高兴坏了，月亮也不拍了，带着沈小荻马上去他家。

说要看照片的时候，沈小荻还没有很明晰的目的，但一看到那些零乱的照片时，她明白了自己要问什么，她是希望老伯是果果摔伤时的见证人。"大叔，刚刮过台风您就敢来啊！不怕路滑吗？有没有受过伤或者碰到别人受伤过？"

老伯摇摇头，很自豪地说："我身体好着呢！爬这石阶比你们年轻人还快！再说这小山包能受什么伤啊！"

老伯的电脑里存了很多照片，可都是未经整理过的，看来他只是热衷于拍照活动，但拍出来是什么结果他并不太关心，拍完了往电脑里一存，就算完工了。沈小荻问不出什么东西来，只好在老伯的电脑里乱找一气，好在照片都标有时间，很快她找到了去年八月老伯拍的照片，再仔细辨认时间，沈小荻的心跳加速了，有八月十四号的！她把十四号的照片一张张放大来看，老伯耐心地给她解释着："这个是山上的杜鹃花，这个是芒果树……"

看到那张满山杜鹃花的照片放大时，沈小荻的血液凝固了。照片是从山顶往下俯拍的，本来是想拍那些明媚的花朵，结果跑焦了，能清楚到半山那个突出的平台，而在那平台上，有一大两小三个身影，大的那个身影穿着宝蓝色衣服，站在两个小孩身后。虽然三个人都背向而立根本看不清长相，但沈小荻可以肯定，这三个人就是海海、果果和莫莉。

沈小荻太震惊了！

莫莉跟隋杰打官司也好，莫莉陷害隋杰入狱也好，莫莉在他们夫妻间制造矛盾也好，这些她都还能想得通，莫莉有理由恨隋杰和她，可果果是莫莉的亲生儿子啊！为什么要把他推下山？这个女人简直疯了！突然间她想到了果果，老天，她去莫莉家偷拿了证据，万一莫莉知道了这件事，她会不会对果果再下手？

无数种可能发生的血淋淋的场景在沈小荻脑子里冒了起来，她头皮发麻了，来不及跟老伯解释什么，她撒脚就跑。她要去救下果果，如果孩子因为她而受到什么伤害，那她一辈子都不能原谅自己！

十万火急地赶到莫莉家，按了半天没有人开门，倒是引来了一直监视着这里的保安，原来警察白天已经来过，因为找不到莫莉而返回了。一头大汗的沈小荻赶紧解释自己的身份，同时也把果果现在在莫莉手里的消息告诉了保安，她情绪激动地要他们一定要马上找到莫莉，否则孩子随时会有危险。沈小荻结结巴巴地越说越着急，因为怕保安不相信她，只得又再拨通了老黑的电话。

老黑那时已经喝得接近大醉了，电话那头沈小荻的声音在云朵里飘着，老黑要努力打起精神才能听到她在说什么，在沈小荻一声大过一声的催促中，他终于无关地说了一句，"如果一个人一辈子都在为别人瞎忙着，你觉得可悲吗？"

沈小荻愣住了，老黑咋了？几个小时前还随叫随到，"这话是什么意思呢？"

"我觉得你、我、隋杰、宣萱都很可悲，我们每一个人都在为不在乎自己的人忙着，哈哈哈哈……"老黑笑了起来，却比哭还让人听了伤心。

电话断了，沈小荻不知道老黑发生了什么事，但她现在顾不上他了，眼下只有先解决果果的事再说，看来警方还没有抓到莫莉，她只有靠自己了。

莫莉会带着果果去哪里呢？到这个点她还没有回家，十有八九已经从孩子那里知道药盒被拿走的事了。她会暴跳如雷吗？她会伤害果果吗？沈小荻已经完全不能想象她还会做出什么疯狂的事情来了，不过有一点她可以肯定，莫莉很恨她，比恨隋杰和果果更甚，也许，也许她去跟莫莉谈判，能够转移莫莉的注意。

手机里一直存着莫莉的电话号码，但沈小荻不敢轻举妄动，她先去派出所报了案，然后在警察的同意下拨通了莫莉的手机。连响三声之后，那头接起来了。沈小荻深吸一口气，以保持自己声音的平稳："莫莉，我是沈小荻。"这是两个女人第一次通电话，在气势强大的莫莉面前，沈小荻从来没有赢过，她甚至害怕跟莫莉碰头或对话，但今天，为了果果，她豁出去了。

"你有事吗？"

莫莉的声音听起来还算平静，但谁知这平静下面是什么呢？沈小荻从这平静的问话中听不出她到底知道了什么，只得找了个借口："是这样，果果的爷爷奶奶明天要回老家了，你也知道孩子奶奶中风到现在还身子不方便，这一回去还不知能不能见到果果，她想今晚接孩子回去聚一聚，就一晚上，明天上午我就送他回来，行吗？"

莫莉沉默不答，沈小荻的心在胸腔里沉重地撞击着。难熬的一分钟，或者只有几秒钟之后，莫莉终于慢吞吞地开口了："好吧，约个地方我们见面吧！"

4

在接到沈小荻的电话前，莫莉去了沈小荻住的地方，可是站在她家楼下，听到上面传来的阵阵说笑声，莫莉没有按门铃，听声音家里起码有七八个人，这当口她进去，只会自讨没趣，别提什么复仇了，只怕刀刚拿出来就会被抢下去。恍恍惚惚地，莫莉又牵着果果往外走。

果果却不愿意了，他在莫莉手里挣扎着，"妈妈，我要回家！我要爷爷奶奶！我要荻姨！"

莫莉怔怔地问他："如果让你只能跟一个人，要么是荻姨，要么是妈妈，你会跟谁？"

果果恋恋不舍地看着楼上的家，他没有回答，但他的表情已经说明一切了。

莫莉突然抱住果果，不能自控地哭了起来，她哭得很伤心，哭到果果不得不让了步，"好吧，我还是要妈妈。"

果果已经困得睁不开眼了，莫莉背着他在街头流浪着。比起同龄的孩子，儿子算很瘦的了，可莫莉背着他还是很吃力，他小小的身子暖暖地贴在她背上，让她冷得像冰窖的心里还残留着一丝热气，仿佛在告诉她，这世上还有一个人是属于她的，不管她怎么对他，环境好不好。这点，是她唯一赢了沈小荻的地方。来之前对沈小荻的满腔怒火好像没了踪影，莫莉茫然不知所措地走着。

有电话进来了，是沈小荻，她要接果果走。不管她真正的目的是什么，她是来抢果果的。抢走了她的丈夫不说，现在还把手伸到她儿子头上来了。莫莉没有发火，平静地跟沈小荻约好了见面的地方，那是她们医院旁边的一个二十四小时营业的咖啡厅。挂了电话，睡得迷迷糊糊的果果抬头说了句："妈妈，我们回家吧！"

"好，我们回家。"莫莉柔声说着，"宝贝，你要记住，爸爸妈妈搞成这样全是你那个荻姨害的，你永远也不要原谅她……"

的士往莫莉家的方向开着，这跟去医院是两个方向。坐在的士上，看着一路霓虹闪烁，莫莉一直在微笑。她当然不会傻到把果果去送给沈小荻，这样的鬼话不过是骗开沈小荻那种傻女人罢了。莫莉相信，到时在咖啡厅等待她的不只是沈小荻，还会有等着抓她的警察。沈小荻到时一定会用她那副息事宁人的口气来劝莫莉自首吧，她一定会说苦海无边回头是岸，她总是把自己扮成一副救世主的模样。就算是穷途末路，莫莉也不会向沈小荻投降的。

哼，别以为你扮高尚就能赢到全世界，有些事情是你永远赢不了的。莫莉的笑容甜蜜而又凄凉。

进小区的时候，莫莉把头发放了下来，脑袋埋得低低的，尽量不引起保安的注意。事情和她想象的一样，沈小荻应该是把警察都引到咖啡厅去了，所以娘俩才可以这么顺利地回到家。果果已经睡得很香了，莫莉把孩子放在了他的小床上，留恋地看了好一会儿，又在他的小脸蛋上亲了亲，然后掖好被角关门退出。

她的时间已经不多了，莫莉相信，等不到她的沈小荻很快就会带着人马杀过来。到时会怎么样？逮捕、取证、进看守所、审问、认罪、宣判、无尽的牢狱生涯……无数次在电视中看到的情节浮现在她脑子里。

这不会是莫莉要的结局。

莫莉坐在书桌旁，铺开了一张纸，她要写一封遗书。什么时候她好像也这样坐在这里写过遗书，只是那次她没死成反而把果果害了，提起笔，无数往事全涌了上来，看着这个熟悉的家，一桌一凳一杯一勺都留着她和隋杰的记忆，有甜蜜的，有痛苦的，有快乐的，有悲伤的。她爱隋杰也恨隋杰，她要让隋杰这辈子都与她的命运纠结在一起，不管是生，或是死。

其实遗书很简单，不过是把她怎么换掉隋杰公司的药品，陷害他入狱的事交代清楚了，她把自己这套房子留给隋杰来继承，她没有专门托付果果，她相信沈小荻会接走孩子，隋杰将来出狱后也会照顾好孩子，她托不托付都一样。如果她不死，结果不过是替换隋杰去坐牢，所有人都会觉得她是罪有应得，果果和隋杰很快就会忘记她这个心狠手辣的人。这样的结果，莫莉坚决不要。跟隋杰斗了这么久，为什么要在临死前放过他？伤害已经够多了，莫莉现在要用一种完美的结局刻在他生命里，让他想忘也忘不掉，想逃也逃不了。这一次，她要跑在全世界的前头，用最浓墨重彩的一笔完结她的生命。

写完遗书，莫莉在厨房壁柜里找出了一根绳子，那还是她怀孕的时候，父亲母亲从乡下挑东西来看她时带来的，莫莉把它挂在窗框上，用力往下拉来试试力度，这根两指宽的塑料绳真结实，她想承受她这个百余斤的身体还不成问题。把绳子挂在哪里好呢？莫莉在家里到处找着，能承重的地方似乎只有防盗网了，她先在大阳台上试了试绳子的角度，可以。

在往大阳台防盗网挂绳子的时候，莫莉突然有了点担心。要是沈小荻她们没能及时赶到，反而让果果先看到了，那不是会吓到儿子吗？想着果果被惊吓的一幕，莫莉的心颤抖了，她不要她的宝贝一辈子都活在噩梦里。可是，她又不愿意离开这个家，这里是唯一属于她的领地，这里有她最喜悦和最痛苦的回忆，她死也不会离开这里。

找来找去，莫莉找着了一个最佳的位置，厨房后面的工作阳台。她站在阳台上，手里紧攥着那根绳子，心里充满了恐惧，恐惧到有个声音不断在她耳边说着：再喝口水吧，再换件衣服吧，再看眼果果吧……时间一点点过去，天色已经微明了，因为阳台正好对着小区门口，莫莉看到有几个穿制服的警察走进了管理处。来了，他们终于来了。

莫莉不再恐惧了，她甚至有些兴奋。在把打好死结的绳子挂上脖子的一瞬间，她嗅到了雨后茉莉的清香……那是高中时代的某一天，她特别摘了几朵茉莉花放在自己衣服里，她知道每天这个时候就会碰上从图书馆出来的那个书呆子。她背着书包在图书馆前的走廊里快步走着，迎面而来的隋杰一看到她就脸红了，低着头与她擦肩而过，莫莉用眼角的余光发现隋杰的耳朵都红了……

最早发现莫莉出事的是她楼下的邻居，那时邻居的女主人正早起进了厨房，准备为家人煲点粥。在淘米的空当，她听到一种轻微而又奇怪的声音，像是什么物件在拍打着墙壁一样，难道今天起风了吗？不会是厨房阳台的清洁工具没放好吧，邻居打开了通往阳台的门，一切物件都在它应有的位置，只是楼上直直地垂下一个东西，露了半截到她家阳台的上空来。这是什么？邻居好奇地伸出头去看。

"啊——"一声惊恐的尖叫划破了小区的黎明。

莫莉自缢得非常奇怪，她打开了自家厨房阳台防盗网的活动框爬了出去，她把绳子挂在防盗网上，身体悬挂在防盗网外面，既算是死在了自己家里，也算是没有真正横尸家中。没有人知道她为什么要选择这样一种结束生命的方法，她的死和她的生一样，充满了常人难以理解的谜团。

莫莉的后事是沈小荻帮忙操办的，直到等来莫莉的家人。莫莉虽然选择了自杀，但幸运的是为隋杰留下了洗清罪名的证据，只要所有法定的程序走完，隋杰就可以出狱回家了。老黑对那晚酒醉没能来帮沈小荻的忙很惭愧，他说要上诉追究医院的责任，为隋杰争得应有的赔偿。

莫莉这一死，最受打击的是年幼的果果。沈小荻把他接回了家里。起初一段时间，果果完全失语了，他不跟任何人说话也没有笑容，整天一个人坐在那里发呆，以前虽然他也不爱说话，但总算是乖巧听话型的，家庭的连连变故让这个乖巧的孩子变成了哑巴。沈小荻给孩子联系好了学校，让海海每天带着他去上学，老师反馈回来的消息却说："把这孩子送到智障学校去吧，我们教不了。"

果果怎么会是智障呢？他曾经是多么聪明多么乖巧的一个孩子啊！沈小荻心疼极了，她知道孩子还没从噩梦中醒来。每晚睡前她都要陪一陪果果，给他讲很多温暖的故事，讲很多鼓励的话。但果果对她的态度是最冷淡的，每每目光从沈小荻脸上扫过，就好像看到一个陌生人，没有旁人在的时候，沈小荻从那目光中捕捉到的分明是仇恨。

果果是恨她的。孩子不理解大人的世界有多么复杂，他只知道这个温柔可亲的荻姨来他家之后，爸爸坐牢了，奶奶瘫痪了，妈妈自杀了，而他也不得不离开家。他整天拿着妈妈在出事前天给他买的那个面具，脑子里一遍遍响起妈妈说过的话："永远也不要原谅她……"

不原谅她又有什么用呢，没有一个人不说沈小荻对隋家好，爷爷奶奶、姑姑婶婶们整天在果果面前说沈小荻的好话，连最恨她的蓓蓓姐姐都跟她很亲了，大家都说她怎么对爸爸好对一家人好。每到这时，果果就让自己努力去想妈妈的香味，妈妈的笑脸。

沈小荻的家乡小吃生意越来越顺利了，由二哥牵头在家乡建起了加工厂，姐姐嫂子跑销售网络，沈小荻来全面掌盘，她们的小生意做出了大文章，很快收回了夏明皓的第一笔投资款，夏明皓把钱又用来扩产，一切都在以超出大家想象的方式向前走着。得知沈小荻创业经历的人无不称奇，要知道沈小荻不过是一个家庭主妇罢了，她是怎么挑起隋家这副重担，既奇迹般地替隋杰还债翻案，又把生意经营得有模有样的呢？

对于自己的成功，沈小荻是很汗颜的，她从来不觉得是自己的功劳。如果没有夏明皓的资金支持，如果没有隋家人齐心协力共渡难关，如果莫莉不在临死前说出真相……如果没有如果，沈小荻仍然是那个没什么心计的女人，只要有男人的肩膀可以依靠，她永远也不会独自飞翔。

随着沈小荻生意在拓展，果果渐渐地缓了过来，他肯读书写作业了，他肯让母亲拉他的手了，他肯跟海海、蓓蓓一起出去玩了，简单的词语偶尔也可以从他的嘴里迸出来。他开始不再抗拒家人和外界的关心，唯独对沈小荻，他仍然像一块万年玄冰，暖也暖不热，破也破不开。

有时沈小荻真的很灰心，她怀疑自己所做的一切有没有意义，她非常担心，如果果果再这样发展下去，只怕会成为她和隋杰之间的第二个莫莉。想想她这几年，真像一场永无止息的战斗，离了婚想再找份真情，找到了想再嫁，再嫁了想家庭和睦，说到底她一直在如此艰难争取的，只是一个普通女人的平凡家庭生活，可天总是难从人愿，总是会有新的问题冒出来，总是要她疲于奔命地去解决，有时她真想知道，哪一天她才可以像别的女人那样悠闲淡定地经营自己的家，哪里才是她的归宿和大结局？

其实对所有人而言，大结局一定是生命的终结，人人都在找自己的归宿，可这共同的归宿是人人都不想要的。也许她这一生，就注定在这样的寻找和争取中度过了。经过了这么多事，隋杰将来会怎么对她呢？他会做她的有情郎还是白眼狼？沈小荻不知道答案，但她明白前路一定还有很多坎坷，她不是公主，隋杰也不是王子，不是从此就能“幸福地生活在一起”这么简单。对隋杰好，只是因为她爱。爱不爱是她的事，配不配是他的事。

对于果果，沈小荻只有暗暗希望，等他长大以后，可以用一个成人的目光来评判孰是孰非时，他就不会再这样对她了。

5

世界这么大，我却遇见你，世界这么小，我却失去你。

老黑不知道自己这是怎么了，这么多年了，身边的女人走马观花似的一茬接一茬，凡是动了心思想绑他结婚的人，一定是以失败收场。而他的心，自从第一次婚姻失败后就好像被冷冻起来了，他总是像个局外人一样看着女人们伤心，这一次宣萱走了，他以为很快也没有什么不同。苦闷和悲哀只是维持了几天工夫，他很快找来一大堆工作分散了注意力，可他害怕回到那个空荡荡的家，那里有许多说不清道不明的回忆。和往常一样，身边不乏优秀的女人勾引或暗示着他，他随时可以开始新的恋情。可他悲哀地发现，他已经失去了对女人的兴趣，他害怕从了解一个人到看穿一个人的那个过程，他害怕自己会再失望，那还不如跟一个熟悉的老对象不好不坏地混着。人到没勇气去了解一个新对象时，就证明他已经老了。

他从早到晚地跟一帮男同事和哥们儿厮混在一起，直到有一天他们知道他几个月没做过爱时，惊呼："你不是变得喜欢男人了吧？再这么下去你一定要变态了。"

老黑苦笑，对女人的渴望他还是有的，不过那只是在思念宣萱的时候才有感觉。

怎么办？去把宣萱找回来吗？她不就是想结婚吗？结就结吧，总比变态强。

老黑终于下了一个很大的决心。

可到现在才找宣萱，着实让老黑犯了点难，最后不得不求助于沈小荻。沈小荻这些日子忙晕了头，这时才知道他们分手的事情，赶紧联系了宣萱的父母，谁知她父母说宣萱根本没回来过，她倒是打过电话回来说她很平安让家人勿念。

辞了工作又没有回家，宣萱到底去了哪里呢？沈小荻着急了，找遍了所有同学和朋友。有人说早些时候在峨眉山旅游时，曾在一个寺庙碰到过一个长得很像宣萱的人，当时还叫了她，可是她没有答话。也有人说几个月前在网上跟她聊过，感觉宣萱精神状态很不好，老说人活着真没意思，想出家。

出家！

老黑的脑袋一下炸掉了，他再也不能假装镇定了。无论如何，宣萱是因他而出走的，他一定要把她找回来。

沈小荻的生意虽然已经让她忙得喘不过气来，她还是说放就放到一边了，与老黑一同飞往了四川。多少年了，她和宣萱像一株并蒂莲一样长在一起，无论喜悦和悲伤都有她同在。男人，相爱时固然甜蜜，分手了却也决绝。女人最痛苦的时候，陪伴在身边的还是只有姐妹，彼此的鼓励、安慰、理解、信任和无法替代的陪伴，她们扮演着对方生命里最无私的救火员，最忠实的回音壁，她们是对方永远的大本营和避风港，她们是上天对彼此的怜悯和恩赐。某种意义上宣萱给予沈小荻的比丈夫还要多。

一路上，老黑和沈小荻都没怎么说话，宣萱点点滴滴的好都浮现在他们心里。

几个月来老黑无时无刻不在猜想宣萱的下落，但他没想到，只要真的有心去找一个人，其实是很容易的。在那所寺庙里只兜了一个圈，他们就在后院找到了宣萱，她穿着一件灰色罩衫，正在专心地扫着地。漂亮的BOBO头变成了中年妇女般的包菜头，朴素地拢在耳后，像个六十年代的女干部，这跟平时她时尚青春的形象完全不同了，人也清瘦了些。一看她的头发还在，老黑心里稍安了些，他觉得只要她没有剃度，事情就还有商量的余地。

“宣萱！”老黑和沈小荻同时脱口而出。看到他俩出现，宣萱微怔了一下，给了一个平静的微笑。

宣萱的确是皈依佛门了，不过是无需剃度的俗家弟子，这几个月一直在这寺庙挂单修行，诵经清洁便是宣萱每日生活的全部。最开始来的时候，宣萱一身疲惫满心绝望，对老黑对沈小荻对世界都充满了怨恨，她寄希望于佛门能让她的心平静下来，然而起初住不了两天她便烦躁不安，时时有联系老黑的冲动。思绪是那不肯喝水的牛头，虽然强按不下去，但只要杀牛断头，又有什么是断不了的呢？几个月的离群索居，她渐渐平静得像一潭水了。

原以为宣萱会骂他怨他不理他，可老黑怎么也没想到宣萱竟然表现得如此平静。老黑有些难以启齿地说：“宣萱，我对不起你……其实我已经想通了要和你结婚……你嫁给我吧！”

看着老黑吞吞吐吐被逼无奈的模样，宣萱洞悉地笑了，“瞧你这副言不由衷的样子……呵呵，你不用这样，过去我是很想跟你结婚，可现在真的不想了。我们结了婚又能怎么样呢？你早就失去了爱的能力，现在说结婚只不过是被寂寞绑架了，其实两个不相爱的人在一起只会比一个人更寂寞，你别勉强自己也别勉强我了。”

尽管宣萱现在看起来状态不错，沈小荻还是死磨硬泡地劝宣萱跟他们回去。宣萱也不嫌她烦，静静地听沈小荻唠叨，直到逼得不得已才发了话：“我想回去的时候自然会回去的，别觉得我皈依佛门了有多么可怕，我现在过得比你好，像你这样千辛万苦去求一份幸福，我做不来。何况，你真的觉得你幸福吗？”

沈小荻有些黯然，“一个人太清醒就不会快乐了，糊涂一点自己会好过很多。莫莉说我在装高尚，就算是装吧，我高尚了至少能感动自己，我就不会觉得亏欠什么了，其实说到底是为了自己心安……”

宣萱叹了口气，“说你不知道的实话，我以前一直挺嫉妒你的，总觉得你条件还不如我好怎么命却比我好呢？为什么男人们都愿意爱你帮你给你承诺？这些日子我也算是想通了，我确实不如你，你可以抱着一个信念坚持到底，你那么有爱和勇气，摔倒了受伤了，擦掉眼泪又能爬起来……我却做不到，在事情发生前我就预知了结局，根本不会让自己去尝试失败，所以我根本也没有得到成功的机会……我自以为自己清醒，原来还是你活得明白……”

带着一份怅怅的心情，沈小荻和老黑无功而返。

老黑比以前更喜欢加班和泡吧了，几乎每天晚上他都要工作到很晚，然后硬拽几个哥们儿出来喝酒，有家有口的朋友有时都怕了老黑，不免都张罗着给老黑物色对象，可老黑就是不来电。渐渐地身边就有些人开始议论，条件这么好的男人一直都单身，不是生理有问题就是心理有问题。老黑偶尔听到闲言，总是一笑置之。他打算就一直这么晃下去了，直到某一天还会出现那么一个女人，如果上天再给他一次机会，他想他再也不会漠视了……

自从见过宣萱之后，沈小荻心里挺不好受的，她觉得挺对不起宣萱，几乎没有为这个姐妹做过什么事，另一方面也隐隐觉得迷茫，她真的那么信念坚定吗?好多时候她几乎也快扛不下去，只是她不扛又有谁扛呢？付出了这么多，她真的值得吗?隋杰就快出狱了，一方面身心都急切地渴望见到他，另一方面支撑她坚守的基础却在动摇。如果隋杰出来之后，他们又再碰到其他困难，她还会像这样坚持吗?

在接隋杰出狱的前晚，夏明皓约了沈小荻。沈小荻例行公事地汇报着这个月的财务状况，夏明皓突然插了句话来:“我知道明天他就出来了，你为他做了这么多，他一定会很感激你，你们俩今后一定会百年好合了。”

沈小荻脸上有一丝涩笑，“如果上帝给你一根甘蔗，你是从尾吃到头还是从甜吃到淡？我是愿意先苦后甜的，不过生活不是吃甘蔗，不是你前面受了多少苦，后面就能还你一个大礼包。”

“这话听着你对未来好像没什么信心？事情都到这份上了啊！”

“也许，也许我一直死撑着吧，发生了这么多事，有时候人的选择是被命运推着往前走的，根本由不得你去想对还是不对，是不是自己想要的……”

“现在你可以没有任何压力地去想你要什么了，你还会考虑我吗？”明明知道她的答案会是什么，夏明皓还是忍不住又问了这句话。这是最后一次努力了。

沈小荻哑然失笑，“现在我已经没有任何资格去考虑谁了，别在我身上浪费时间了，好好珍惜你身边的女人吧！”

夏明皓苦笑，女人真是奇怪的东西，不想要的时候赶也赶不跑，想要的时候求也求不来。看来他跟沈小荻之间的缘分真的尽了。回家的路上，夏明皓突然做了一个决定，回去就跟他的初恋情人求婚，这么多年了，他结婚又离婚，她一直默默地陪伴在他的身边，从来没干涉过他做任何事。也许她不是最好的，却是他命中注定的那个。这世上有多少人是能跟自己最爱的人生活在一起呢？人之所以痛苦，在乎追求不属于自己的东西，从今往后，他再也不要无望地折磨自己了。

第二天就是接隋杰出狱的日子了，几个哥哥姐姐全从老家赶了过来，喜气洋洋地杀鸡宰鱼准备为隋杰接风。个个都争着要去接隋杰，可老黑的车根本坐不下，怎么办呢？老黑偷偷地跟大家说：“就让我陪沈小荻去吧，你们留点时间给他们说说话好吗？”

大家会心地通过了这个提议。

沈小荻几乎一晚都没睡，早上很早就起床收拾家了，可姐姐们比她起得还早，家里什么活儿都不让她插手，说是让她去休息。沈小荻在家里坐立不安地东摸摸西看看，柜子里的衣服全拿出来一件件往身上比画，穿什么好呢？不能太鲜亮，否则隋杰以为她平时也这么招蜂引蝶呢；也不能太暗沉，毕竟一家得以团聚是件大喜事。最后她还是挑了件平时常穿的针织开衫，款式简单且是喜庆的淡玫红，给他看最本色的自己吧。

老黑进去办手续了，沈小荻在门口等待着。她不安地来回在踱着步，心像撒了缰绳的野马一样在胸腔里奔腾着。

“老婆——”不知过了多久，身后传来一声熟悉的轻唤，沈小荻头皮一麻，浑身僵硬地转过身来。

隋杰已经换上给他新买的衣服了，短短的头发瘦削的脸庞，但双眼熠熠精神很好，已经看不到他蒙冤坐牢时的那股怨气了。沈小荻默默地看着他，相亲那天见到的那个自信的隋杰又回来了。她还是这么迫切地想见到他，不管付出什么样的代价，为这一天她也的确付出了很大的代价。值吗？她再次问自己，答案是肯定的，就冲着他眼里闪动的泪光。

隋杰快步冲过来，一把把沈小荻抱进了怀里，他抱得很紧很紧，紧得像要把她抱进自己身体里一样。他什么话也没说，但他的感激，他的内疚，他的爱……全在这一抱里了。伏在他肩头，嗅着那熟悉的气息，沈小荻的心终于着了地。她的爱情终于不是一场独角戏。这些日子的迷茫、委屈、犹豫和怀疑统统不见了，涌上来的，还是深深的欢喜和浓浓的爱。

从下了车到家里有一段距离，隋杰握紧沈小荻的手问："老婆，让我背你回家吧，让我为你做一点事好吗？"

若是平日，沈小荻一定要反对的，自己体重不轻隋杰又那么瘦，要是累坏了怎么办？可今天沈小荻笑眯眯地答应了。她安静地趴在了隋杰的背上，把脸紧贴着他。他的身体好暖和，暖得就像冰天雪地里突然送来的一炉炭火，暖得一股倦意从脚尖直往上冒，一点点模糊了沈小荻的意识。

有我在，不要怕。

在睡过去之前，隋杰的声音从很遥远的地方飘来。